ハヤカワ文庫FT
〈FT357〉

奇術師

クリストファー・プリースト
古沢嘉通訳

早川書房
5337

THE PRESTIGE
by
Christopher Priest

Translated by
Yoshimichi Furusawa
First published 2004 in Japan by
HAYAKAWA PUBLISHING, INC.
This book is published in Japan by
arrangement with
INTERCONTINENTAL LITERARY AGENCY
through TUTTLE-MORI AGENCY, INC., TOKYO.

エリザベスとサイモンに捧ぐ

著作家協会のご協力に感謝申し上げる。また、ジョン・ウェイド、デイヴィッド・ラングフォード、リイ・ケネディ——および、〈アルト・マジック〉のメンバー諸氏にも感謝を。

目次

奇術師

第1部 アンドルー・ウェストリー

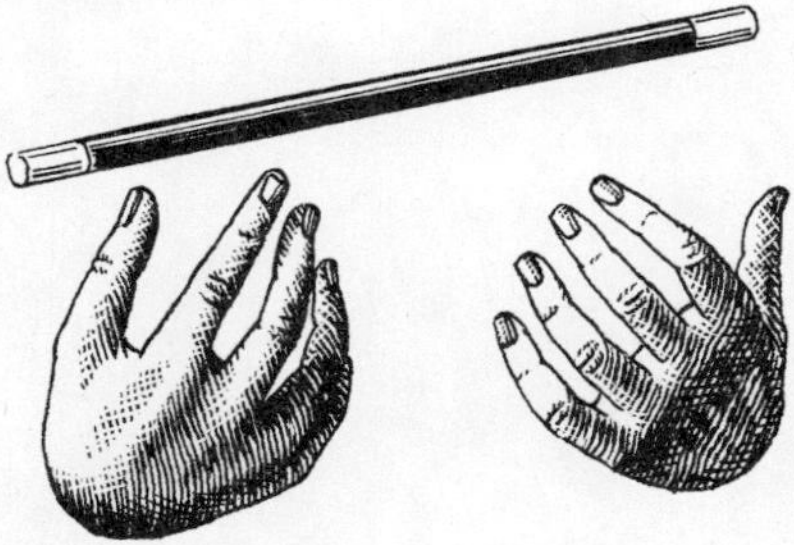

PART ONE Andrew Westley

1

始まりはイングランドを北に向かって進む列車のなかでだったが、ほどなくして、じっさいには百年以上まえにそもそもの事の起こりがあったことを、わたしは知った。

そのとき、それがいったいなんのことやら、こちらにはさっぱりわからなかった。とある宗教団体で起こった事件に関する記事のフォローをしようと、仕事で列車に乗っていた。ひざには、その朝、父から届いたかさばる封筒が載っていたが、まだ開封していなかった。というのも、そのことで父から電話があったとき、それどころではなかったからだ。寝室のドアが叩き閉められ、ガールフレンドがわたしのもとを立ち去ろうとしていた。「はい、父さん」わたしが電話に出たとき、ゼルダは箱いっぱいのCDを抱えて、そばを足早に通りすぎていった。「郵便で送ってくれたら、あとで見るよ」

クロニクル紙の朝版を読み、車内販売ワゴンからサンドイッチとインスタント・コーヒーを買ってから、父の封筒を開けた。大判のペーパーバックが滑りでてきた。一枚のメモがなかにはさまれ、半分にたたんだ使用済封筒が同封されていた。

メモにはこう書かれていた――「親愛なるアンディ、こいつが例の本だ。わしに電話してきたのとおなじ女が送ってきたものだろう。女はおまえの居所を訊ねた。本が入っていた封筒を同封する。消印は少々ぼやけているが、たぶんおまえなら見分けがつくんじゃないかな。おまえがこんどいつうちに来るのか、母さんが知りたがっておる。次の週末はどうだ？　愛をこめて、父より」

父からかかってきた電話の内容をようやく少し思いだした。本が届いたことと、その本を送ってきた女性が、わたしの家族のことを話題にしていたので、遠縁かなにかにあたるようだ、と父は言っていた。父の話をもっとまじめに聞いておけばよかった。

さて、これがその本だ。『奇術の秘法』という題名で、著者は、アルフレッド・ボーデンなる人物だった。どう見ても、カード・トリックやら、手先の早業《スライハンド》、シルクのスカーフを用いた道具手品などを扱った奇術教本だった。一目見たとき、その本で唯一興味を惹かれたのは、最近刊行されたペーパーバックであるにもかかわらず、本文そのものは、はるかに古い本の復刻版であった点だった――活字の書体や挿画、章の表題、もったいぶった文体などいずれもがそのことを示唆していた。

このような本にわたしが興味を抱くいわれはなかった。ただ、著者の名前だけには見覚えがあった――ボーデンというのは、わたしが生まれたときの姓だった。おさないころ養子になったので、養父母の姓に変わったのだが。現在のわたしの法律上のフルネームは、アンドルー・ウェストリーであり、自分が養子であることは端《はな》から承知していたが、成長するにつれ、ダンカン・ウェストリーとジリアン・ウェストリーを父母と考えるようになり、ふたりを両親として愛し、ふたりの息子としてふるまった。それはいまでも変わらない。生みの親に対してはなんとも思っていない。彼らに興味はないし、わたしを養子に出した理由についても関心はなく、成人したいまとなっては、彼らの所在を確かめたいという願望はまるでなかった。すべては遠い過去のことであり、彼らはわたしにとってまったくとるに足りない存在のように昔から思ってきた。

とはいえ、自分の来し方に関して、ひとつ気になっていることがある。強迫観念の一歩手前とも言えることなのだが。

自分が一卵性双生児の片割れとして生まれたこと、そして、わたしともうひとりの兄弟は養子になった時期に離ればなれになったこと、この二点をわたしは確信している。あるいは、きわめて確信に近い気持ちを抱いている。なぜそんなことがおこなわれたのかも、もうひとりの兄弟がどこにいるのかも、わたしにはさっぱりわからないが、双子の片割れはわたしと同時期に養子に出されたものとつねづね推測してきた。自分に双子の兄弟がいるのではないかと疑いだしたのは、十代に入ってからだった。たまたま、ある冒険ものの本の一節に、多くの双子が、説明のつかぬ、超自然的触れ合い《コンタクト》によって結びついている様子が描かれているのにでくわした。数百キロ離れていたり、べつの国に暮らしていても、双子たちは片割れが送りだす痛みや驚きや幸福感、憂鬱な気持ちを共有するのだという。

それを読んだとき、とつぜん多くのことが明白になる瞬間というやつを味わった。

思いだせるかぎり、生まれてこのかた、ほかのだれかと人生をわかちあっているという感覚につきまとわれてきた。子どものころ、実体験以外に語るべきものをなにも持っていなかったので、ほとんど気にならず、ほかのだれもがそんな感覚を抱いているものと思いこんでいた。長ずるにおよび、友人たちのだれもおなじ体験をしていないのがわかると、そのことは謎になった。そんなわけで、すべてを説明してくれるように思えて、その本の記述に大きな安堵をおぼえたのだった。わたしにはどこかに双子の片割れがいるのだ、と。

その共感という感覚は、あいまいな形では、気にかけられている感覚、見守られている感覚とすら言えようが、もっとはっきり特定できる感覚もある。一般的な共感は、たえずバックグラウンドに流れているのだが、ごくたまに、もっと直接的な〝メッセージ〟がやってくることもある。それらは強烈で明確なものだった。じっさいの意思伝達は、決まって非言語的なものだとはいえ。

たとえば、酔っぱらっているとき、一、二度、片割れの狼狽が自分のなかで大きくなっていくのを感じた。わたしがひどい目に遭うんじゃないかと心配する気持ちだった。あるときなど、パーティーに参加して夜遅くなり、車を運転して帰ろうとしたところ、こちらに瞬間的に届いた懸念があまりに強烈で、素面《しらふ》にかえったことがある！　そのときいっしょにいた友人たちにこのことを説明しようとしたが、一笑に付された。とはいえ、その夜、不思議なことに、素面で車を運転して帰宅した。

逆に、ときどき、片割れが苦しんでいたり、怯えていたり、危機に直面しているのをなんらかの形で感知し、落ち着かせたり、いたわりや励ましの気持ちを届けるのに成功した。わけもわからずに利用できる精神的な能力なのである。わたしの知るかぎりでは、そのことを満足いくように説明した人間はこれまでだれもいなかった。しごくありふれており、よく文書にも記録されていることなのだが。

しかしながら、わたしの場合、もうひとつ特別な謎がある。

わが片割れの居場所をつきとめられずにいるだけではなく、こと記録に関するかぎり、わたしにはいかなる兄弟も存在しておらず、ましてや双子などいないことになっているのだ。養子になったのは、わずか三歳のときだったが、そのまえの生活の記憶はとぎれとぎれに残っていたものの、兄弟のことはまったく覚えていなかった。養父母もそのことについてはいっさい知らなかった――わたしを養子にしたとき、ほかに兄弟がいるような様子はまったくなかった、とのちに話してくれた。

養子には、法的権利がいくつか認められている。そのなかでもっとも重要なものは、実の両親からの保護である――いかなる法的措置を講じても、実の両親は養子に出した子どもに会うことはかなわない。だが、成人に達したとき、みずからの養子縁組に関する事情の一部を調べることができる。たとえば、実の両親の名前や、養子縁組がおこなわれた裁判所の住所を知ることができる。その情報を利用すれば、関係する記録を調べることも可能だった。

十八歳の誕生日のすぐあとに、わたしはいま挙げたことをみなおこなった。双子の片割れについてなにか見つかるかもしれず、やもたてもたまらない気持ちだった。養子縁組斡旋所によれば、書類が保管されているのはイーリング県裁判所であり、そこで自分が実父――クライヴ・アリグザンダー・ボーデンという名前だ――によって、養子縁組が申請されたことをつきとめた。実の母親の名は、ダイアナ・ルース・ボーデン（旧姓エリントン）だったが、わたしが生まれたすぐあとで亡くなっていた。養子縁組がおこなわれたのは母の死が原因だろうと推測したが、じっさいには、母が亡くなってから二年以上経つまで、わたしが養子に出されることはなかった。その間、父がひとりでわたしを育てたのだ。わたしの元の名前は、ニコラス・ジュリアス・ボーデンだった。もうひとりの子どもに関する情報は、養子に出されたのであれなんであれ、いっさいなかった。

のちにロンドンの総合登記所セントキャサリン・ハウスで出生証明書を調べたところ、そこの記録でも、わたしがボーデン夫妻のただひとりの子どもであることが証明されただけだった。

それでも、双子の片割れとの超自然的触れ合いは調査のあいだも変わらず残っていたし、それ以降もずっとつづいてきた。

送られてきた本は米国のドーバー出版から刊行されたもので、小綺麗な体裁のペーパーバックだった。表紙の絵には、タキシード姿の舞台奇術師がこれみよがしに両手で指し示した木製のキャビネットから、若い女性が姿を現している場面が描かれていた。若い娘は晴れやかな笑みを浮かべていたが、身につけている衣装は当時としてはかなりきわどいものだっただろう。

著者の名前の下に、「コルダーデイル卿編註」と印刷されている。

表紙の地の部分には、白抜きの太字で、「名高き守秘義務必須秘儀本」という謳い文句が入っていた。

裏表紙にある、本の中身に踏みこんだ長めの宣伝文句が内容を詳しく説明していた――

元々一九〇五年にロンドンで限定版として出版された本書は、内容について秘密を守る誓約を交わす意志のあったプロの奇術師にのみ販売された。現在では初版本はきわめて稀少であり、事実上、一般読者には入手不能である。

初めてひろく入手可能になったこの新版は、いっさい省略のない完全版であり、原著の挿絵をすべて収録しているだけでなく、高名なアマチュア奇術師である英国のコルダーデイル伯爵による註釈と追補がついている。

著者のアルフレッド・ボーデンは、伝説の大規模奇術《イリュージョン》、〈新・瞬間移動人間〉の考案者である。舞台名〈ル・プロフェッスール・ド・ラ・マジ（奇術の大先生）〉を名乗っていたボーデンは、今世紀初頭の代表的舞台イリュージョニストだった。デビュー当初、ボーデンは、ジョン・ヘンリー・アンダースンに励まされ、ネヴィル・マスケリンの弟子として、フーディーニやデイヴィッド・デヴァント、チャン・リン・スー、ボーティエ・ド・コルタの同時代人だった。イングランドのロンドンに拠点を置き、頻繁に合衆国や欧州で巡業をおこなった。

厳密に言えば奇術教本とは言えないものではあるが、奇術の方法論に関する広範な知識にあふれた本書は、史上最高の奇術師のひととなりに関して、一般人のみならず、プロの奇術師にも、おどろくべき洞察をもたらすであろう。

自分の先祖のひとりが奇術師だったと知るのは愉快だったが、その件にとりたてて関心はなかった。ある種の手品はたいくつなものだと思っている。とりわけ、カード・トリックはそうだが、ほかの多くの手品も同様だ。ときどきテレビで目にするイリュージョンはみごとなものだが、じっさいにどうやって成功させているかについて関心を抱いたことはなかった。奇術の問題点は、奇術師がおのれの奇術の秘密を守ろうとすればするほど、それが陳腐なものにすぎないのがわかるところにある、とだれかが言っていたのを覚えている。

アルフレッド・ボーデンの本は、カード・トリックにかなりのページを割いており、煙草やコインを用いたトリックに関するページも多かった。個々のトリックごとに図解と解説が記されていた。本のうしろのほうに、舞台イリュージョンに関する章があり、隠し小部屋のついているキャビネットや、二重底の箱、カーテンの奥に隠された昇降装置のついたテーブル、そのほかの装置の図がたくさん載っていた。わたしはそれらのページにざっと目を通した。

本の前半分には挿画はなく、著者の半生および奇術に対する見解が長々と記されていた。書きだしは次のようになっていた――

これを書いたのは一九〇一年である。

わたしの名は、つまり本名は、アルフレッド・ボーデン。わが半生の物語は、かかる半生を送ってきたことによって生まれたかずかずの秘密の物語でもある。その秘密を記すのはこれが最初で最後である――この書き物は、唯一無二のものであり、ほかに写しは存在しない。

わたしは一八五六年五月八日、英仏海峡沿いのヘースティングズ市に生まれた。健康でたくましい子どもだった。父はこの市に住む熟練工であり、車輪と桶をこしらえる職人組合の親方だった。わが家は――

この本の著者が腰を落ち着け、回想録を書きだすところをつかのま心に思い浮かべた。たいした根拠もなく、その人物は背が高い黒髪の男で、いかめしい顔つきにひげをたくわえ、やや猫背で、細い読書眼鏡をかけていると想定し、ひじのかたわらにぽつねんと置かれたランプが投じる明かりのなかで、書き物に取り組んでいるところを心に描いた。家のほかの部分は控えめな静寂をたたえ、書き進めるあるじを平穏のなかに置いている様子を想像した。現実は異なっているはずだが、われらが祖先に対するステレオタイプな見方は、なかなか振り払えないものだ。

アルフレッド・ボーデンは自分とどんな結びつきがあるのだろう、とわたしは訝《いぶか》った。もし直系なら、言い換えるなら、いとこやおじでないのなら、アルフレッド・ボーデンはわたしの曾祖父あるいは曾々祖父なのだろう。一八五六年生まれというなら、この本を書いたとき、ボーデンは四十代半ばということになる——ゆえに、ボーデンはわたしの実父の父ではなく、それよりも上の世代の人間である可能性が高かった。

序文は、本文とほぼおなじ文体で書かれており、本書が生まれる経緯についていくつか長々と説明していた。この本は、元々公開するつもりのなかったボーデンの個人的な備忘録に基づいているようだった。コルダーデイル卿がかなりの増補をおこない、文意を明確にし、トリックの大半に解説を加えていた。ボーデンの経歴に関する余分な情報はなかったが、たぶん、この本を全部読めば、その情報が多少見つかるのだろう。

この本がわが双子の片割れについてなにか告げてくれるとは思えなかった。血縁のある家族のことで関心があるのは、唯一、双子の片割れのことだけだった。

　そのとき、携帯電話が鳴りはじめた。この手のものにほかの乗客がどれほどいらだつものかわかっているので、すぐに応答した。レン・ウィッカム編集部長の秘書、ソンジャからだった。わたしが列車に乗っていることを確認しようとして、レンはソンジャに電話させたのだろう、とすぐに察した。

「アンディ、車の件で予定変更」ソンジャが言った。「ブレーキが壊れて、エリック・ランバートは車を修理に出さなければならなくなったの。だから、車は、いま修理工場に入っているわ」

　ソンジャは修理工場の住所を告げた。シェフィールドでその車は手に入る。かなり走行距離を重ねているフォードで、しょっちゅう壊れることで悪名高い車だった。そいつのおかげで、自分の車で出かけられずにいた。社用車が使えるなら、レンは余計な経費を認めようとしないだろう。

「おじきはほかになにか言ってたかい？」わたしは訊いた。

「たとえば？」

「この話はまだ生きているのか？」

「ええ」

「当局からほかになにか情報は入っている？」

「カリフォルニア州刑務所から確認がファックスで入っているわ。フランクリンはまだ囚人よ」

「わかった」

電話を切った。携帯を持ったまま、わたしは両親の家の番号を押し、父と話した。シェフィールドに向かっている途中で、そこからピーク地方に入り、もしそちらの都合が良ければ（良いに決まっている）、一晩泊まっていってもいいが、と伝えた。父は喜んでいる様子だった。父と母のジリアンはいまもチェシャー州ウィルムズロウに住んでおり、現在ロンドンで働いているわたしがふたりに会いにいくのは、そうたびたびあることではなかった。

本を受け取ったよ、と父に言った。

「なぜおまえに送られてきたのか、心当たりはあるのか？」父は訊いた。

「これっぽっちも」

「読むつもりか？」

「興味があるたぐいの本じゃない。そのうち目を通してみるかも」

「ボーデンという名の人間が書いたものだったな」

「うん。そのことで送り主の女性はなにか言ってたかい？」

「いや。言ってなかったと思う」

電話を切ると、本をかばんに入れ、列車の窓から、通りすぎる田園地帯へ目を凝らした。空は灰色で、雨が窓ガラスを伝い落ちていた。今回調査に派遣された事件に集中せねば。

わたしはクロニクル紙に勤めており、とくに特集記事が専門の記者だった。現実よりも誇大な肩書きだ。実を言えば、親父自身、新聞記者で、クロニクル紙の姉妹紙、マンチェスター・イヴニング・ポスト紙に以前は勤めていた。息子がいまの仕事を手に入れたのは、父親として鼻の高い出来事だったそうだが、息子としては、親父がうしろから手をまわしてくれたのではという気がしてならない。筆の立つほうではなく、現在おこなっている研修の成績もかんばしくなかった。ずいぶんまえから真剣に悩んでいるのだが、英国きっての新聞での誉れ高き仕事であると父がみなしているものを、放棄してしまった理由をそのうち説明しなければならなくなるんじゃないだろうか。

それまでは心ならずも仕事をこなしていかねばなるまい。いま取材に向かっている事件は、何カ月かまえに送ったべつの記事から波及したものでもあった。あるＵＦＯ信者のグループに関する記事だった。それ以来、上司のレン・ウィッカム部長は、魔女の集会や心霊浮揚現象、人体自然発火、ミステリーサークル、その他の似たような事柄にかかわる話をみんなわたしに担当させるようになった。たいていの場合、そういったものをまともに調べようとすると、書くに値するものはろくすっぽないことにすでにわたしは気づいており、送った記事が紙面に載ることは驚くほど少なかった。それでもレンはそれらの取材にわたしを使いつづけた。

今回は予想外の展開が加わっていた。ずいぶん嬉しそうにレンはこう言った。例の宗教団体の人間が電話をかけてきて、クロニクル紙が取材をする予定はあるのかと訊ね、もしあるとすればおまえを指名したいんだとさ、と。彼らはわたしが以前に書いた記事をいくつか読んでおり、わたしがまっとうな懐疑的態度を適宜示す人間であり、ゆえに、率直な記事を書いてもらえることを期待できると踏んだのだ。ところがどっこい、その期待ゆえとも言えるが、またしてもあらたな没原稿になりそうな雲行きだった。

《イエス・キリストの歓喜教会》と名乗るカリフォルニア州に拠点を置く宗教団体が、ダービーシャー州のとある村の大きな屋敷で共同生活をおくっている。二、三日前、女性信者のひとりが自然死した。主治医が、亡くなった信者の娘と同席していた。女性信者が臨終の床に横たわっていると、ひとりの男が部屋に入ってきた。男はベッドのかたわらに立ち、両手で苦しみを癒すような仕草をした。女性信者はそのあとまもなくして亡くなり、男はほかのふたりになにも言わずにすぐに部屋から立ち去った。その後、男の姿は目にされていない。亡くなった信者の娘と、男が部屋にいるときになかに入ってきた教団のふたりの信者によって、その男は教団を創設した人物であると確認された。すなわち、男はパトリック・フランクリン神父といい、教団が神父を中心にして拡大してきたのは、二箇所に同時存在できると神父が主張する能力ゆえだった。

この出来事はふたつの理由から報道価値があった。まず、第一に、フランクリンの同時存在が教団の構成員以外に目撃された点——そのうちひとりは、たまたま、地元の名士でもある女医だった。もうひとつの理由は、事件当日のフランクリンの所在がはっきり確認しうるものだった点だ——フランクリンはカリフォルニア州刑務所に服役していることが知られており、ソンジャがたったいまわたしに請け合ったように、現在もそこに服役していた。

2

教会はピーク地方のコールドロウ村の外れにあった。村は、かつてはスレート採掘の中心地であったが、いまは日帰りの旅行者にその収益のほとんどを依存していた。村のまんなかには、自然保護団体ナショナル・トラストの売店や、ポニー乗馬クラブ、土産物店が数軒と、ホテルが一軒あった。車で村を通り抜けていると、谷あいの地に冷たい雨がしとしとと降りかかり、両側の岩がちの丘を霞ませた。

村で車を停め、ティーブレイクを取った。《歓喜教会》について地元民と話ができるかもしれないと考えたのだが、カフェにはわたし以外だれもおらず、カウンターの奥の女性は、毎日、チェスターフィールドから車で通勤しているのだ、と言った。

カフェに腰を据え、先へ進むまえに昼飯を食べておくべきかどうか思案していると、思いがけず、双子の片割れの触れ合い《コンタクト》を受けた。その感覚はじつに明瞭で、ひどく切迫したものだったため、店内にいるだれかに呼びかけられたのではないか、と一瞬思い、驚いてきょろきょろあたりを見まわしてしまった。わたしは目をつむり、下を向くと、精神を集中させて、耳を澄ました。

言葉はなかった。なんら明示的なものはない。返事をしたり、書き記したり、あるいはわたしのほうで勝手に解釈して言葉に直せるものはいっさいなかった。あえて言うなら、期待、幸福感、昂奮、歓喜、激励がごっちゃになった感覚とでも言おうか。

わたしは思念を送り返そうとした――この交信はなんのためだ？　なぜわたしは歓迎されているんだ？　わたしになにをすることを勧めているんだ？　この教団に関係していることなのか？

これまでの交流経験が対話の形式をとったことは一度もなかったことから、質問を投げかけてもなんらかの回答があるとは思わなかったが、なにかの信号が返ってくるのを期待していた。双子の片割れに心で触れようとした。わたしに接触してきたのは、意思疎通をはかる方策を探ろうとしているからだろうと思ったのだが、相手の気配はみじんも感じられなかった。

内心の動揺の幾ばくかが顔に表れていたにちがいない。カウンターの向こうにいた女性店員がこちらを不思議そうにじっと見ていた。わたしは紅茶の残りを飲み干し、カップと皿をカウンターにもどすと、丁重にほほえんでから、いそいで車にもどった。シートに座り、ドアを叩き閉めたとたん、二度目のメッセージが双子の片割れからやってきた。

最初のメッセージとおなじものだった。自分といっしょに一刻も早く教会へ向かうようにとせきたてる感覚。とはいえ、依然として、言葉に直すことは不可能な感覚だった。

《歓喜教会》の入り口は、幹線をはずれたところにある急な坂道にあったが、錬鉄製の門と守衛詰め所に行く手を遮られていた。詰め所の隣にも第二の門があり、おなじように閉まっていて、〝一般人立入禁止〟と記されていた。ふたつの出入り口があることでまえに余分なスペースができており、わたしは車をそこへ停め、詰め所へ歩いていった。木製のポーチの下に入ると、壁にモダンな呼び鈴ボタンがあり、その下にレーザープリンタで印刷された注意書きがあった――

ようこそ、《イエス・キリストの歓喜教会》へ
予約のない方の訪問はお断わりします
予約は、コールドロウ三九三九六〇番へ電話を
ご用聞きその他の方は、ベルを二度押してください
主の愛を

わたしはベルを二度押したが、なんの音もしなかった。

簡易開閉式の状差しに冊子が数冊さってており、その下には南京錠つきの金属製の箱があり、壁にしっかりネジで留められていた。箱の天板部分には、硬貨投入口が開いている。一冊手に取り、五十ペンスを箱に滑りこませると、車のところにもどり、左サイドのフェンダーによりかかって読んだ。表紙には教団の略史が書かれ、フランクリン神父の写真が

載っていた。残りの三ページは、聖書からの引用で構成されていた。

次に門のほうを見やると、なんらかの遠隔操作で、音もなく開きはじめたのに気づいたので、車のなかにもどり、砂利敷きのスロープをのぼっていった。道路は丘をのぼるにつれてカーブを描き、片側の芝生が高くなっていき、低い小山をなしていた。装飾用の庭木があいだを置いて植えられており、霧雨に包まれて、枝を垂れていた。道路の反対側の植生の低いほうは、色の濃い葉が茂る躑躅《つつじ》の茂みになっている。くぐってきた門が閉まろうとしているのをバックミラーで見たものの、すぐにカーブの向こうに消えた。ほどなくすると、メインの建物が目にはいってきた――黒いスレートの屋根と、くすんだ焦げ茶色の煉瓦と石でできた、頑丈そうな壁のある五、六階建てのばかでかくて、とりたてて見所のない建物だった。窓は縦に細長く、雨に煙る空をうつろに映していた。その建物を目にして、寒々とした、嫌な感覚を覚えたのだが、駐車場になっている車寄せの一角へ近づいているときに、先へ進めと促してくる双子の片割れの存在をまたしても感じた。

〝来訪者はこちらへ〟という標識に従って、厚く生い茂った蔦から滴る雨滴を避けつつ、建物の正面の壁に沿った砂利道をたどった。一枚のドアを押し開け、狭い廊下に入る。古くさい木と埃の臭いがして、わたしが在籍した学校の下級生用廊下を思いださせた。この建物にはあの学校と同様なしゃちほこばった施設然とした感じがあったが、わたしの学校と異なり、しんと静まりかえっていた。

〝受付〟と記されたドアを目にし、ノックした。応答がなかったので、ドアを開け、覗きこんでみると、室内は無人だった。古びた金属机が二脚あり、そのうち一脚にコンピュータが載っていた。

跫音《あしおと》が聞こえ、わたしは廊下にもどった。痩せた中年女性が階段の踊り場に姿を現した。箱型の書類封筒をいくつか手にしている。カーペットを敷いていない木の階段に跫音を大きく響かせやってきた女性は、わたしを見て、物問いたげな目つきをした。

「ミセス・ホロウェーを探しているんですが」わたしは言った。「あなたですか？」

「ええ、わたしです。ご用は？」

こちらがなかば予測していたアメリカなまりはかけらもなかった。

「アンドルー・ウェストリーと申します。クロニクル紙の記者です」記者証を提示したが、相手はそれにちらっと目を走らせただけだった。「フランクリン神父について、いくつか質問させていただけないものかと思いまして」

「フランクリン神父はいまカリフォルニアにおられます」

「だと思いますが、先週起こった出来事では――」

「と申しますと？」ミセス・ホロウェーは問いかけた。

「フランクリン神父がここで目撃されたときいたのですが」

相手の女性はゆっくりとかぶりを振った。自分のオフィスへ通じるドアに背を向けて立っている。「勘違いをされているようですね、ウェストリーさん」

「あなたはフランクリン神父がここにおられたときに神父を目になさったんですか？」

「いいえ。それに、神父はここにいらっしゃってません」ミセス・ホロウェーはとりつくしまもない非協力的な態度に出ていた。こちらの予想外の行動だった。「わたしどもの広報と連絡をおとりになっています？」

「広報部はこちらにあるんですか？」

「ロンドンにオフィスがあります。取材はすべて広報を通していただいておりますの」

「こちらへくるように言われたんです」

「わたしどもの広報にですか？」

「いえ……新聞社のほうに取材要請があったのだと理解していました。フランクリン神父の出現があったあとで。あなたはそういう事態が発生したことを否定なさるおつもりですか？」

「取材要請を送ったことという意味ですか？　ここにいるだれもあなたの新聞社に連絡を取っていません。フランクリン神父の出現を否定するのかという意味であれば、答えは、イエスです」

われわれはたがいに相手をじっと見据えた。わたしはこの女性に対するいらだちと、自分自身に対する挫折感に心乱された。物事がこのようにうまく進まないとなると、経験不足と意欲のなさだと自分を責めてしまうのだ。わが社のほかの記者たちはミセス・ホロウェーのような相手の扱い方を心得ているようにいつも見えた。

「ここの責任者の方にお会いできませんか？」わたしは訊ねた。

「わたしが事務の責任者です。ほかの職員は修行をしています」

あきらめかけたものの、試みに訊いてみた。「わたしの名前でなにかぴんときませんか?」

「ぴんとこなくてはなりませんか?」

「だれかが名指しでわたしに取材要請をしたんです」

「そうだとしても、広報から要請するはずで、ここから連絡を取ることはありません」

「ちょっとお待ちを」

わたしは、昨日レン・ウィッカムから渡されたメモを取りに車にもどった。引き返すと、ミセス・ホロウェーは先ほどとおなじく階段の降り口に立っていたが、封筒の束をどこかに置いてきた様子だった。

わたしは夫人のかたわらに立ち、レンに届けられた文書を示した。ファックスで届いたメッセージだった。「クロニクル紙特集記事担当部長L・ウィッカム殿　ご要請の文書による詳細は以下の通りです——ダービーシャー州、コールドロウ在《イエス・キリストの歓喜教会》——所在地は、コールドロウ村の外れ、A623号線を一キロ弱北上したところ。正面の門のところか、敷地内に車を停めること。管理責任者のミセス・ホロウェーが御社記者アンドルー・ウェストリー氏に情報を提供します。(K・エンジャ)——」

「これは当方とは関係ありません」ミセス・ホロウェーは言った。「残念ながら」

「K・エンジャとはどなたです?　男性?　女性?」

「この建物の東側にある個人住居棟の住人で、教会とは関係ありません。では、これで」

夫人はわたしのひじに手を添え、ドアのほうへ丁重にわたしを促した。砂利道を先へ進めば、個人住居棟の入り口の門にたどりつくことを教えてくれた。

わたしは言った。「誤解があったのなら申し訳ありません。どうしてこんなことになったのか、皆目見当もつきません」

「わたしどもの教会に関する情報がお入り用であれば、広報とお話しいただければさいわいです。それが広報の仕事ですので」

「ええ、わかりました」さきほどよりも雨が激しく降っていた。コートは持ってきていない。「ひとつだけお訊きしていいですか？　いま、みなさん外出中なんですか？」

「いいえ、全員そろっています。今週は二百人以上がここで修行しています」

「建物に人の気配を感じないんですが」

「わたしどもは、沈黙こそ歓喜であると考えている宗派なんです。日中、口をきくことを許されているのはわたしだけです。では、ごきげんよう」

夫人は建物のなかにもどり、うしろ手でドアを閉ざした。

社に確認することにした。わたしが派遣されたネタがもはや存在していないことが明らかになったからだ。雨滴を滴らせる蔦の下、谷間一帯に篠突く雨を見ながら、いやな予感におびえつつ、レン・ウィッカムの直通電話に掛けた。レンはしばらくして電話に出た。

わたしはここで起こったことを話した。

「情報提供者に会ったのか？」レンは言った。「エンジャという人間に」

「いま連中の施設のすぐ外にいるんです」そう言って、わたしは自分が理解している状況を説明した。「記事にするネタじゃないです。たんなる隣近所のもめごとかもしれないですよ。ほら、あれこれと文句をつけるという」

そう言いながらも、騒音のクレームではないな、と思った。

長い間《ま》があった。

やがてレン・ウィッカムは言った。「その隣人に会え。もしなにかあったら、電話してこい。なかったら、今晩じゅうにロンドンにもどれ」

「きょうは金曜ですよ。今晩は両親の家に行こうと思っていたんです」

レンは受話器をおろす形で返事をした。

3

翼棟の正面ドアのところで応対に出てきたのは、中年女性で、わたしが「ミセス・エンジャ」と呼びかけたところ、それには応えずにこちらの名前を問いかけ、記者証をじっくり見たのち、わたしを客間に連れていき、ここで待つようにと言った。簡素だが、インド絨毯やアンチークの椅子、磨きたてられたテーブルが見事に設えられている部屋の壮麗さに、旅やつれし、雨で湿ったスーツを着ている自分をみすぼらしく感じた。五分ほどして、さきほどの女性がもどってきて発した言葉に、わたしはぞくっとした。

「レディ・キャサリンがお会いになります」

中年女性に先導されて上の階にある広い心地よさそうな居間に通された。居間からは、そびえたつごつごつした断崖に沿って伸びていく谷間が見渡せた。断崖はいまは雨に煙ってかすかにしか見えないが。

薪があかあかと燃え、煙を立てている暖炉のそばに若い女性が立っていた。こちらが近づいていくと、女性は手を差しだして、わたしに挨拶した。わたしは自分が貴族のもとを訪ねているという思いがけない出来事に呆然としていたのだが、相手の物腰は丁重なものだった。わたしは衝撃を受けた。好ましい衝撃だった。その好ましさは相手の外見によるものだった。背が高く、黒髪で、顔が大きく、きりりとしたあごの持ち主。するどい顔つきを和らげるよう髪型をアレンジしている。くっきりした大きな目。わたしがなにを言うのか、あるいは考えているのかを慮《おもんぱか》っているかのようにそわそわした表情を浮かべて、こちらを見つめていた。

レディ・キャサリンは堅苦しくわたしに挨拶したが、中年女性が部屋を出ていくと、物腰が一変した。キャサリンやエンジャではなく、ケイトと自己紹介し、自分でもめったに使わないので、レディという称号はなしにして、と言った。あなたはアンドルー・ウェストリーですね、と確認を求められた。そのとおりです、とわたしは答えた。

「いましがたまで屋敷の母屋部分にいたのですね？」

「《歓喜教会》に？　かろうじてドアをくぐることができた程度です」

「わたくしのミスです。あなたがくるかもしれないと教会にまえもって伝えておいたのですが、ミセス・ホロウェーはあまり喜ばなかったんです」

「社へ連絡をよこしたのはあなたですね？」

「あなたと会いたかったのです」

「だと思いました。いったいどうしてわたしのことをご存じなんです？」

「お話しします。ですが、わたくしはまだ昼食をとっていません。あなたはいかがかしら？」

最前、村に立ち寄ってきたが、それを別にすると、朝食以降なにも口にしていない、と答えた。ケイトのあとについて下の階に降りると、わたしを玄関で迎えてくれた中年女性が冷製肉とチーズにサラダを添えた簡単な昼食を用意してくれていた。レディ・キャサリンは、中年女性をミセス・マーキンと呼んでいた。ふたりとも腰をおろすと、わたしはケイト・エンジャにはるばるロンドンからわたしを呼び寄せた理由を訊ねた。どう考えても無謀な計画に思える。

「そうでしょうか？　そうは思いませんわ」

「今晩じゅうに記事を送らないといけないんです」

「どうでしょう、それはむずかしいかもしれませんわ。お肉を召し上がります、ウェストリーさん？」

ケイトはわたしにカットした肉の載った皿をよこした。食事をしながら、上品な会話がつづいた。そのなかで女主人は新聞社のことや、わたしの経歴、住まいなどなどについて訊ねてきた。わたしとしては、相手の貴族の称号をまだ意識しており、心理的な圧迫を受けていたが、話しているうちに徐々に気楽になっていった。ケイト・エンジャはためらいがちで、神経質と言っても過言ではない態度を示しており、こちらがしゃべっていると、頻繁にわたしから目を逸らしては、また目をもどすことを繰り返した。わたしの話している内容に関心を抱けずにいることをあからさまに示そうとしているのではなく、癖から生ずる挙動だろう、と推察した。たとえば、テーブルの上のなにかに手を伸ばすときはいつもケイトの手が震えていることに、わたしは気づいた。こちらから相手のことを訊ねる頃合いだと感じて問いかけると、ケイトは、この屋敷で自分の一族が暮らしはじめて、三百年以上になる、と言った。谷間の土地の大半は一族の地所であり、大勢の農民が土地を借りている。ケイトの父親は伯爵だが、いまは海外に住んでいる。母親は亡くなっており、唯一の近親者である姉は結婚して、夫と子どもたちとともにブリストルで暮らしているそうだ。

この屋敷は一族の本拠であり、第二次大戦勃発までは、大勢の召使いを雇って暮らしていた。大戦時、国防省が屋敷の大半を接収し、英国空軍航空輸送司令部の地域本部として使用した。そのとき、ケイトの家族は東棟に移り住んだ。東の翼棟は、元々屋敷のなかでいちばん好まれていた場所だった。戦後、空軍が出ていくと、屋敷はダービーシャー州議会の事務所として接収され、現在の(ケイトの言葉を借りれば)〝テナント〟がやってきたのは、一九八〇年だった。両親はアメリカの新興宗教団体が引っ越してくることに最初懸念を抱いていたそうだ。団体の一部の噂を耳にしていたせいで。しかし、当時、エンジャ家には金が必要だった。結局、その取引はうまくいった。教会は静かに修行をつづけ、教団員は礼儀正しく、会って気持ちのよい人々であり、近頃では、ケイトもほかの村人たちも、教会の人間がなにをしようとも、しないでいようとも、関心を持たずにいた。

そこまで会話が進んだころには食事が終わっており、ミセス・マーキンがコーヒーを運んできた。「では、わたしをここへ連れてこさせた件、同時存在する聖職者の話は嘘なんですね？」

「答えはイエスでもあり、ノーでもあります。教団は、指導者の言葉に礎を置いて教えを実践していることを秘密にしていません。フランクリン神父は罪人ですが、同時存在する力を有しているということになっています。もっとも、その力を発揮しているところを、第三者の証人によって見られたことは一度もありません。あるいは、少なくとも公の場では一度も」

「それでも、その力はほんとうだと？」

「じっさいのところは、わたくしにはわかりません。今回は、地元の女性医師が巻きこまれており、どういう理由からか、その医師がタブロイド紙になにかを話し、扇情的な記事にされたんです。わたくしがその話を耳にしたのも、先日村に行ったときが初めてでした。そんなことがほんとうでありうるんでしょうか——指導者はアメリカで刑務所にはいっているのでは？」

「ですが、もしじっさいに起こったことなら、ずいぶん興味深いものになるでしょうね」

「もしそうなら、いかさまの可能性がいっそう高くなるのでは。たとえば、エリス医師は指導者の人相をどうして知っていたんでしょう？　教団員のだれかの言葉が広まっているだけです」

「実話らしくしたのはあ・な・たです」

「言いましたでしょ、わたくしはあなたにお会いしたかったんです。それに、教祖がしょっちゅう同時存在のわざをおこなっているというのは、あまりに嘘っぽくて、事実のはずがないでしょう」

ケイトは、自分が言ったことを他人もおもしろがると思っている人間がするような、笑い声をあげた。いったいなんのつもりでこんな話をしているのか、わたしにはさっぱりわからなかった。

「新聞社に電話するだけではすまなかったんですか？」わたしは言った。「あるいは、わたしに手紙を書くとか？」

「ええ、そういうこともできました……けれど、あなたがわたくしの考えている人物だと確信が持てなかったんです。まず、直接お目にかかりたかった」

「同時存在を信じている狂信者とわたしが関係あると、あなたが思われている理由がわかりません」

「たんなる偶然です。ほら、たまたま、都合よくああいう出来事が起こったのを利用した。それだけです」またしてもケイトはなにかを期待しているようにわたしを見た。

「わたしが何者だと思われたんです？」

「クライヴ・ボーデンのご子息。そうじゃないかしら？」

ケイトはわたしの視線をとらえようとしたが、当人の目がいやおうなしにまたしても逸れてしまった。そのおどおどしたとらえどころのない物腰が、ほかのものであればとても生まれようのない緊張感をわれわれのあいだにみなぎらせた。まだ残っている昼食はそれ以上手をつけられないまま、テーブルの上に放置された。

「クライヴ・ボーデンという男は、わたしの生物学上の父親です」わたしは言った。「ですが、三歳のとき、わたしは養子に出されました」

「なるほど。では、わたくしの見込みに間違いはありません。わたくしたちは以前にお会いしているのですよ。何年もまえ、ふたりとも年端もいかぬ子どもだったときに。そのころ、あなたの名前はニッキーでした」

「覚えていません」わたしは言った。「よちよち歩きの幼児だったんじゃないですか。どこでその出会いがあったんでしょう？」

「ここ、この屋敷のなかです。覚えていらっしゃらないのですか？」

「まったく」

「その時分の記憶はほかにないのかしら？」

「断片的にしか覚えていません。ですが、ここのことはなにも。子どもに強い印象を残すたぐいの場所でしょうに」

「まあ、そうですね。そういうことをおっしゃるのはあなたが初めてじゃない。姉は……あの人はこの屋敷を嫌っていて、出ていく機会をとらえて逃さなかった」ケイトは背後へ手を伸ばし、カウンターの上に載っている小さなベルを手にすると、二度、軽やかに鳴らした。「昼食のあと、いつもお酒をいただくことにしていますの。ご一緒にいかがかしら？」

「ええ、よろこんで」

ミセス・マーキンがすぐに姿を現すと、レディ・キャサリンは立ちあがった。

「ウェストリーさんとわたくしは、居間で午後を過ごしますから、マーキンさん」

幅広の階段をふたりであがっていきながら、わたしはこの女性から逃げだし、この屋敷から遠ざかりたい衝動を覚えた。この女はわたし以上にわたしのことについて知っているが、それはわたしの人生の、わたし自身が興味を抱いていない部分の知識だった。こちらが望むと望まざるとにかかわらず、きょうはわたしがボーデン家の一員にならざるをえない一日のようだ。まず、ボーデンの手になる本があり、ついでこれだ。すべてはみな結びついているのだが、この計略はケイトのものであり、わたしのものではない気がしていた。なぜわたしがあの男のことを、わたしに背を向けた家族のことを気にしなければならないのだ？

ケイトは最初にわたしと会った部屋に案内してくれ、しっかりとドアを閉ざした。まるで逃げだしたいこちらの意図を感じとり、望むだけわたしを引き留めておきたいと思っているかのようだ。たくさんの酒壜とグラスとアイスバケットを載せた銀のトレイが、数脚の安楽椅子とソファーのあいだにあるローテーブル・セットの上に置かれていた。グラスのひとつには、すでにダブルの量の酒がはいっていた。おそらくミセス・マーキンが用意したものだろう。ケイトは席につくようわたしを促してから、言った。「なにをお飲みになります？」

正直言って、ビールを一杯といきたいところだったが、トレイにはスピリッツ類しか載っていなかった。「あなたがお飲みになるものとおなじで」

「アメリカのライウィスキーのソーダ割り。あなたもそれでいいかしら？」

わたしはそれでいいと答え、ケイトが酒をこしらえるのを見つめた。ソファーに腰をおろすと、ケイトは横ずわりして、グラスにはいったウィスキーを半分がた、ぐっと飲み干した。

「どのくらいここにいられます？」ケイトが訊いた。

「たぶんこの一杯を飲むまで」

「あなたとお話ししたいことがたくさんあります。訊きたいこともたくさん」

「なぜです？」

「わたくしたちが子どものころに起こったことについて、それが理由です」

「わたしがあまり役に立つとは思いません」いまやケイトがさほどきょろきょろしなくなっていたので、わたしは相手をもっと客観的に見はじめていた。だいたいわたしと同い年くらいの魅力的と言えなくもない女性として。明らかに酒好きで、飲み慣れている。そのことだけが、わたしに自分の慣れ親しんだテリトリーにいると感じさせた――週末はたいてい友人たちと飲んだくれていたからだ。とはいえ、ケイトの視線はわたしをまごつかせつづけた。というのも、こちらをずっと見ているのだが、ふと目を逸らせ、またもどすことを繰り返し、まるでわたしの背後にだれかがいて、見えないところで部屋のなかを動きまわっているのではないかというような気持ちにさせられたからだ。

「質問にひとことで答えていただければ、時間の節約になるかもしれません」ケイトは言った。

「わかりました」

「あなたには一卵性双生児の兄弟がいますか？ あるいは、あなたがとても幼いときに亡くなったそういう方が？」

抑えようもなく驚愕の反応を示してしまった。それ以上こぼさぬうちに、グラスをテーブルに置き、脚に撥《は》ねた酒を拭った。

「なぜそんなことをお訊きになるんです？」

「いるのですか？ いたのですか？」

「わかりません。いたと思っていますが、これまで見つけることができずにきたんです。つまり……はっきりとはわかっていません」

「予想していた通りの回答を、あなたはしてくれました」ケイトは言った。「ですが、期待していた答えではなかった」

わたしは言った。「もしボーデン家に関係することなら、はっきり言いまして、わたしは一家のことをなにも知らないんです。それはおわかりですか？」

「ええ、でも、あなたはボーデンの人間です」

「ボーデンの人間でした。でも、そのことはわたしにとってなんの意味もありません」

ふと、この若い女性の一族が、三百年以上にわたって何世代もとぎれずにつづいている姿がかいま見えた――おなじ名、おなじ屋敷、なにもかもおなじに。わたし自身の家系図は三歳のときにさかのぼるだけだ。「養子になることがどういう意味なのか、あなたがご理解できるとは思いません。わたしはごく幼い少年でした。幼児だ。父は自分の人生からわたしを放りだしたんです。そのことを嘆いて残りの人生を送っていたら、ほかのことなんてする時間はなかったでしょう。ずいぶんまえにわたしはそれを封印しました。しなきゃならなかった。いま、わたしには新しい家族がいるんです」

「ですが、あなたの兄弟はまだボーデンです」

ケイトがわたしの双子の片割れのことを口にするたび、わたしはうずくようなやましさと懸念と好奇心を覚えた。まるでわたしの守りをかいくぐる手段として、ケイトがわたしの片割れを利用しているかのようだ。生まれてこのかた、双子の兄弟の存在は、秘密にしてきた。だれにも打ち明けずにきたわたしの私生活の一部だ。それなのにわたしの兄弟を知っているかのように話している、見知らぬ人間がここにいる。

「なぜあなたはそのことに関心があるんですか？」わたしは訊ねた。

「初めてわたくしのことを耳にし、わたくしの名前を見たとき、なにかぴんとくるものがありましして？」

「いいえ」

「ルパート・エンジャのことを耳にしたことは？」

「いいえ」

「あるいは、偉大なるデントンという、イリュージョニストのことは？」

「いいえ。元の家族に関して、わたしが唯一関心があるのは、彼らを通じて、いつの日か、双子の兄弟の居所をたどれるかもしれないということのみです」

ケイトは話のあいだ、ウィスキーのはいったグラスにたびたび口をつけており、いまや空になっていた。もう一杯酒をこしらえようと身をかがめ、わたしのにもさらに注ごうとした。あとで車を運転しなければならなくなるのがわかっていたので、ケイトに満杯にされるまえにわたしはグラスを引いた。

ケイトは言った。「あなたの兄弟の運命はおよそ百年まえに起こった出来事と関係していると思っています。わたくしの祖先のひとり、ルパート・エンジャと。その人のことを聞いたことがないとおっしゃいましたし、それもとうぜんなんですが、ルパート・エンジャは十九世紀末の舞台奇術師でした。偉大なるデントンの舞台名で活動していたんです。当時、奇術師はみな、大仰な芸名を名乗っていたのです。ルパートはアルフレッド・ボーデンという男からの、たびかさなる悪意ある攻撃の被害者でした。アルフレッドは、あなたの曾祖父にあたり、ルパート同様、イリュージョニストだったんです。このこともお聞きになったことはないですか？」

「あの本を読んで知っているだけです。あなたが送ってきたんですね」

ケイトはうなずいた。「ふたりの確執はつづき、その関係は何年にもわたったんです。たえずお互いに攻撃していました。たいていは、相手の舞台のじゃまをする形で。その確執の話は、ボーデンの本のなかに出てきます。少なくとも、ボーデン側から見た話ですが。もうお読みになりまして?」

「けさポストに届いたところなんですよ。ろくに機会がなく――」

「なにが起こったのか知れば、関心をそそられるのでは、と思ったんです」

わたしはまたも考えていた――いったいボーデン家になにがあるんだろう? あの家ははるか過去のことで、わたしはほとんどなにも知らない。ケイトは、自分に興味のあるなにかについて話している。わたしにとっての関心事でないのは確かだ。この女性に対して礼儀をわきまえておくべきであり、話に耳を傾けているべきだと感じていたものの、わたしの内奥には、彼女にはけっして知り得ない反発心が深く潜んでいた。人に拒まれたときに子どもが自分のまわりに築く、無意識の防衛機構だ。新しい家族に自分を適応させるため、わたしは過去に知っていたあらゆることを捨て去らねばならなかった。この女性にわからせるためにいったい何度言い訳を繰り返さなければならないのだろう?

見せたいものがありますと言って、ケイトはグラスを置き、部屋をよこぎると、わたしが座っているすぐうしろの壁に面して置かれている机のところへ行った。下の段のひきだしに手を伸ばそうとかがみこむと、ケイトのドレスの襟元が下がり、わたしはちらっとかいま見た――レースのブラジャーの細い白のストラップ、そのなかにおさまっている乳房体の上半分の曲線を。ケイトはひきだしの奥に手を突っこまねばならず、そうすることで体をひねって腕を伸ばし、ほっそりとした背中の曲線がわたしの目にはいった。ブラジャーのストラップはドレスの薄い生地越しにまたしてもくっきり浮かびあがり、髪が前にこぼれて、顔を覆った。この女性はわたしがなんの知識も持っていないことにかかわらせようとしていたが、わたしのほうはわたしのほうで、無遠慮に相手を品定めし、彼女とセックスをするのはどんな感じになるんだろう、とぼんやり考えていた。貴婦人とのセックス―ブン屋たちが職場でする、たいしておもしろくもない冗談のたぐいだった。よかれあしかれ、それがわたしの暮らしだった。大昔の奇術師に関するこうしたことどもよりも、わたしにとってははるかに興味深く、解決のむずかしい問題だった。ロンドンのどこに住んでいるのか、とケイトは訊いた。だれといっしょにロンドンで暮らしているのか、ではなく。そのため、わたしはゼルダのことはなにも言わなかった。このうえもなく美しく、腹立たしいゼルダ。ごく短く刈った髪、鼻ピアス、スタッドブーツ、夢のような肉体。三夜まえ、オープンな関係を求め、わたしの本をたくさん、わたしのレコードの大半を持って、夜の十一時半に出ていってしまった女性。その夜以来、彼女は姿を見せず、心配になってきているところだった。以前にも似たようなことをゼルダはしたのだけれど。この貴婦人にゼルダのことを訊ねたかった。ケイトがなんと言うかに関心があったからではなく、ゼルダはわたしにとって現実だったからだ。どうしたらゼルダにもどってきてもらえるだろう、と。あるいは、どうしたら父を拒絶しているように見えない形で新聞社の仕事を辞められるだろう？　あるいは、もしゼルダがわたしを立ち退かした場合、わたしはどこで暮らせばいいんだろう？　いま住んでいるのはゼルダの両親のフラットなのだ。仕事がなくなれば、どうやって生きていけばいいんだろう？　もしわたしの双子の兄弟が実在するなら、どこにあの男はいて、どうやったら見つかるんだろう？

こうした質問のいずれも、一度も聞いたことのない曾祖父たちの諍《いさか》いのことより、ずっと自分には深くかかわっているものだった。だが、そのひとりは一冊の本を書いており、そのことは話すに値するほど興味深いものなのだろう。

「もう何年も取りだしたことはなかったんですが」ケイトは言った。ひきだしの奥へ手を伸ばしていることで、声が若干くぐもって聞こえた。ケイトは写真アルバムを何冊か取りだしていた。アルバムを床に積み重ね、女主人はなおも奥行きの深いひきだしの端まで手を伸ばしていた。「さあ、ありました」

ケイトはまとまっていない書類束を手につかんでいた。サイズはばらばらで、古いものらしく、色あせていた。それらの書類をソファーの上に広げると、グラスを手に取ってから、書類にざっと目を通しはじめた。

「わたくしの曾祖父は極端なほど整理好きな人でした」ケイトは言った。「なんでもとっておくだけじゃなく、それにラベルを貼り、リストにまとめ、いろんなものをしまっておくための戸棚をいくつも持っていました。小さいころから、両親が口癖のように〝おじいさまの持ち物〟と言っていたのを耳にしました。一度も手を触れたことがないし、見ることさえ許されなかった。でも、ロザリーとわたくしは、その一部を調べてみずにはいられなかったのです。姉が結婚して家を出て、この家にはわたくしだけになったとき、ついにそれをぜんぶ調べ、整理しました。装置や衣装をいくつか売り払うことができ、しかも良い値で売れたのです。曾祖父の書斎だった部屋で、このプログラムを見つけました」

しゃべっているあいだずっとケイトはプログラムをめくっていたが、やがて一枚の黄色く変色した、いまにも破れそうな紙をわたしによこした。数え切れないくらいたたまれては広げられることを繰り返された紙で、折り目が擦れて毛羽立ち、ばらばらになりそうだった。プログラムはストーク・ニューイントンのエヴァリング・ロードにあるエンプレス劇場のものだった。出演者のリストの上に、四月十四日から二十一日まで、昼の部と夜の部で公演が数回だけおこなわれる旨記されていた（「詳細は、新聞広告をご覧になられたし」）。プログラムの一番上に、赤い文字で印刷されているのは、デニス・オカナハンなるアイルランドのテノール歌手だった（「御心をアイルランドの悦びで満たさん」）。ほかの出し物には、マッキー・シスターズ（「愛らしいシャンソン歌手トリオ」）、サミー・レナルド（「脇をくすぐってもよろしいですか、殿下？」）、ロバート&ロバータ・フランクス（「すばらしき《パレクサランス》吟唱」）だった。プログラムのなかほどに——ケイトがわたしにかぶさるようにして人指し指で示した——偉大なるデントン（「世界最高のイリュージョニスト」）と印刷されていた。

「これはじっさいにデントンが偉大になるまえのものです」ケイトは言った。「生涯の大半を経済的に恵まれない状況で過ごし、亡くなる数年まえにやっと有名になれたのです。このプログラムは一八八一年のもので、やっと暮らし向きがよくなりはじめたときのものです」

「これはどういう意味なんです？」わたしはプログラムの余白に記された、読みやすい筆跡の文字列を指し示した。さらなる数字が裏にも書かれていた。

「それは偉大なるデントンの偏執的なファイル・システムです」ケイトはソファーを離れ、くだけた様子でわたしの椅子の横の絨毯の上にひざをついた。わたしが手にしているプログラムを見られるように、こちらへ体を近寄せながら、ケイトは言った。「すべてを解明したわけじゃないですが、最初の数字は、請け負った仕事を指すものです。どこかに元帳があり、そこにはデントンのすべての公演の完全なリストが載っています。この数字の下にじっさいの出番の数を書き記し、そのうち昼公演の数、夜公演の数が並んでいる。次の数字は、おこなった奇術《トリック》のリストで、自分のできるすべての奇術について、詳しく書き記した手帳がおよそ一ダースほど書斎に残っています。ここにはその手帳のうち数冊があり、ストーク・ニューイントンでデントンがおこなった奇術の一部を見てみることができますよ。ですが、手帳に書かれているものより、じっさいはもっと複雑なものだったはず。たいていの奇術はマイナー・バリエーションがいくつもあるので。デントンはそのバリエーションもみなクロスレファレンスできるようにしています。ほら、この数字を見て。〝10g〟――これは出演料のこと。十ギニーの略だと」

「高い出演料なんですか？」

「もし一晩の出演料だとしたら、立派なもの。でも、たぶん、一週間分でしょうね。それだと平均にすぎない。ここは大劇場ではないでしょう」

わたしはほかのプログラムがまとまっている束を手に取った。ケイトが言ったように、いずれも同様の数字が書きこまれていた。

「装置にもみなおなじようにラベルが貼られていました」ケイトは言った。「ときどき、デントンはどうやって外界へ出て、生計を営む時間を見つけていたんだろう、と不思議になります。でも、地下室の片づけをしたとき、目に触れたどの器具にも識別番号がついていて、それぞれ、巨大な索引のなかに記載され、ほかの帳面とのクロスレファレンスがなされていたのです」

「きっと人にその作業をやらせていたんでしょう」

「いいえ、筆跡はいつもおなじ」

「デントンはいつ亡くなったんです？」

「それに関しては、かなり問題があるのです。奇妙だと言っていいくらいに。新聞各紙はデントンが一九〇三年に死亡したと報じており、タイムズ紙には死亡記事が載っている。でも、翌年、ここで生きているデントンを見たという村の住民たちがいるんです。おかしいことに、デントンがこしらえていたスクラップブックに、その死亡記事がありました。糊で留められ、ラベルが貼られ、索引番号がつけられて。ほかのものとまったくおなじように」

「どうしてそんなことが起こったのか説明できます？」

「いえ。アルフレッド・ボーデンがあの本のなかでそのことに触れています。そもそも、あの本でそのことを知ったんです。それからというもの、わたくしはふたりのあいだになにが起こったのか突き止めようとしているのです」

「デントンの遺品をもっとお持ちですか？」

ケイトがスクラップブックに手を伸ばす間に、わたしはアメリカのウィスキーを手酌で注いだ。いままで飲んだことのない銘柄だったが、気にいった。また、自分の足下の床にケイトがこんなふうに腰をおろし、首をひねってこちらを見上げながら話し、わたしのほうへ体を寄せ、ドレスの胸元をさらにのぞかせており、しかも、そのことをケイト自身充分意識しているようなのも気にいっていた。本来すべき仕事をせず、予定していたように両親に会いに車を駆っているのではなく、いったいなにが起こっているのかよく理解せぬままに、この場にいて、奇術師たちのことや、子どものころの出会いのことを話しているのは、少々困惑させられることだった。

心のなかの、双子の片割れのことで占められている箇所で、わたしは安堵感を感じた。以前には相手から感じたことのない感情だった。双子の兄弟は、わたしにここにとどまるよう促していた。

窓の外では、冷たい午後の空が暗さを増しており、ペニン山脈から降る雨はやむことがなかった。身を切るようなすきま風がひっきりなしに窓から吹きこんでいた。ケイトは暖炉にあらたな薪をくべた。

第2部

アルフレッド・ボーデン

PART TWO

Alfred Borden

1

これを書いたのは一九〇一年である。

わたしの名は、つまり本名は、アルフレッド・ボーデン。わが半生の物語は、かかる半生を送ってきたことによって生まれたかずかずの秘密の物語でもある。その秘密を記すのはこれが最初で最後である――この書き物は、唯一無二のものであり、ほかに写しは存在しない。

わたしは一八五六年五月八日、英仏海峡沿いのヘースティングズ市に生まれた。健康でたくましい子どもだった。父はこの市に住む熟練工であり、車輪と桶をこしらえる職人組合の親方だった。わが家はいくつもの丘陵が寄り集まってできているヘースティングズ市の、そうした丘陵のひとつの斜面に沿って造成された台地に建っていた。住所は、マナー・ロード一〇五番地。家の裏には険しく、人目につかない谷があり、羊や牛が夏の数カ月のあいだ草を食んでいたが、家の正面で丘は高さを増していた。ほかの多くの家がその斜面に沿って建ち並び、わが家と海とのあいだを埋めていた。それらの家々や、周囲の農場や店から、父は注文をもらっていた。

道路沿いのほかの家よりも、うちの家は大きく、高かった。というのも、裏の貯木場や作業小屋に通じる通路の上に建てられていたからである。わたしの部屋は家の道路側にあり、通路の真上になっていた。わたしと外のあいだには床板と薄い木擦り漆喰しかなかったため、一年じゅう、物音がやかましく聞こえ、冬のあいだは身を切られそうなくらい寒かった。その部屋のなかでわたしは徐々に成長し、いま現在のこの姿になった。

この姿とは、すなわち、ル・プロフェッスール・ド・ラ・マジ。わたしは奇術の大先生なのだ。

書きだして早々だが、ここでいったん中断する。というのも、この文書は、自伝作家のやりかたで自分の人生について記すのではなく、先ほども書いたように、わたしの人生の秘密について記すことを意図しているものだからである。秘密は、わが職業の本質なのだ。

さて、まず、この記録の記述方法のことを考え、述べさせてもらいたい。わが秘密を述べるというまさにその行為そのものが、自分自身に対する背信行為として解釈されるものかもしれない。ただし、わたしは奇術師として、自分が見せたいものだけを相手に見せることができる人間であることをお忘れなく。かならず謎がからんでいる。

それゆえ、最初から、そうした密接に関連した項目——謎と謎の識別——を解き明かそうとするのが妥当なところだろう。

　例をひとつ挙げよう。

　わが職業の実演中に、奇術師がきまっていちど間をとる瞬間がある。フットライトのなかに進みでて、光を全身に浴びて、観客と正対する。奇術師は、こう言う。あるいは、黙っておこなう場合には、いかにもこう言っているように仕草で示す――「わたしの両手をごらんください。なにも隠されていません」と。そして両手を客に見えるように掲げ、てのひらを向け、指のあいだにこっそりなにかを握っていないことを証明するために、指と指のあいだを広げてみせる。ついで、両手を掲げたまま回転させることで、手の甲も観客に見せ、かくして、奇術師の両手には、おそらくなにも隠されていないことが立証された。残っている疑念を払拭するため、奇術師は上着の袖口を軽くつまみ、四、五センチばかり引きあげて、手首をさらし、そこにもなにも隠されていないことを示すだろう。しかるのち、奇術師は手品を実演し、その間、疑念の余地なく空手《からて》であることを示したのち、手から物を取りだす――扇子であったり、生きた鳩や兎であったり、造花の束であったり、ときには燃えている灯心である場合もある。それはパラドックスであり、不可能事である！観客はその謎に驚嘆し、拍手喝采する。

　そんなことがどうして可能なのか？

　奇術師と観客は、〝魔法の黙認契約〟とわたしが名づけたものを結んだのである。両者ともそんなふうに明確に表現しているわけではなく、じっさいのところ、観客はそのような契約が存在していることにほとんど気づいていないが、存在しているのはまさにそういうものなのである。

演者《パフォーマー》は、むろん、魔法使いではないが、魔法使いの役割を演じ、仮に一時的にせよ、自分が暗黒の力とつながっているのだと、観客に信じこませたいと願っている役者なのである。一方、観客は、自分たちが見ているものが本物の魔法ではないと心得ているのだが、その知識を抑え、演者とまったく同様の願望におとなしく従っている。奇術をおこなう演者の技倆が優れていればいるほど、この見せかけの魔法は本物らしく思われる。

手になにも持っていないことを見せる行為は、一見そうは見えても、そんなはずはないのだが、それ自体、契約の構成要素なのである。契約では、特別条項が効力を発しているのだ。たとえば、通常の社交において、自分の手が空手であることを証明しなければならない場合が生じる頻度はどれくらいだろう？　また、こうも考えてもらいたい――もし奇術師がなにもないところから、なにかを取りだすことが不可能であることを最初にほのめかしたりせずに、いきなり花瓶を取りだして見せたら、それは手品にはとうてい見えないだろう。だれも拍手喝采などすまい。

このことがまさにわたしの方法を物語っている。

これから書きつづるものに関する黙認契約を説明させていただきたい。このあとで述べられることが魔法ではなく、魔法のように見えることを読む人に了解してもらうために。

まず、てのひらを前に出し、指を広げて両手を示す仕草をわたしがしているところを想像していただきたい。そしてあなたにこう告げる（ここのところを注目されたし）——「わが人生と仕事について述べるこの手帳のなかの言葉は、すべて真実であり、正直に語られており、細部にいたるまで正確である」と。

次に手を回転させ、甲が見えるようにしてから、こう告げよう——「ここで記されることの多くは、客観的記録と照らし合わせることができよう。わがキャリアは新聞のファイルに記載されており、わたしの名前はもろもろの人名辞典に載っている」と。

最後に、上着の袖口をつまんで、手首をあらわにさせ、こう言おう——「とどのつまり、ここで偽りの記述をしたところでいったいわたしになんの得があるのか？　自分自身と、おそらくは直近の家族、そしておそらくけっして会うことはない子孫たちを除いて、他人の目にさらさぬつもりで書かれるものだというのに」と。

ほんとに、なんの得がある？

しかし、こうしてわが手になにも隠されていないことを示した以上、読者であるあなたはこのあと大がかりな奇術《イリュージョン》／詭術が示されるだけでなく、自分がそれを黙認してしまうことを予想しているにちがいない！

すでに、偽りを書くことなく、わたしは惑わしを開始している。惑わしこそ、わが人生だ。嘘はまさに最初の言葉のなかにさえ、含まれている。このあとにつづくすべてに織りこまれ、明白なところはいっさいない。わたしは真実や客観的記録や行為の目的の話であなたを誤誘導した。両手になにも隠されていないことを示したときに、重要な情報を省いたのである。そしていま、あなたは間違った方向を見ている。

舞台奇術師はみなよく承知しているように、一部にはこういうことに当惑する人間がいる。かつがれることに嫌悪感を表明するものもいれば、秘密を知っていると声高に主張するものもおり、惑わし《イリュージョン》を当然のものと単純に受け取り、その娯楽性がゆえに奇術を楽しむ幸せな大多数のものもいる。

だが、秘密を持ってかえり、解き明かすまでにはけっしていたらぬまま、いたずらに思い悩むものが、かならずひとりやふたりいるのだ。


わが人生の物語を再開するまえに、わたしの方法を如実に表すべつの逸話を紹介しよう。わたしがいまより若いころ、東洋の奇術が舞台で流行った。その多くは中国人風の衣装を身につけ、メーキャップをした欧州人や米国人が演じたものだったが、はるばる欧州に渡ってきた真正の中国人がひとり、ふたりいた。そのひとり、そしてもっとも優れた奇術師が、上海からやってきたチー・リンカという男で、舞台名はチン・リンフーだった。

チンの舞台は一度だけ見たことがある。数年まえにレスター・スクエアにあるアデルフィ劇場で。出番が終わると、わたしは楽屋口へ行き、名刺を届けたところ、すぐにチンは愛想よく楽屋へ招いてくれた。チンは自分の奇術のことはしゃべろうとしなかったが、わたしの目は、チンのかたわらの台に載っている、この中国人奇術師のもっとも有名な小道具の存在に釘付けとなった——大きなガラス製の金魚鉢で、一見、虚空から取りだしたように見せるのが、チンの舞台のみごとなクライマックスだった。チンはわたしに金魚鉢を調べさせてくれた。どこをとってもなんのへんてつもない金魚鉢だった。そこにはおよそ十四ほどの観賞魚がはいっており、みな生きていて、たっぷり水が張られていた。見かけは当てにならないことを知っているので、わたしは金魚鉢を持ちあげようとし、その重さに驚愕した。

チンはわたしが金魚鉢を持ちあげようと苦戦しているのを見ていたが、なにも言わなかった。わたしが奇術のタネを知っているのかどうか不確かで、たとえ同業者にであっても、それを明かす懸念のあることを口にすまいと思っているようだった。わたしのほうも、自分がそのタネを見破ったことをどうすれば知らせられるのかわからなかったので、黙ったままでいた。チンのもとに十五分ほどとどまっていたが、中国人はわたしのお世辞に丁寧にうなずきながら、ずっと座ったままでいた。わたしが楽屋を訪れたときにはチンはすでに舞台衣装を着替えており、黒いズボンと縞の青いシャツを着ていたが、まだメーキャップは落としていなかった。辞去しようとわたしが立ちあがると、チンは鏡のそばの椅子から腰をおこし、ドアまでわたしを見送った。チンは、うつむき加減で、両腕をだらんと下げ、ひどく痛むかのように足をひきずりながら歩いた。

現在、その会見から年月が過ぎ、チンもすでに亡くなっていることから、あの夜、かいま見る機会を得た、異常なまでに細心の注意を払って守られていたあの奇術のタネを明かしてもよかろう。

チンの有名な金魚鉢は、突然の謎めいた出現にそなえ、手品実演中、ずっとチンとともにあったのだ。その存在は、観客から巧みに隠されていた。チンは身につけているゆるやかな中国服の下に金魚鉢を隠し、両膝ではさみ、ショーの最後にみごとな、一見したところ奇跡としか思えない取りだし芸をおこなう用意をしていたのだ。観客のだれも、そんなふうにその手品が演じられていたとは想像だにできぬだろう。すこしでも論理的に考えれば、謎は解けたはずなのだが。

しかし、論理は不思議にも論理自体と衝突したのである！　重たい金魚鉢を隠すことができる唯一の場所は、中国服の下なのだが、それでもそれは論理的に不可能だった。チン・リンフーがきゃしゃな体をしているのはだれの目にも明らかで、実演中ずっと足を痛そうにひきずっていた。ショーの最後に頭を下げると、アシスタントにもたれかかり、ひきずられるように舞台から下がっていくのがつねだった。

現実はまったくことなっていた。チンは非常に体力のある健康な男であり、余裕綽々で金魚鉢を膝ではさんでいたのだ。そうだとしても、金魚鉢の大きさと形のせいで、歩く際に纏足《てんそく》された中国人のようによちよち歩きをせざるをえなかった。その歩き方は手品のタネを明かしてしまう危険性があった。移動する際に関心を集めてしまうからだ。秘密を守るため、チンは生涯足をひきずって歩いた。いかなるときも、自宅や往来でも、昼も夜も、秘密がばれないように普通の足取りで歩くことはけっしてなかった。

これこそ、魔法使いの役を演じる人間の性質というものである。

観客は奇術師が何年も自分のイリュージョンを練習し、個々のショーの稽古を入念におこなうことをよく承知しているが、観客の目をくらましたいと思っている奇術師の願望がどれほどのものか、わかっている人間はほとんどいない。奇術師にとって、通常の法則を明らかに無視することが、生きていくうえで片時も忘れることのできないほどの強迫観念になっているのである。

チン・リンフーには異常に執着した惑わしがあったが、この中国人奇術師に関する逸話をお読みになったからには、わたしにもわたしなりの惑わしがあるのだろうと正しく推測されよう。わが惑わしがわが人生を支配し、わたしが下すすべての判断を特徴づけ、わたしがおこなうすべての動きを規定している。この追想録を書きはじめたいまですら、なにを書いていいか、書いていけないかを規制している。さきほど、自分の方法を一見なにも持っていない手を示す行為になぞらえたが、じっさいには、ここの記述のすべてが健康な男のよちよち歩きなのだ。

2

両親は仕事がうまくいっていたので、わたしをペラム学習塾へ通わせる経済的余裕があった。ペラム姉妹がイースト・ボーン・ストリートに開いていた女教師学校で、中世の街壁跡の隣、港にほど近い場所にあった。浜に散らばっている腐った魚から立ちのぼるしつこい悪臭と、港のいろいろな施設にかこまれ、やむことのないセグロカモメの鳴き声に悩まされながら、わたしはその私塾で、読み書き、算数を学んだほか、歴史と地理と、かのおぞましきフランス語を少々習った。それらの学問はいずれものちの人生に役に立ったが、フランス語を学ぼうという努力は成果があがらずに、皮肉な結果を生んだ。というのも、おとなになってから、わたしの舞台でのペルソナは、フランス人教師であるからだ。

私塾の行き帰りは、ウェスト・ヒルの尾根を越えていかねばならなかった。尾根はわが家のほんのすぐそばにあった。道のりの大半は険しく狭い小道で、ヘースティングズの空き地にたくさん密集する、芳ばしい御柳《ギョリュウ》の茂みを抜けていくことになっていた。ヘースティングズは街の発展期を迎えており、夏場の観光客を迎えるため、無数の新築の家やホテルが盛んに建てられていたが、その様子を目にすることはほとんどなかった。私塾は旧市街にあり、リゾート地はホワイト・ロックの向こうで建設中だったからだ。このホワイト・ロックというのは、元は山脚だったのが、わたしが子どものころ、海岸通りの遊歩道を拡張するため、ダイナマイトで完璧に粉微塵にされた。それやこれやがあっても、ヘースティングズの古い中心街の生活は、数百年間ほぼそのまま踏襲されていた。

父について、良きにせよ悪きにせよ、語れることはたくさんあるが、わたし自身の話に集中するため、もっとも良きことを述べるにとどめよう。わたしは父を愛しており、父から家具造りの技をたくさん学び、たまたま父のおかげでわたしは名をなし、財を築くことができた。父は仕事熱心で、正直者であり、まじめで、聡明であり、父なりのやりかたではあったが、寛大だったと証言できよう。使用人に対して公正だった。神を畏れる人間ではなく、教会に行く習慣もなかったことから、父は家族を穏健な現世主義の範疇で行動するよう育てた。すなわち、なにかをすることや、しないことによって、他人を傷つけたり、害をおよぼしたりしてはならぬというしつけだ。父は腕の良い家具職人であり、すぐれた車大工だった。（たびたび起こしたため）家族の者が堪え忍ばねばならなかった父の癇癪は、内心の欲求不満から発生したものにちがいない、とこの歳になってわたしにもわかるようになった。もっとも、どんなたぐいの欲求不満なのかは、わたしにもさだかではなかったが。わたし自身は、父の機嫌がいちばん悪いときに怒りの対象になることはいちどもなかったけれど、父を少々畏れながら成長した。が、父を深く敬愛していたのは事実である。

母の名前はベッツィー・メイ・ボーデン（旧姓ロバートスン）、父の名はジョウゼフ・アンドルー・ボーデンだった。わたしの兄弟姉妹は七人いたが、幼少時に亡くなったものがいたため、そのうち五人しか知らない。わたしは最年長でもなく、最年少でもなく、どちらの親からも特段目をかけられていなかった。仮に全員でなくとも、わが兄弟たちの大半とは充分、仲良く育った。

十二歳のとき、私塾を辞めさせられ、父の仕事場で車大工の徒弟として働かされることになった。そこでわたしのおとなとしての生活が始まった。このときから子どもたちとより、おとなたちと過ごす時間が増えてきたという意味と、自分自身のほんとうの将来の姿が明らかになったという意味において。わたしの将来にとっては、ふたつの要素がとても重要だった。

ひとつは、しごくあたりまえのことだが、木の扱い方だった。わたしは木を見て、木のにおいを嗅いで育ってきた。両方ともなじみのものだった。手に取ったり、木目なりに裂いたり、のこぎりで挽いたときの木の感触が多少なりともわかっていた。明白な意図をもって木を扱った最初の瞬間から、木を尊重し、木でどんなことができるのか理解しはじめた。木というものは、きちんと乾燥し、木目を活かすように切れば、美しく、強靭で、軽く、しなやかなものである。ほとんどいかなる形にでも切ることができるし、加工が容易で、ほぼどんな素材にもくっつけることができる。塗料を塗り、着色し、漂白し、曲げることもできる。目立つと同時にありふれてもおり、そこになにか木製のものがあると、堅実な正常性をそれとなく感じさせ、それでいて目立つこともあまりない。

要するに、奇術師にとって、理想的な媒体であるのだ。

仕事場では、経営者の息子だからという特別扱いはいっさいなかった。初仕事の日、貯木場でもっとも荒っぽく、きつい仕事を割り当てられ、この職業のなんたるかを否応なく学ばされた――わたしともうひとりの徒弟は、木挽き穴で働かされることになった。そこで一日十二時間（毎日、午前六時から、三度のみじかい食事休憩をはさむだけで、午後八時まで）働くことで、ほかの仕事であれば考えられないほど体が頑健になり、重たい材木を畏れると同時に敬うことを教わった。数カ月つづいたその通過儀礼が終わると、肉体的にはそれまでよりきつくないが、車輪の輻《や》や輪縁用に木を切り、曲げ、削る方法を学ぶという、集中をより必要とする仕事にまわされた。そこでわたしは父のところで働く車大工やほかのおとなたちといつもいるようになり、同輩の徒弟たちの姿を見かけることは減っていった。

学校を辞めてから一年ほど経ったある朝、ロバート・ヌーナンという渡り職人が、数年まえの嵐で被害を受け、ひさしく修理を必要としていた貯木場奥の壁の修繕と改装をおこなうためにやってきた。このヌーナンの到来が、わたしの将来の方向について、第二の大きな影響を与えた。

わたしは仕事で忙しくしており、ヌーナンに気づきさえしなかったが、午後一時になり、昼食休みになると、ヌーナンはわれわれが食事を取っている架台式テーブルのところにやってきて、わたしやほかの男たちといっしょに腰をおろした。ヌーナンは一組のトランプをとりだし、だれか〈貴婦人を捜せ〉《ファインド・ザ・レディ》をやらないか、と訊いた。年かさの男たちの何人かはヌーナンをからかい、ほかの者たちに、やめといたほうがいいぞと警告しようとしたが、数人がとどまって見物することになった。少額の金がやりとりされはじめた――わたしの金ではない。余分に使える金などなかった。職人の二、三人が数ペンスの金を嬉々として賭けようとした。ヌーナンがカードを扱う、よどみない自然な仕草にわたしはわくわくした。なんたるすばやさ！　なんたる器用さ！　おだやかな口調で巧みに話しながら、三枚のカードの表を見せてから、すばやい、流れるような動きで目のまえの小さな箱の上に伏せていき、人差し指と中指と薬指で三枚のカードを動かし、やがて指を止めると、どのカードがクイーンなのか、とわれわれに訊ねた。職人たちはわたしよりも目がとろく、正しいカードを当てる頻度がわたしより少なかった（わたしにしてみたところが、正しいカードを当てるよりもまちがった回数のほうが多かったのだが）。

あとで、わたしはヌーナンに話しかけた。「どうやってやるの？　教えてくれない？」

当初、ヌーナンは手すきの職人たちと話していてわたしをはぐらかそうとしたが、わたしはしつこく、くいさがった。「どうやってやるのか知りたいんだ！」わたしは声を張り上げた。「クイーンは三枚の中央にあった。なのにあんたがカードを二度動かしただけで、そこにあるはずだと思ったところになかった！　秘密はなんなの？」

すると、ある日の昼食時、ほかの男たちから小銭をまきあげるかわりに、ヌーナンはわたしを小屋の静かな隅へ連れていき、目をくらますための三枚のカードのあやつりかたを見せてくれた。クイーンともう一枚のカードは左手の親指と中指のあいだに重ね合わせて持ち、三枚目のカードは右手に持つ。カードを伏せるとき、両手を交差させ、指先でカードの表面に触れ、一瞬停止させて、クイーンが最初に置かれたことを示唆する。じっさいには、べつのカードのうち一枚がクイーンのまえにこっそり滑り落とされている場合が大半だった。これは、正式名称を〈スリー・カード・モンテ〉という古典的なトリックだった。

　わたしがそのトリックの概念を把握すると、ヌーナンはほかのテクニックをいくつも見せてくれた。てのひらにカードを隠すやりかたや、順番が変わらないようにカードを切るやりかた、特定のカードを手元の一番上か下にくるようにカードの一組をカットするやりかた、扇状にひろげたカードのなかから特定のカードを相手に強制《フォーシング》的に抜かせるやりかたを。ヌーナンはそれらを実演してみせるというより、腕を見せびらかすようおざなりにやり、わたしが熱に浮かされたように飲みこもうとしているのにきっと気づいていなかった。ヌーナンの試演が終わると、わたしはクイーンを使った偽のカード配りを試したが、カードはてんでに散らばってしまった。もう一度試みる。さらにもう一度。何度も何度も、ヌーナンが興味を失ってどこかへ立ち去ってしまってからもずっと繰り返した。その最初の日の夜には、寝室でひとりきりでいるときに、〈スリー・カード・モンテ〉を習得し、ちらっとだけ見たほかのテクニックに取り組みはじめていた。

ある日、塗装作業が完了すると、ヌーナンは仕事場を去り、わたしの人生から消えていった。その後、ヌーナンの姿を見かけることはなかった。あとに残されたのは、抑えがたい欲望を抱えた多感な青年期の男子。（すぐさま貸本屋で借りた本で覚えた）手妻と呼ばれる芸を体得するまで、休むつもりはなかった。手妻、手先の早業《スライハンド》、奇術がわが人生のもっとも重要な関心事になったのである。

3

つづく三年間、わが人生には、三つのことが同時進行した。まず、急速に成長して、青年からおとなになった。次に、父はわたしが木工職人として、なかなかの腕を持っていることに気づき、車大工職の比較的荒っぽい仕事では、わたしの技術が充分発揮できないことをはやくに悟ってくれた。最後に、わたしは自分の手で奇術をおこなう方法を学びつつあった。

この三つは、一本のロープの撚《よ》り糸のようにたがいにからみあっていた。父もわたしも生計を立てる必要があったため、仕事場でのわたしの仕事の大半は、ひきつづき、商売の主要な部分を占める樽や車軸、車輪を扱う仕事だったが、体が空いたときには、父あるいは職長のひとりが家具造りの、より繊細な技をわたしに教えてくれるようになった。父は、将来わたしが自分の商売を引き継ぐと考えていた。もし父の考えているように腕が優れていることをわたしが証明すれば、父は徒弟見習いが終わった時点で、独立した家具工房をわたしに開かせ、それを大きくさせてやろうという心づもりだったし、わたしも自分にその才能があると思っていた。父は引退したら、いまの仕事場へわたしをいれるつもりでいた。そこには、おのれの人生に対する欲求不満もいくぶんかは現れているのが、わたしにははっきりわかった。わたしの木工としての腕が、父の若かりしころ抱いた野心の記憶をふたたび呼び起こしたのだ。

一方、もうひとつのわたしの才能、自分の本当の才能だと見なしていたものも、めざましく進歩を遂げていた。空いている時間のすべてを費やして、わたしは手品の練習に没頭した。とりわけ、カード手品の既知のあらゆるトリックを学び、それに精通しようとした。もっとも複雑な交響曲でも基調に主音階があるのとおなじように、手先の早業《スライハンド》こそ、すべての奇術の基礎であるとわたしは見なしていた。その項目に関する参考文献を手にいれるのはむずかしかったが、奇術に関する書物はいろいろあり、熱心な研究者であれば、それらを見つけることは可能なのである。毎晩、通路の上の寒い部屋で、等身大の鏡のまえに立ち、カードのてのひら隠し《パーミング》や強制《フォーシング》、シャッフリングの練習や、すばやく広げ、交換し、扇にする練習、そしてデッキのカットやフェイントのさまざまな方法の発見を繰り返した。ミスディレクションの技も学んだ。奇術師は観客の日常の経験を利用して、感覚を混乱させる。たとえば、頑丈そうで潰れそうにないように見える金属製の鳥籠、袖のなかに隠すには大きすぎるように見える球、焼き戻して強化し、けっして（ほんとうに？）しなりそうにない鋼の刃のついた剣といったように。そのような手品の技のレパートリーを急速にたくわえていき、それぞれしっかりできるまで練習すると、次には自由に駆使できるまで練習し、さらには完璧にできるまで練習した。練習をやめることはけっしてなかった。

両手の力とすばやさが鍵だった。

　さて、ここでいったんこの書き物を中断し、つかのま、わが両手について考えてみよう。ペンを置き、両手を目のまえに掲げ、ガスマントルの明かりのなかで回転させ、日々見ているのとは異なったふうに、つまり、他人が見るようにわが手を見てみよう。八本の長くてほっそりした指と、二本のがっしりした親指、適切な長さに切りそろえられた爪、芸術家の手ではなく、肉体労働者の手でもない。外科医の手でもない。惑わす者／奇術師《プレスティジテーター》になった大工の手だ。てのひらが自分のほうを向くように回転させると、青白い、透明と言ってもいいくらいの皮膚が見え、指の関節のあいだの色が多少濃くなり、荒れている。親指の付け根の膨らみは丸いが、筋肉を緊張させると、てのひら全体に畝《うね》状に筋張る。手を反転させて甲を見ると、ふたたびきめ細かい皮膚が見え、ブロンドの体毛が少し生えているのも見える。女たちはわが手に興味をそそられ、なかにはこの手を愛していると言うものまでいる。

　毎日、おとなになったいまでさえも、両手の鍛錬はおこたらない。わが手は、ゴム製のテニスボールを破ってしまえるほどたくましい。指と指で鉄釘を曲げられるし、掌底部分を堅い木に叩きつければ、木のほうがばらばらになってしまう。ところが、そのおなじ手で、ファーシング銅貨を中指と薬指の指先ではさんだまま、手の残りの部分で器具をあやつったり、黒板に書き物をしたり、観客の協力者の腕をつかんだりしながらも、ずっと硬貨を支え持ち、最後にすばやく滑らせて、魔法のように宙から現れたように見せることができるのだ。

わたしの左手には小さな傷が残っている。わが手の真の価値を学んだ若かりし時を思いださせる記念の傷だ。一組のカードや、硬貨や、上等のシルクのスカーフや、あるいは丹念に集めていた手品の小道具を用いて練習をするたび、人間の手こそ繊細な道具であり、精妙でたくましく、敏感なものであることを実感してきた。ところが、大工仕事はわが手には酷だった。それは仕事場である朝気づいた、愉快ならざる事実だった。輪縁を削っている最中、ふとした気のゆるみから、鑿《のみ》を滑らせ、左手を深く切りつけてしまったのだ。信じられない思いでその場に突っ立っていたのを覚えている。指を鳥の鉤爪のようにこわばらせ、赤黒い血が傷口からほとばしり、手首を伝って腕へ、どくどくと流れていった。その日、いっしょに働いていた年配の男たちはその手の負傷の扱いに慣れており、どうすればいいかわかっていた――止血帯がすぐにあてがわれ、荷車が用意されて、病院へ急搬された。その後、二週間、わたしの手には包帯が当てられていた。その出来事が強く心に残ったのは、出血でも、痛みでも、不自由さのせいでもなかった――傷が治ったとき、手がとりかえしのつかぬほど破壊的に切り刻まれていたのが判明し、二度と動かすことができなくなるのでは、という畏れのせいだった。結局のところ、恒久的な障害は残らなかった。手がよく動かず、びくびくしながら使っていた意気をくじく時期が過ぎると、腱や筋肉は徐々に柔らかくなり、傷は治り、縫ったあとも綺麗につながって、二カ月もしないうちに、わたしは常態に復した。

だが、わたしはそのことをひとつの警告と受け取った。当時、手品はたんなる趣味だった。いちども人前で実演したことはなかった。ロバート・ナーマンのように、いっしょに働いている男たちを楽しませるためにすらやったことはなかった。わたしの奇術はすべて練習用奇術であり、背の高い鏡のまえで演じられる沈黙劇だった。しかし、夢中にさせられる趣味であり、情熱であり、そう、強迫観念にすらなりかけていた。それを危険にさらすような怪我をするなんて、もってのほかだった！

　ゆえに、手を深く切りつけた一件は、あらたな転換点となった。自分の人生の至上命題が見つかったからだ。その怪我を負うまえ、わたしは夢中になる気晴らしを持っている車大工見習いだったが、それからは、自分の行く手にたちはだかるものをいっさい許さぬ若き奇術師になった。いつの日か、パブ経営者の荷車用の車輪を作っている最中に手をふたたび傷つけてしまうよりも、カードをてのひらに隠したり、フェルトで裏打ちされた袋のなかに隠したビリヤードの球をすばやくつかんだり、客から借りた五ポンド紙幣を、事前に用意したオレンジのなかにこっそり滑りこませることができるほうが、わたしにとってはるかに重要なことだった。

　こんなことなにもわたしに言ってないぞ！　いったいこれはなんだ？　いったいどこまで書かれるのか？　わかるまではもうこれ以上書いてはならん！

さて、話合いも済んだことだし、つづけてもよろしいか？　もう一度ここから、了解にもとづいてつづけよう。わたしは適切だと思われるものを書き、適切だと見なすものをつけくわえよう。同意したくないことはいっさい書かないつもりだったし、読み返すまえにひたすらたくさん書くだけのつもりだった。自分を偽っていたと思うなら、詫びるし、害をおよぼすつもりはなかった。

何度も読み返し、そして、自分がなにを目指しているのか、わかった。わかったと思う。さきほどのような反応を自分がしたのはただもう驚くしかない。いまはもうずいぶん落ち着いて、これまでのところは許容し得るのがわかった。

だが、たくさんのことが欠けている！　次にジョン・ヘンリー・アンダースンとの出会いについて書かねばならないだろう。なぜなら、かの御仁を通じて、わたしはマスケリン一家に紹介してもらったからだ。

そのことをすぐに書けない理由はとくに見あたらないように思える。

いまそれをやらねばならないか、あるいはあとで気がつくようメモを残さねば。こんなふうにもっと頻繁にやりとりしないと！

次のいずれの事柄も無視してはならぬ――

（1）エンジャがしていることを発見したいきさつ、および、わたしがあいつに対してしたこと。
（2）オリーヴ・ウェンスコム（わたしが悪いんじゃない、そこのところを注意）。
（3）セイラはどうする？　子どもたちのことは？

契約はこれにもおよぶだろうか？　およぶだろう、とわたしは解釈している。もしそうなら、たくさんのことを省かねばならない。あるいは、さらに多くのことを書き記さねば。

こんなに沢山書いたのがわかって驚きだ。

4

一八七二年、わたしが十六歳のとき、ジョン・ヘンリー・アンダースンがヘースティングズ市へ〈ツーリング・マジカル・ショー〉の巡業に訪れ、クイーンズ・ロードにあるゲイエティー劇場で一週間の公演をおこなった。わたしは毎晩、ショーを見にいき、自分に払える範囲で舞台の正面にいちばん近い席をとった。アンダースン氏の公演をいちどでも見逃すなんてとても考えられなかった。その当時、氏は巡業公演をおこなっている当代一の舞台イリュージョニスト、あるいは、目もくらむような新しい仕掛けを無数に考案した人物というだけでなく、若い奇術師に手を貸し、奨励する人物であるという評判だった。

毎晩、アンダースン氏は、奇術業界では、〈モダン・キャビネット・イリュージョン〉の名で知られているトリックをおこなった。その際、いつも観客から少人数の協力者を舞台にあげていた。協力者たちは（かならず男性ばかりだった）車輪が下についている背の高い木製のキャビネットを、舞台へ引きだす手伝いを求められる。キャビネットは、出入りできるような落とし戸が底にないのが確かめられるくらい、床から離れていた。それから、協力者たちは、キャビネットのなかが空であることを得心いくまで内と外を調べ、観客が四方から見られるようにそれをぐるっと一回転させるよう促される。内部にほかの人間を隠すことができないことを証明すべく、メンバーのひとりにキャビネットのなかにごく短いあいだはいることさえ勧められる。そののち、一同は協力して、キャビネットの扉に鍵をかけ、重たい南京錠をしっかり留める。協力者たちを舞台にとどめたまま、アンダースン氏が、しっかり封印されていることを観客に納得させるため、もういちどぐるっとまわしたかと思うと、すばやい動きで南京錠を外し、扉を開けると……ゆったりしたドレスと大きな帽子を身につけた、うら若き美貌のアシスタントが颯爽と現れるのである。

毎晩、協力者を募る呼びかけをアンダースン氏がするとき、わたしは選ばれようと勢いよく立ちあがったが、氏はわたしを無視しつづけた。わたしは選ばれたくてしかたがなかった！　照明を浴び、舞台に立って、観客をまえにするのがどんな感じなのか知りたかったのだ。そのイリュージョンを実演するアンダースン氏のそばにいたかった。そして、キャビネットがどのようにして作られているのかをそばで子細に眺めたくてたまらなかった。むろん、〈モダン・キャビネット〉のタネは知っていた。そのころには、当時流行っていたすべてのイリュージョンの仕掛けを学び、あるいは独力で突きとめていたからだったが、一流の奇術師のキャビネットを間近で目にするのは、この装置の様子を探るまたとない機会になるはずだった。このイリュージョンのタネは、キャビネットのこしらえ方にあった。

哀しいかな、そのような機会は得られそうになかった。

短期公演の最後の舞台が終わったあと、わたしは勇を奮い起こして、楽屋口で、アンダースン氏が出てくるところを待つつもりでいた。ところがどうだろう、楽屋口に立って一分もしないうちに、ドアマンが狭い小屋から出てきて、近づいてきた。頭を片方へ傾げ、けげんそうにわたしを見ながら、男は言った。

「おそれいりますが、もしあなたがこの入り口に姿を現すようなことがあれば、楽屋へ通すようアンダースンさんから言いつかっています」

もちろん、わたしはびっくりした。

「ほんとにぼくのことかい？」

「はい。まちがいありません」

当惑したまま、しかし、このうえもなく嬉しく、昂奮した状態で、ドアマンの指示に従い狭い通路と階段を抜けていくと、座長の楽屋がすぐに見つかった。なかにはいると――なかで、アンダースン氏との、短いが、わくわくさせられる面談がおこなわれた。ここでそのことについて詳しく述べるのは気が進まない。ひとつには、ずいぶんむかしのことなので、こまかなところを必然的に忘れてしまっているからであり、また、若いころの無鉄砲さに気恥ずかしさを覚えずにすむほど、むかしのことではないからでもある。アンダースン氏の公演をまえのほうの席で見た一週間で、氏が卓越した演者であり、口上や見せ方に優れ、イリュージョン実演の技に非の打ち所がないのを確信していた。そのアンダースン氏と会って、なにも言えなくなりそうになったが、いったん口をひらくと、賞賛と熱意の言葉がとどまることを知らずにほとばしった。

とはいえ、そういう事情はあるにせよ、このときの話題でふたつのことが、いまでも重要な意味を持つ。

その第一の話題は、アンダースン氏がわたしを客のなかからけっして選ばなかった理由の説明だった。最初の公演のとき、わたしが最初に威勢良く立ちあがったことから、協力者に選ぼうとした、という。しかし、なにかが気になって、氏は考え直した。それ以降の公演でわたしを見かけたとき、氏はわたしが同業の奇術師であるにちがいないと悟ったそうだ（そんなふうに認識されて、どれほど心が躍ったことか！）。それゆえ、用心したという。わたしがどんな思惑を秘めているのかなど、氏は知らなかったし、知るよしもなかった。多くの奇術師は、とりわけ、売りだし中の若い奇術師は、自分たちより地位を確立している同業者からアイデアを盗もうとすることさえあり、氏の用心もわたしには理解できた。とはいえ、氏はわたしを怪しんだことを謝ってくれた。

ふたつめの話題は、最初のものから派生したものだった。氏はわたしが奇術師としてのキャリアをはじめようとしていることを理解してくれた。それを考慮して、氏はロンドンのセントジョージ劇場宛の短い紹介状を書いてくれた。その劇場で、ネヴィル・マスケリンその人と会うことができるように。

その時点で昂奮が頂点に達し、若かりしころのあとさき考えぬ発言は、穴があったらはいりたいほどで、これ以上思い返したくない。

アンダースン氏との刺激的な面談のあと、六カ月ほどして、わたしはじっさいにロンドンでマスケリン氏に会いにいき、そのときから、プロの奇術師としてのキャリアがほんとうにはじまった。以上が、アンダースン氏と出会い、氏を通じてマスケリン氏と出会った話のごくおおまかな概要である。この記述の中心部分に関連しないかぎり、こうしたことや、技を完全なものとし、舞台を成功させるまでにたどったほかのステップについてくだくだしく述べるつもりはない。実演を通してわが職業を学んでいき、おおまかに言って、計画していたほどにはうまくできなかった時期は、かなり長い。その時期の自分の人生は、いまとなればあまり興味を持てないものである。

しかしながら、アンダースン氏との面談の件と直接関係する事柄がある。氏とマスケリン氏は、わが契約が現在の形を取るまえに出会った、たったふたりの大物奇術師であり、ゆえに、わたしのショーの秘密を知るたったふたりのイリュージョニスト仲間でもある。アンダースン氏は、残念ながら、いまや鬼籍にはいられているものの、マスケリン一家は、ネヴィル・マスケリン氏を含め、奇術の世界でまだ現役で活躍されている。彼らが口をつぐんでいていただけるものと信用している。じっさい、信用しなければならない。わたしの秘密がときおり危機にさらされてきたのは、マスケリン氏の咎ではない。まったくさにあらず、その元凶をわたしはよく知っているのだから。

さて、中断するまえに意図していた、この記述の主題にもどるとしよう。

5

数年まえ、ある奇術師が（デイヴィッド・デヴァント氏だったと思う）、次のように語ったという話だ――「奇術師が奇術のタネ《シークレット》を守ろうとするのは、タネが壮大で重要なものであるからではなく、あまりにも卑小でささいなものであるからだ。舞台の上でくり広げられるすばらしい効果は、あまりにばからしくて、奇術師自身恥ずかしくて認めたくないタネのもたらす結果であることがよくある」

そこに、すなわち、舞台奇術師の抱える矛盾がある。

タネがばれると、トリックが〝だいなしに〟なってしまうという事実は、奇術師だけではなく、それを楽しんでいる観客にも広く理解されている。たいていの人は、演者がくり広げる不思議感を楽しみにしており、たとえタネがばれたときにどんな気分になるのか好奇心をおおいにそそられていようとも、それをだいなしにしようとは思わない。

奇術師が自分の奇術のタネを守ろうと願うのは当然のことで、それが守られているから糧が得られているようなもので、そのことは広く認識されていた。しかしながら、奇術師はおのれの秘密《シークレット》の犠牲者でもある。ひとつのトリックがレパートリーの一部である時間が長ければ長いほど、また、みごとに演じた回数が多ければ多いほど、そして必然的に惑わした人の数が多ければ多いほど、それだけ秘密を守ることが奇術師にとってきわめて重要なことになっていく。

その影響はどんどん増幅していく。おおぜいの観客に見られ、ほかの奇術師がそのトリックを真似たり、改作したりし、奇術師本人が改良していくと、年を経るごとに実演が変化していき、トリックはいっそう洗練されていくように見え、あるいは、説明するのがいっそうむずかしいものになっていく。その間ずっと、秘密は守られたままである。一方、卑小でささいなものであることにも変わりはない。そして、影響が大きくなるにつれ、トリックのタネそのものの卑小さはますます、奇術師の評判を脅かすものになっていく。秘密は、強迫観念と化す。

この記述の本題も同様だ。

わたしは生涯を通じて、足をひきずるふりをして、自分の秘密を守ってきた（むろん、これは文字通りの意味ではなく、チン・リンフーの逸話になぞらえたものだ）。わたしは歳をとり、率直に言って、稼いだ金をそれなりに持っており、舞台での実演に黄金の魅力をもはや見いだせなくなっている。となれば、存在していることを知っている人間が少なく、気にしている人間となるとさらに少ない秘密を守るため、残りの実人生をずっと（比喩的に）足をひきずっていくべきだろうか？　そうは思わない。ゆえにここにきてついに、一生つづけてきた習慣を変え、〈新・瞬間移動人間〉について書き記すことに着手する。

これこそ、わたしを有名にし、世界の舞台で実演された奇術のなかでもっとも偉大なものと、多くの人に言われてきたイリュージョンの名である。

まず、最初に、観客からどのように見えるかを簡単に記す。

次に、その背後にあるタネの披露だ！

それこそが、この記述の目的である。とりあえずいまは、約束どおり、ペンを擱《お》くとしよう。


三週間、この本を書くのをやめていた。理由を言う必要はないし、理由を問われる必要もない。〈新・瞬間移動人間〉の秘密は、わたしだけが明かせるものではないし、この件はもうおしまい。いったいどんな狂気にかられていたのやら？

この秘密は永年わたしにおおいに役立ってきたのだし、秘密を暴こうという無数の攻撃にも抗してきた。ほぼ生涯を費やして守ってきたのだ。それだけで、契約を結ぶに充分な理由ではないか？

それなのに、わたしはこの手の秘密がみなささいなものである、と書いている。ささいとは！　自分の人生をささいな秘密に捧げてきたというのだろうか？

沈黙の三週間のうち、はじめ二週間は、わが生涯をかけた作品に対するこの腹立たしい洞察をつらつら考えているうちに過ぎていった。

この本、日記、語り——なんと呼べばいい？——自体、すでに記したように、わが契約の産物である。その波及効果をすべてちゃんと検討しただろうか？

契約のもと、いったんわたしが発言をすれば、たとえひどく軽率なものであれ、油断している瞬間に発したものであれ、もし自分でその言葉を発したとしたなら、その責任を負う心づもりをつねにしている。役割が逆になったときにわたしはそうするし、あるいはずっとそのつもりできた。目的と行動と言葉の一貫性は、契約に不可欠なものなのだ。

この理由から、わが秘密を明らかにすると約束した箇所へあともどりし、くだんの行を削除せよと主張するものではない（おなじ理由から、いま書いているまさにこの文章をあとから削除することもなかろう）。

しかしながら、わが秘密の披露はもはやおこなわれないだろうし、考慮されることすらないだろう。しばらくは足をひきずっていなければなるまい。

ルパート・エンジャがまだ生きているという事実を無視していたのだ！　ときどき、あの男のことを考えないようにして、忘却のベールをあやつ及びあやつの行為に意図的にかぶせていたのだが、あの卑劣漢はまだ息をしている。あやつが生きているかぎり、わが秘密は危険にさらされているのだ。

あの男は〈新・瞬間移動人間〉の自分なりの改作をいまだに演じているらしいし、その実演のあいだ、舞台から、あいかわらず例の攻撃的なセリフを吐いているそうだ——これから皆様にお目にかけますのは、「しばしば真似されてはきましたが、改良されたことはいちどもない」奇術でございます、と。そうした報告及び内通者からのほかの報告にわたしの心は痛む。エンジャは瞬間移動の新しい方法を思いつき、かつ舞台映えも良いと言われている。もっとも、致命的欠点は、あの男の奇術が時間をくうことだ。なんと主張しようとも、あの男はわたしのようにすばやくトリックを実行できないのだ！　わが真実を知れば、あやつめ、激昂するにちがいない！

契約は現行のまま維持されなくてはならぬ。秘密を明かすなどとんでもない！

エンジャの名前が持ちだされた以上、あの男が初めてわたしにもたらした問題のことを述べ、いかにしてわれわれの諍いがはじまったのかを詳しく語るべきであろう。この確執をはじめたのがわたしであることはすぐに明らかになるだろうし、その責任はすなおに認めるものである。

しかしながら、わたしは至高の原理原則と思っていたものに執着しようとして、過ちを犯してしまい、自分がしでかしたことを悟ったとき、償いをしようとしたのだ。ことの次第はかくのごとし――

プロの奇術師から少しはずれたところには、奇術をだまされやすい人間や金持ちにつけこむ安易な方法であるとみなしている人間が若干いる。連中は真正の奇術師とおなじ奇術の道具や装置を利用するのだが、その効果が本物であるかのようにふるまう。

魔法使いの役を演じている舞台奇術師の惑わしとほんの少し違っているだけのことに見

えるかもしれない。だが、そのわずかな違いは、決定的なものだ。

たとえば、わたしは〈チャイニーズ・リンキング・リング〉と呼ばれているイリュージョンで舞台を始めることがある。照明の当たっている舞台の中央に、なにげなく金属の輪を持って立つ。それを使ってこれからなにをするつもりなのか、わざわざ言ったりはしない。観客は、ばらばらに離れた、きらきら輝く金属製の十本の大きな輪を見ている（あるいは、見ていると思っている、あるいは、見ていると思わされている）。その輪は、よく検分できるよう、観客の数人に渡される。彼らは、観客全員の代表として、それが堅く、継ぎ目がなく、隙間もないことを確認するのだ。そののち、わたしは輪をとりもどし、だれもが驚くことに、それらをひとつのつながりあった鎖として結びつけ、高く掲げて、観客全員に見えるようにする。観客の手に触れさせたまさにその箇所で、輪をつないだり、外したりして見せる。数本の輪をつないで、数字や物の形をこしらえたかと思うと、たちまち外して、さりげなく腕に通したり、首にかけたりして見せる。最後に、わたしはふたたび十本のばらばらの堅い輪を持っているように見える（あるいは、見ていると思われる、エトセトラ）。

どうやったらそういうことができるのか？　現実的な回答は、そのようなトリックは何年もの修練を経てようやく演じられるものである、というものだ。むろん、タネはある。〈チャイニーズ・リンキング・リング〉はいまだに人気のあるトリックで、広く演じられているため、軽々しくその正体を明かすわけにはいかない。しかし、これはトリックであり、イリュージョンであり、奇跡のように見えるタネゆえに評価するのではなく、この奇術を実演する演者の技巧、才能、演出力を評価すべきものである。

さて、べつの奇術師を例にとろう。この御仁はおなじイリュージョンを演じ、まったく同一のタネを使うのだが、自分は魔法によって、輪をつなげたり、はずしたりしているのだ、と明言する。この御仁の実演は異なる評価をされるのではなかろうか？　すぐれた技巧を持っているように見えるのではなく、神秘的で、強力な力の持ち主に見えるかもしれない。たんなる芸人ではなく、自然の法則を平気で無視する奇跡の能力者のように見えるだろう。

もしわたしか、ほかのプロの奇術師がその場に居合わせたなら、観客に向かってこう叫ぶべきかもしれない——「あれはただのトリックだ！　輪は見た目とはちがっている。みなさんはご自分が見たと思っているものを見ていないのです」

これに対して、奇跡の能力者は（不実にも）こう答えるだろう——「わたしがいまみなさんにお目にかけたのは、超自然の産物です。もしたんなる手品のトリックだとおっしゃるなら、どのようにやっているのか、みなさんに説明してください」

そう言われると、わたしは言葉を失うだろう。プロの信義に縛られている身としては、トリックの仕組みをばらすわけにはいかない。

それゆえ、奇跡は奇跡のまま生き延びるだろう。

わたしが舞台に立ちはじめたころ、霊効果、すなわち「降霊術」が流行っていた。かかる心霊現象は、舞台で堂々と演じられているものもあれば、奇術師のスタジオや個人宅でひそかにおこなわれているものもあった。すべてに共通した特徴があった。最近家族を亡くした人間や年配者に、死後の人生が存在しているように見せかけて、あだな希望を与えるのだ。そうした安心を求めて多額の金がやりとりされていた。

プロの奇術師からすれば、降霊術にはふたつの重要な特徴がある。第一に、標準的な奇術の手法が用いられている。第二に、実行者は一様に効果が超自然的に生みだされたものであると主張する。言い換えるなら、奇跡的「パワー」に関する虚偽の主張がなされているのである。

これはわたしをひどくいらだたせた。なぜならば、そのトリックは名のある舞台奇術師であれば、だれでも容易に再現できるものだからだ。連中が超自然現象だと主張しているのを耳にして、ろくに言い返せないのは腹立たしかった。心霊の物質化現象は、あの世があることを証明しているだの、心霊は歩くことができる、死者は話すことができる、などなど。それは嘘である。しかし、証明することがむずかしい嘘だった。

わたしは一八七四年にロンドンに出てきた。ジョン・ヘンリー・アンダースンの後見と、ネヴィル・マスケリンの引き立てのもと、この大都市のあらゆる劇場やミュージックホールで仕事を手に入れようと奮闘をはじめた。当時、舞台奇術に対する需要はあったのだが、ロンドンは才能のある奇術師であふれかえっており、その輪のなかにはいっていくのは、たやすいことではなかった。その世界で、わたしは手にはいるかぎりの仕事を見つけて、まあまあの地位をどうにか確保した。わたしの奇術はいつも好評を博していたものの、傑出した存在になる道のりは険しかった。当時、〈新・瞬間移動人間〉は、まだ完成にはほど遠かったものの、いっさいの誇張なく言うのだが、この偉大なるイリュージョンは、ヘースティングズ市の父の仕事場で、槌をふるいながら思い悩んでいたときに計画をはじめたものだった。

そのころ、心霊魔術師《マジシャン》たちは、新聞や雑誌に頻繁に広告を打っており、連中の行為はおおいなる議論のまとになっていた。降霊術は、舞台の上で見ることができるものより、はるかに昂奮をかきたてられ、力強く、いわば効果の大きい魔術《マジック》として、庶民に紹介されていた。もし若い女性を催眠術にかけ、宙を浮かばせることができるほど卓越した腕を持っているのなら、その技術をもっと役立つ方向へ向け、最近亡くなった死者との意思疎通を図ればいいじゃないか、と言われかねないくらいになっていた。まったく、どうしてやらないのだ？

6

ルパート・エンジャの名前は、わたしにはすでになじみだった。ごく限られた部数で出回っている二、三の奇術雑誌の投書欄に、独善的かつ冗長な投書を北ロンドンの住所から投じている人物だった。エンジャの投書の目的は判で押したように「御墨付き」のレッテルを貼られた年配の奇術師たちに対して、侮辱を投げつけることだった。彼らは、秘密主義的方法とばかていねいな伝統によって、前時代の退屈な遺物として生きながらえている、という。わたしもそうした伝統のなかで働いているのだが、エンジャのさまざまな論争に引きこまれまいとしていた。だが、知り合いの奇術師のなかには、エンジャにひどく憤慨しているものもいた。

エンジャの論説がどんなものか、きわめて典型的なものを挙げてみると、もし奇術師の腕が自分で言うほど確かなものだとすれば、奇術を円のなかで演じる用意があってしかるべきだ、というものがある。すなわち、奇術師はぐるりと観客に囲まれることになり、したがって、舞台前迫持《プロセニアム・アーチ》の、観客の死点を作る効果に頼らないイリュージョンを生みださねばならなくなる。わたしの高名な同僚のひとりが、返信のなかで、自明の事実を穏便に指摘した——たとえどんなにたくみに奇術師が自分の実演の準備を整えたとしても、トリックのタネを目にしてしまう観客が多少はいるのだ、と。エンジャの返答は、相手の投稿者をあざけるものだった。まず第一に——とエンジャは言った——もしイリュージョンがあらゆる角度から見られるなら、その奇術の効果は絶大なものになるだろう、と。第二に、それができなくとも、また、一部の観客がトリックのタネをかいま見たとしても、それがなんだ！　もし五百人の客をあざむけるなら、ほかの五人がタネを見たところで、たいしたことではない、と。

　そのような考え方はプロの奇術師の大半にとって、きわめて異端なものだった。（エンジャが暗にほのめかしたように）自分たちがばらされては困る秘密を抱えているからではなく、エンジャの奇術に対する態度が急進的で、かくも長きにわたってつづいてきた伝統をないがしろにするものだったからである。

　かくして、ルパート・エンジャは名を知られるようになりつつあったが、たぶん、本人が意図した形ではなかったであろう。よく耳にした意見は、エンジャが公の舞台ではめったに奇術を演じたことがないという嘲弄だった。それゆえ、同業者たちは、まごうことなくすばらしく、創意に富むだろうエンジャの奇術を賞賛できずにいた。

　いまも書いたように、わたしはエンジャの件にかかわっておらず、さして興味のある対象ではなかった。しかしながら、ほどなくして、宿命の糸がからみあうことになった。ロンドンに住まう、わたしの父の妹のひとりが、最近、夫に先立たれ、悲しみのあまり降霊術師に相談する気になったのがことの発端だった。そして、自宅で降霊会をおこなう手はずを整えた。母からの定期便が、家族の世間話としてそのことを伝えてきたのを目にしたとたん、わたしは職業的好奇心をかきたてられた。すぐにおばに連絡を取り、おじが亡くなったことに遅ればせの悔やみを伝えたのち、慰めを求める試みに同席させてほしいと申しでた。

降霊会当日、運が良いことに、おばは事前の昼食にわたしを招いてくれていた。というのも、降霊術師が予定より少なくとも一時間はまえに到着したからだ。おかげで家のなかは多少ばたばたした。それも降霊術師の企みの一部で、降霊会がおこなわれる部屋でなんらかの下準備をするためだろう、とわたしは想像する。降霊術師とふたりの若いアシスタント——男女ひとりずつ——は、黒のブラインドで部屋を暗くし、不要な家具を脇へどかす一方、自分たちが運んできた家具を室内へいれ、絨毯をめくって、床板をむきだしにし、木製のキャビネットを立たせた——その大きさや外見は、伝統的な舞台奇術がこれからおこなわれることをわたしに確信させるに充分だった。そうした用意が整えられているあいだ、わたしは目立たぬようにじっとして、観察眼を働かせていた。降霊術師の関心を惹きたくなかった。もし降霊術師が警戒をおこたらなかったら、きっとわたしの正体に気づいたはずだ。まえの週、わたしの舞台に好意的な記事が一、二、出ていたからである。

降霊術師自身はわたしとほぼおなじ年格好の若い男で、髪は黒く、ひたいが狭かった。両手の油断のならない表情をしており、食餌へ向かおうとする獣のそれによく似ていた。

動きはすばやく正確であり、永年修練をつんできた奇術師である確固たる印だった。いっしょに働いている若い女性はほっそりとして、しなやかな体つきで（その体格から、降霊術師のイリュージョンに雇われているのだろうと思ったものの、結局まちがいだった）、意志堅固で魅力的な顔だちをしていた。黒い、控えめな服装で、ほとんどしゃべらなかった。もうひとりのアシスタントは、がっしりした若者で、成人してからさほど経っていないくらいの若さで、ふさふさした金髪と無愛想な顔つきをし、重たい家具をひきずって運ぶときに、しぶって不平を漏らした。

ほかの招待客が到着するころまでに（おばは友人を八、九人、招いていた。おそらくは費用を若干まかなってもらうために）、降霊術師の準備は整い、本人とアシスタントたちは、用意の済んだ部屋にじっと座って、指定の時間がやってくるのを待っていた。それゆえ、連中の装置を調べてみる隙はわたしにはなかった。

実演は、前口上や雰囲気をかもしだすための中断やなにやかやが優に一時間以上つづいたあげく始まったのだが、主に三つのイリュージョンから成り立っていた。不安や昂奮や暗示にかかりやすくするための手順を入念に用意していた。

まず、降霊術師はテーブル転倒のイリュージョンをみごとな演出でやってのけた――テーブルが自然に回転し、おそろしくも横倒しになり、その結果、われわれ参加者の大半は、不愉快にも、むきだしの床に投げだされた。このあと参加者たちは昂奮して高揚感に身震いし、そのあとなにが起ころうと、受け入れる心構えになっていた。次に、女性アシスタントの力を借りて、降霊術師は催眠術によるトランス状態に陥ったようだった。それからアシスタントたちによって目隠しをされ、さるぐつわをかまされ、両手両脚を縛られ、自分ではなにもできない状態でキャビネットのなかにいれられた。すぐに、そこから無数の騒音が漏れてきた。驚くべき、説明不能の超自然的効果だ――奇妙な明かりがまばゆく光り、トランペットやシンバルやカスタネットの音が鳴り響き、キャビネットの中心から、不気味なエクトプラズム物質がひとりでに立ちのぼると、神秘的な明かりで照らされた部屋に流れ落ちた。

キャビネットと縛《いまし》めから解放され（キャビネットがひらかれたとき、いれられたときとおなじようにしっかり縛られていた）、奇跡のように催眠状態から恢復すると、降霊術師はメイン・イベントにとりかかった。霊界へ渡る危険について、短くも大げさな警告を発し、その危険を正当化するだけの成果があがることをほのめかしてから、降霊術師は再度催眠状態に陥り、まもなくして、彼岸と接触した。さほど長くかからぬうちに、降霊術師はこの部屋に集まった人々の亡くなった親戚や親友の霊を突き止めることに成功し、心慰めるメッセージが死者たちから生者たちへ伝えられた。

どうやってこの若き降霊術師はこのようなことをなしえたのだろう？

すでに申し上げたように、プロとしての倫理がわたしを束縛している。疑う余地もなく、奇術の効果がもたらしたものであるのだが、そのタネのごく表面的な概要を語る以上のことは当時も、いまもできない。

転倒するテーブルはじっさいにはトリックなどではまったくない（この場合と同様、奇術として演じられることはあるのだが）。あまり知られていない物理的現象なのだが、十人ないしは十二人の人間が円形の木製テーブルのまわりに集まり、てのひらを表面に押しつけ、もうすぐテーブルがまわりはじめると言われると、一、二分もしないうちに、じっさいにそんなことが起こるのだ！　いったんその動きが感じられると、テーブルはほぼまちがいなくどちらかの方向へ傾きはじめる。適当なテーブルの脚をたくみに片足でいきなり持ちあげれば、テーブルは劇的にバランスを崩し、横倒しになって、派手に床に倒れるだろう。運が良ければ、ついでに参加者の多くがテーブルとともに倒れ、驚きと昂奮をもたらすが、物理的な被害はないだろう。

このテーブルが降霊術師の小道具であったことはあえて強調するにはおよばない。足を下に滑りこませるだけの余地を残して四本の木の脚が中央の支柱につながっている形に造られているものだった。

キャビネットの演出は、ここでごくその概略を記すことしかできない――熟練した奇術師は、一見ほどけるはずはないように見える縛めから易々と抜けだすことができる。とりわけ、ふたりのアシスタントによって結ばれた場合には。いったんキャビネットのなかにはいれば、ほんの数秒で縛めをほどくことができ、超自然的効果としか思えないような現象を起こせる。

この集まりの主たる目的である心霊との接触に関して言うなら、これまた腕の良い奇術師なら易々とやってのけることができる〝強制〟と〝置き換え〟というスタンダードなテクニックである。

わたしはプロとしての好奇心を満足させるためにおばの家に赴いた。ところが、結果として恥じいり、後悔する羽目に陥って、義憤にかられて家をあとにした。ありふれた舞台イリュージョンが、だまされやすく、傷つきやすい人々につけこむために用いられている。おばは、愛しい夫からの慰めの言葉を耳にして、悲嘆に暮れ、早々と自室へ引き下がった。ほかの参加者の多くも、自分たちが耳にしたメッセージに深く感じいった。しかし、わたしにはわかっていた。わたしだけがわかっていたのだ。みんな真っ赤な嘘だと。

これ以上害をおよぼさぬうちにこの相手がペテン師であることを自分には暴ける、暴くべきであるという高揚感をわたしは抱いた。そのとき、その場で対決してやろうという誘惑にかられたものの、相手がイリュージョンを演じる堂々たる態度に少々怖じ気づいてもいた。降霊術師と女性のアシスタントが装置を片づけているあいだに、わたしはふさふさの髪をした若者と短い立ち話をして、降霊術師の名刺をもらった。

かくして、わたしのプロ奇術師としてのキャリアにしつこくつきまとうことになった男の名前と流儀を知ったのである。

ルパート・エンジャ
千里眼、霊媒、降霊術師
秘密厳守
北ロンドン、アイドミストン・ヴィラ四十五番地

わたしは若く、経験不足で、至高の原理原則とみなしているものにのぼせあがっており、これらのことが、残念ながらわたしの目を曇らせ、偽善的行為に駆《はし》らせた。わたしはエンジャ氏の追跡に着手した。氏のペテンを暴く意図をもって。まもなくして、ここで記す必要のない方法によって、氏の次の降霊会がもよおされる日時と場所をつかむことができた。

またしてもそれはロンドン郊外の個人宅での集会だった。もっとも、今回は、（母親が急死した）家族とわたしとの関係をどうにかでっちあげなければならなかった。降霊会の前日にその家に出向き、エンジャの同僚であると偽ることでなんとか出席がかなうことになった。霊媒師当人から出席を要請されたのだと主張して。悲嘆に暮れているさなかでは、残された家族はさして関心を払わなかったようだった。

翌日、約束の時間のずっとまえに家の表の通りに到着しているように心がけた。おばの家にエンジャが早くに到着したのは偶然ではなく、準備の必要な部分であることを確認できるようにだ。わたしは、エンジャとアシスタントたちが道具一式を荷車からおろし、家に運びこむのを密かに見張っていた。一時間後、約束の時間の直前に、わたしがようやく

家に足を踏みいれると、部屋の用意が整い、うす暗くなっていた。

降霊会がはじまり、前回同様、テーブル転倒のトリックがあり、たまたま、わたしはエンジャのすぐ隣にやむなく立つことになった。降霊術師は本番にとりかかる用意をしていた。

「まえにお会いしましたな？」エンジャはおだやかに、しかし、とがめるように問いかけてきた。

「さあ、どうだか」なんでもないふうを装おうとして、わたしは答えた。

「この手のものに出るのが趣味なんですな？」

「あなたほどではない」わたしはできるだけ辛辣に答えた。

エンジャはめんくらった表情でわたしを見つめたが、ほかの人間が待っているので、始める以外に選択の余地はなかった。その瞬間から、わたしがタネを暴きにここにいることを悟ったのだろうが、エンジャの名誉のため言えば、降霊術師は以前わたしが見たときとおなじ巧みさで、ショーをやってのけた。

わたしは機会をうかがっていた。テーブル転倒のタネを暴くのは無意味だろう。しかし、エンジャがキャビネットのなかから霊の顕現の技を始めたときには、駆け寄って、扉を開け放ち、なかにいるその姿を暴くことにはおおいに気がそそられた。行動の自由を奪っているはずのロープから手を解き放ち、トランペットを口にしているか、カスタネットを鳴らしているかのどちらかであろうことにまちがいない。だが、わたしは自制した。みなの張りつめた緊張感が最大限になるまで待つのがいちばん良いと判断したのだ。霊のメッセージなるものが行き交うのが、そのときだった。エンジャは小さく丸めた紙片を用いて、それをおこなっていた。家族はまえもってそこに名前や、物や家族の秘密などを書き記しており、エンジャはその小さな紙片を額に押しつけることで、霊からのメッセージを読んでいるふりをした。

始まってすぐ、わたしはチャンスをとらえた。テーブルから退き、霊的な場所をつくるためにつないでいた手の鎖を断ち切り、最寄りの窓のブラインドを強引に引きおろした。日の光が降り注いだ。

エンジャは言った。「いったいなんだ――？」

「みなさん！」わたしは叫んだ。「この男は詐欺師です！」

「お座りください」男性のアシスタントがすばやくわたしに近づいてきた。

「みなさんに手品を仕掛けているんですよ！」わたしはきっぱりと言った。「テーブルの下に隠してある手を見てごらんなさい。みなさんに伝えているメッセージのタネがそこにあります！」

若い男がわたしの両肩をがっしりつかまえたとき、エンジャが手にしていた紙片をすばやく、やましげに隠そうとするのをわたしは見た。その紙片によってトリックをなりたたせているのだ。一家の父親が、怒りと悲しみに顔をゆがめて椅子から立ちあがり、わたしに向かって大声で怒鳴りはじめた。まず、子どもたちのひとりが泣きだし、それにつられてほかの子どもたちもみじめに泣きだした。

わたしがもがいていると、いちばん年上の子どもが哀《かな》しげに言った。「ママはどこ？ママはここにいたのに！　ここにいたのに！」

「この男はペテン師だ。嘘つきで詐欺師なんだ！」わたしは叫んだ。

そのころには部屋から後ろ向きに押されて、ほとんど扉のところまでわたしはきていた。若い女性アシスタントが窓際へ駆け寄り、ブラインドをかけなおそうとしているのが見えた。ひじをしゃにむに動かして、わたしはどうにか一時的に若者から逃れると、部屋をよこぎって女につかみかかった。女の肩をわしづかみにすると、手荒く横へ押しやった。女は床にばったり倒れた。

「そいつは死者と話すことなんかできないんだ！」わたしは声を張り上げた。「きみのお母さんはもうここにはいないんだ！」

室内は騒然となった。

「そいつをつかまえろ！」大騒ぎのなか、エンジャの声がはっきり聞こえた。男性のアシスタントが再度わたしにつかみかかり、百八十度ふりまわされたため、わたしは部屋に正対する格好になった。若い女性は倒れた床にそのまま伏しており、顔を起こしてわたしをにらみつけていた。その顔は憎しみにゆがんでいた。エンジャはテーブルのそばに立ち、背をぴんと伸ばし、冷静さを装っていた。まっすぐわたしをにらんでいる。

「あなたのことは存じております」エンジャは言った。「あなたのご尊名すら存じあげている。今後、最大限の関心を抱いて、あなたの仕事を見守っていきましょう」ついで、アシスタントに向かって命じた。「その男をここから連れだせ！」

次の瞬間には、わたしは通りに投げだされ、ばったり倒れていた。できるかぎり威厳を保ち、あぜんとして通りすぎる通行人を無視しようと努めながら、衣服の皺《しわ》を伸ばすと、足早にその場を立ち去った。

それから二、三日、わたしは自分の起こした行動の動機の正当性を信じて疑わなかった。なんと言っても、あの家族は自分たちの金を奪われていたも同然だし、舞台奇術師の技術がゆがんだ目的に使われていたのだ。だが、やがて、疑念に襲われはじめた。

エンジャの顧客が降霊会によって味わっていた慰めは、たとえどんなふうに与えられたものであれ、充分本物のようだった。子どもたちの表情を思いだした。一瞬ではあったが、亡くなった母親が慰めのメッセージを彼岸から送ってきたのだと信じるように導かれていた。彼らの無垢な表情、ほほえみ、たがいに交わす幸せそうな視線をわたしは目にしていた。

そのいずれも、奇術師がミュージックホールの観客に与える心地よい惑わしとどれほど異なっているのだろう？　じっさいのところ、それ以上のものではないのか？　それに対して報酬を期待するのは、ミュージックホールの実演に対して報酬を望むことよりも言語道断なことなのか？

一カ月近く、くよくよと後悔の念に苛まれたあげく、どうにも疚《やま》しくてたまらなくなり、なんらかの行動をとらざるをえなくなった。ペンをとり、エンジャにみじめな詫び状をしたためた。許しを乞い、全面的に謝罪するものだった。

エンジャの反応は即座だった。わたしの詫び状をびりびりに破き、貴様の崇高な奇術で紙片を元にもどしてみたまえ、と皮肉っぽく挑むメモが添えてあった。

二晩後、ルーイシャム・エンパイアでわたしが舞台に立っていると、客席の最前列からエンジャが立ちあがり、みなに聞こえるように叫んだ。「そのキャビネットの左側のカーテンの奥に、女性アシスタントが隠れているぞ！」

もちろんそのとおりだった。緞帳をおろし、舞台を放棄する以外にわたしにできることは、トリックをそのままつづけ、わざとらしい快活さをできるだけ装いながら、アシスタントをキャビネットから出し、お義理の拍手をぱらぱらと受けて意気消沈することだけだった。最前列の中央、席がひとつぽっかりと歯が欠けたように空いていた。

かくして永年にわたってつづく確執が始まった。

かかる確執を始めてしまったのは、若さと未経験、見当違いのプロ意識、世間知らずのせいとしか言えない。エンジャにも責任の一端はある——遅ればせとはいえ、わたしの謝罪は真摯なものであり、それを拒絶したのは狭量だった。しかし、当時、エンジャも若かったのだ。その当時のことを思い返すのはむずかしい。なぜなら、われわれのあいだの諍いはじつに長くつづいており、それはさまざまな形態をとってきたからである。

良いことも悪いことも最初にしたのがわたしだとすれば、エンジャは確執を生かしつづけた責めを負うべきであろう。かかる出来事に嫌気が差し、何度となく、わたしが自分の人生と仕事に専念しようとするたびに、あらたな攻撃が仕掛けられてくるのに気づくはめになった。エンジャはわたしの奇術の道具に妨害工作をする方法を頻繁に見つけ、わたしが舞台で披露しようとした奇術が微妙にうまくいかなくなることがあった——ある夜、赤ワインに変えようとしていた水が水のままだった。べつの機会には、オペラハットから派手に取りだした万国旗が、紐だけになっていた。また、べつの舞台で、空中浮揚する予定だった女性アシスタントが、ベッドの上で動けず、固まったままだった。

さらにべつの機会には、劇場の外でわたしの出演を宣伝するプラカードに、「こいつが使う剣には仕掛けがある」「あなたが選ぶカードはスペードのクイーンだ」「ミラートリックのとき、やつの左手に注目せよ」などなどという落書きがほどこされていた。それらの落書きは、劇場にぞろぞろとはいってくる観客の目にはっきり読めるように書かれていた。

こういう攻撃は悪ふざけとして無視したほうがいいのはわかっていたが、奇術師としてのわたしの評判を傷つけうるものであり、そのことはエンジャも充分わかっていた。

それらの妨害工作の背後にエンジャがいたことをどのようにわたしは知ったのか？　まあ、いくつかの件では、本人がはっきりと関与を認めていた。わたしの小道具のひとつに工作がされている場合、決まってエンジャが客席にいて、奇術がうまくいかなくなりだしたまさにその瞬間をとらえて勢いよく立ちあがると、わたしを野次るということがよくあった。だが、もっと重要なのは、こうした攻撃の犯人が、永年わたしが学んできた奇術に独特のやりかたで迫っていたことだ。エンジャはもっぱら奇術のタネに関心を抱いていた。奇術師が「ネタ《ギミック》」と呼んでいるものに。もしひとつのトリックの成否が奇術師のテーブルのうしろにある隠し棚にかかっているなら、そのことだけがエンジャの関心の焦点になり、それをどのような創意に富むやりかたで見せるのかはどうでもよかった。われわれのあいだにほかにどんな反目の原因があったとしても、そこがエンジャの根本的な欠点であり、奇術技術の理解に対する限界であり、われわれの争いの中心であった。奇術のすばらしさは専門的なタネにあるのではなく、それを実演する技能にあるのだ。

そして、わたしのイリュージョンのうち、〈新・瞬間移動人間〉にかぎって、エンジャがけっしておおっぴらに攻撃できなかったのは、そのためだった。あのイリュージョンはエンジャの理解のおよぶものではなかった。どうやってやっているのかわからなかったのだ。ひとつには、わたしがそのイリュージョンの秘密を厳重に守っていたからであるが、実演するわたしのやりかたに負うところが大きかった。

7

ひとつのイリュージョンには三つの段階がある。まず、準備段階。これからおこなわれる奇術の性質がほのめかされたり、婉曲に示されたり、はっきり説明されたりする。装置は提示されている。観客から協力者を募り、準備に参加させることもある。トリックの用意が整うと、第二段階として、奇術師はありとあらゆるミスディレクションの手段を講じる。

　そのパフォーマンスは奇術師の生涯にわたる修練と、演者としての生来の才能があいまって、不思議な雰囲気をかもしだす。

　三段階目は、効果、あるいは惑わし《プレスティージ》と呼ばれることもあるもので、すなわち、奇術の産物である。トリックが実演されるまえには明らかに存在していなかったはずのウサギが帽子から取りだされた場合、ウサギがそのトリックの惑わし《プレスティージ》と呼びうる。

〈新・瞬間移動人間〉は、かなり異例なイリュージョンであり、そのなかでは、準備段階とパフォーマンス段階が観客や評論家や同業者をいちばん惹きつける部分である一方、実演者であるわたしにとって、プレスティージ段階がもっとも気をつかう部分なのである。

イリュージョンはさまざまなカテゴリーやタイプに分かれるが、大別すれば六種類に過ぎない（読心術のイリュージョンという特殊な分野を脇へ置いた場合）。これまで実演されたどのトリックも、次のカテゴリーのひとつかふたつに当てはまる――

1　発生――なにもないところから、人間ないしは物体を魔法のように発生させる
2　消失――人間ないしは物体を魔法のように消失させる
3　変容――ひとつのものをべつのものに変わったかのように見せる
4　入れ替え――二個ないしそれ以上の物体を入れ替えたように見せる
5　自然の法則の無視――たとえば、重力に打ち勝ったように見せたり、堅い物体がべつの物体を通過したように見せたり、たくさんの物体あるいは人を、とてもそれだけの数を納めておけないような小さなところから取りだして見せるなど
6　秘密の動力――物体を物体自体の意志で動いたかのように見せる。たとえば、選んだカードが不思議にもパックのなかから、せりあがってくるなど

重ねて言うが、〈新・瞬間移動人間〉は典型的イリュージョンとは言えないものである。というのも、いま挙げたカテゴリーの少なくとも四つを用いているからである。たいていの舞台イリュージョンはひとつかふたつのカテゴリーにしか頼っていない。かつてヨーロッパ大陸で、五つのカテゴリーを使ったみごとな奇術を見たことがあるとはいえ。

最後に、奇術のテクニックがある。

奇術師の手法は、ほかの要素のようにきちんと分類できない。テクニックの問題になると、優れた奇術師はどんなものもおろそかにしないからである。奇術のテクニックは、観客から見えないようにひとつの物のうしろにべつの物を置くという単純なものから、劇場で事前に用意を整え、アシスタントとサクラ役の協力を必要とする複雑なものまで多種多様である。

奇術師は伝統的テクニックのカタログのなかから自由に必要なものを選べる。一枚ないしそれ以上のカードを強制《フォーシング》的に使用するように仕掛けられたトランプ、必要な奇術の業《わざ》が気づかれずにできるようにする目くらましの背景幕、観客の目をくらませる黒く塗ったテーブルや小道具、ダミー、双子、サクラ、替え玉、代理人。創意に富む奇術師は新規なものを歓迎する。この世に生まれたどんな新しい仕掛けやおもちゃや発明品も奇術師の思考を刺激する――「こいつを使って新しいトリックをこしらえるにはどうしたらいいだろう?」かくして、近年、往復機関や電話や電気を用いたさまざまな新しいトリックをわれわれは目にしてきた。なかでも注目に値するのは、ウォーブル博士の発煙弾玩具を利用したものだろう。

奇術は奇術師にとってなんら謎ではない。われわれはスタンダードな方法をさまざまに変化させて用いている。観客には新奇であったり、息を呑むようなものであったりしても、ほかのプロ奇術師にとっては、たんなるテクニック上の新機軸にすぎない。かりに革新的に新しいイリュージョンが開発されたとしても、その効果がほかの奇術師の手で再現されるのは時間の問題にすぎない。

あらゆるイリュージョンは説明可能である。隠し部屋の使用であったり、たくみに置いた鏡によるものであったり、観客のなかに仕込んだアシスタントが協力者としてふるまうものであったり、観客の関心をたんにそらすものであったりするのだ。

さて、わたしはあなたのまえで両手を掲げる。あいだになにも隠していないことがわかるように指を広げており、そして、こう告げる――〈新・瞬間移動人間〉はほかのものとおなじく、たんなるイリュージョンであり、説明可能なものである、と。だが、厳重に守ってきた秘密と、永年の修練と、ある程度観客へのミスディレクションの積み重ねと、従来の奇術の技術の使用を組み合わせることで、このイリュージョンはわが舞台およびわがキャリアのかなめとなった。また、その謎を解き明かそうとするエンジャの最大限の努力をものともしていないことも、ここに急いで記録しておこう。

セイラとわたしは子どもたちとともに、南部の海岸沿いで短い休日を送っており、この手帳も持参した。まず、ヘースティングズ市へ赴いた。最後にそこへ行ってからずいぶん歳月が経っているからだったが、長くはとどまらなかった。いったん衰退したら取り返しがつかないとわたしが懸念していたとおり、そこは傾きはじめていた。父の死にともない売却された仕事場は、さらに転売されていた。いまはパン屋になっている。実家だったところの裏の谷にはたくさんの家が建てられ、まもなくアシュフォードにいたる鉄道が敷かれることになっている。

ヘースティングズのあと、ベックスヒルへ行った。ついで、イーストバーンへ。それからブライトンへ。そしてバグノーへ。

この手帳に最初に加える注釈は、エンジャを辱めようとしたのはわたしであり、逆に辱められたのがわたしであるということだ。結局のところ、この詳細以外には重要でもなんでもなく起こったことについてのわたしの記述は正確であり、ほかの詳細も同様に正確であろう。

秘密《タネ》に関する注釈をたくさん書き記しつつあり、したがって、あのイリュージョンをおおげさに扱うことになってしまっている。それがわたしには皮肉に感じられてしかたがない。たいていの奇術のタネがじっさいはじつにとるにたりぬものであることを強調しようとして骨を折ってきたあとであれば。

自分のイリュージョンのタネがとるにたりぬものであるとは思わない。しかし、これまで書いてきたことと反するが、エンジャにできたように、容易に推測できるものである。きっとほかの者たちも推測できただろう。

この記述*を読むものならだれでも自分で解き明かすことができよう。

推測できないのは、その秘密がわたしの人生におよぼした影響である。それこそ、エンジャには全体の謎をけっして解けはしない真の理由である。わたし自身がエンジャに答えを伝えないかぎり。この秘密を守っていくために、わが人生がどれほどゆがんだのか、エンジャには想像もつかないだろう。そこが鍵なのである。

＊いまだにこの文書がだれに向けられたものなのか、判然としない。自分が訳知り顔で書いている、この子孫とはなんだ？　この文書は、奇術の同業者仲間うちで公刊され、配布されるためのものなのか？　もしそうなら、多くの個人情報を削除しなければならん。同業者のなかには、自分たちのイリュージョンの技術的解説を公刊した者もいる（むろん、そこにはデイヴィッド・デヴァントおよびネヴィル・マスケリンが含まれる）し、わが偉大なる師匠、アンダースン氏もささやかな手品のタネを定期的に売って、支払いに充てていた。そういう前例はある。その手の仲間内での配布は受けいれられるものであるが、この文書はエンジャの死亡（確実なる死亡である）以後にしか公開してはならない。もちろん、一般向けに出版されるものではないと考えている。

どのように書かれるのかちゃんと監視をつづけられるなら、観客の目にイリュージョンがどのように映るのか、説明をつづけてもよかろう。

〈新・瞬間移動人間〉は、永年にわたって見せ方が変わってきたイリュージョンであるが、方法そのものは、ずっとおなじだった。

二つのキャビネット、あるいは二個の箱、あるいは二卓のテーブル、あるいは二脚のベンチを使用する。一方が舞台の前方に、他方が舞台奥に置かれる。置き場所の正確さは、重要ではなく、劇場ごとにさまざまで、舞台の大きさや形状によって変わる。置き方で唯一重要な条件は、両方の装置がたがいにはっきり、幅広く離れて置かれることである。装置はまばゆいまでに照明を当てられ、最初から最後まで全体が観客の目にさらされている。

ここでこのトリックのもっとも古いバージョン、すなわち、もっとも単純なものを説明してみよう。扉を閉めたキャビネットを用いていたときのものだ。その当時、わたしはそのイリュージョンを〈瞬間移動人間〉と呼んでいた。

当時、わたしの舞台はこのイリュージョンで現在同様、クライマックスを迎えており、そのころとは、細部が変わったにすぎない。ゆえにこの初期のバージョンを現役のもののように描写してみよう。

ふたつのキャビネットが舞台に運ばれる。運ぶのは、道具方あるいはアシスタント、ときには観客のなかの協力者である場合もあり、両方とも、なかが空っぽであることが示される。協力者はキャビネットのなかに足を踏みいれることが認められ、まえの扉だけではなく、蝶番で留められたうしろの壁を開けても、車輪のついている下の空間を覗いてもかまわない。キャビネットはそれぞれの位置に転がされていき、扉が閉められる。

二箇所に同時に存在したいという欲望に関する（フランスなまりでわたしが語る）みじ

かい、ユーモラスな口上ののち、わたしはふたつのキャビネットのうち、近くにあるほうに近寄り、扉を開ける。

もちろん、なかはまだ空っぽだ。明るい色に塗られた大きなゴムボールを小道具テーブルから手に取ると、何度か弾ませて、それがとてもよく弾むことを示す。わたしは最初のキャビネットのなかにはいるが、しばらくのあいだは、まだ扉を開けたままにしておく。

わたしは二番目のキャビネットに向かってゴムボールを弾ませる。

その瞬間、わたしは最初のキャビネットの扉を勢いよく閉める。

一瞬ののち、わたしは第二のキャビネットの扉を押し開け、外に出る。わたしに向かって撥ねてきたゴムボールをつかまえる。

ボールがわたしの手のなかにはいると、最初のキャビネットがばらばらになり、扉と三枚の壁が劇的に広がって、なかが完全に空っぽであることを示す。

ボールを抱えたまま、わたしはフットライトのほうへ足を進め、歓声に応える。

8

今世紀の終盤にいたるまでのわたしの人生とキャリアを簡単に語らせていただきたい。

十八歳になるまでに、わたしは家を出、フルタイムの奇術師としてあちこちのミュージックホールで働いた。しかしながら、マスケリン氏の支援をもってしても、仕事を見つけるのはなかなかむずかしく、名をあげることもなく、金を儲けることもなく、プログラムに名前を載せてもらえない時期が何年もつづいた。わたしがしていた舞台での仕事の多くは、ほかの奇術師の助手をすることだったのだが、家賃を稼いでいたのは、長いあいだ、キャビネットやほかの奇術用装置の設計と製作によってだった。父からさずかった家具造りの腕がおおいに役立ってくれたわけだ。わたしは信頼に値する発明家兼工作《アンジェニュール》家として評判をとった。

一八七九年、母が亡くなり、一年後、父がそのあとを追った。

一八八〇年代の終わりごろには、わたしは三十代前半で、ひとりで舞台に立てるようになり、〈ル・プロフェッスール・ド・ラ・マジ（奇術の大先生）〉の舞台名を名乗った。〈瞬間移動人間〉を初期のさまざまな形でいつも披露していた。

そのイリュージョンの仕掛けが問題になることはけっしてなかったが、舞台効果には長いこと不満だった。扉つきのキャビネットでは観客が危機感や不可能さを抱くほどの神秘さをかもしだせないように思えた。舞台奇術の文脈には、そんなキャビネットはありふれていた。次第に、このイリュージョンを洗練させていく方法を見つけた――まず、わたしの体をかろうじていれられる程度の箱に変わり、のちには隠れた蓋のついたテーブルになり、ついには、華麗なる妙技《ブラブーラ》「なにも隠されていない」奇術になった。当時、奇術業界で相当な賞賛を浴びたものだ――わたしは早変わりの瞬間まで、観客全員に姿を見られるひらたいベンチを用いるようになっていた。

一八九二年、求めていた答えがついに浮かんだ。直接浮かんだのではなく、播かれた種が長い時を経て、発芽したのだ。

ニコラ・テスラという名のバルカン半島出身の発明家が、その年の二月にロンドンにやってきた。当時、電気の分野でこの人物が開発していた新しい効果を宣伝するためにである。妙な外国なまりのあるセルビア系クロアチア人であるテスラは、ロンドンの科学協会で、自身の専門分野に関する講演をおこなう予定だった。そのような催し物がロンドンではかなり頻繁にひらかれており、通常なら、わたしがそんなものに関心を抱くはずはなかった。ただ、このときは、テスラ氏が米国で物議をかもしている人物であり、電気の性質と応用に関する科学論争に巻きこまれており、そのことで新聞各紙にさかんにとりあげられていた。わたしの脳裏にアイデアが浮かんだのは、そうした新聞記事を読んだときだった。

わたしがずっと必要としていたのは、華々しい舞台効果だった。〈瞬間移動人間〉の効果を目立たせ、なおかつその仕掛けを隠すためのものだ。新聞記事から、テスラ氏が閃光と火花が生じるが、無害で、火傷する心配もない高電圧を発生させることができるのを知った。

テスラ氏がロンドンを離れ、合衆国に帰国したのちも、その影響力は残った。ロンドンやほかの都市が、料金を払うことができる人々に少量の電気を供給しはじめたのは、それからまもなくのことだった。その革命的な性質から、電気はしばしばニュースになり、やれこの仕事に適用されただの、あの問題を解決しただのと報道された。しばらくして、エンジャが〈瞬間移動人間〉の模倣を舞台に出しているのを耳にすると、わたしはこのイリュージョンをふたたび改良しなければならないと考えはじめた。電気がかならずや自分の求めているものに適用できるものと、さほど苦労することなく悟ったわたしは、ロンドンの科学関係の商売人が扱う理解しがたい品々をさがしはじめた。わが工作家《アンジエニュール》、トミー・エルボーンの協力を得て、ついに〈新・瞬間移動人間〉用の舞台機材をなんとかつくりあげた。その後、何年もかけて、その追加・改良をつづけることになったが、一八九六年までに、この新しい効果はわが舞台ショーに恒久的に加わることとなった。嵐のような賞賛が起こり、金庫は現金であふれかえり、わが秘密を探ろうとする者があとを断たなかったが、無為に終わった。わがイリュージョンは目をくらませる、まばゆい電気の閃光のなかで披露された。

少々まえにもどろう。一八九一年十月、わたしはセイラ・ヘンダースンと結婚した。セイラとは、オールドゲートにある救世軍の簡易宿舎でひらかれた慰問会で初めて出会った。セイラはボランティアのひとりで、ショーのあいまにわれわれは席をおなじくして、お茶を飲みながら、うち解けて話をした。わたしがおこなったカード・トリックをおもしろがり、どのようにやったのか見破りたいので、いまここで自分のためにちょっとやって見せてほしいと頼んできた。若くて綺麗な女性だったので、一も二もなくやって見せ、相手の目に浮かぶ当惑の表情をおおいに楽しんだ。

とはいえ、これはセイラのために奇術を披露した最初であるだけでなく、最後にもなった。奇術師としてのわたしの技倆など、われわれがおたがいに抱くことになった気持ちとはまったく無関係なものだった。初めて会ってからまもなく、いっしょに外出する仲になり、たがいに愛しあっていることを認めるまでさほど時間はかからなかった。セイラは劇場やミュージックホールとは縁もゆかりもない暮らしをしており、実を言えば、かなり良い家の出身だった。勘当をちらつかせる父親にわたしとの結婚を反対されてからも、セイラはわたしに誠実でありつづけ、わたしへの献身の証を示した。むろん、セイラの父親は娘を勘当した。

結婚後、われわれはロンドンのベイズウォーター地区に部屋を借りたが、成功がわたしにほほえむのをあまり待たずにすんだ。一八九三年、セントジョンズ・ウッドに大きな家を購入し、以来ずっとそこで暮らしている。おなじ年、われわれのあいだに双子、グレアムとヘレナが生まれた。

むかしからずっと仕事と家庭をわけて暮らしてきた。いまここに書き記している期間、仕事はエルジン通りにある事務所兼工房でこなし、巡業で、海外や、英国の遠隔地に出るときも、セイラを連れていくことはなかった。ロンドン内での公演や、ショーのあいまには、自宅で妻とともに静かに、満足して暮らした。

まもなく起こることになったあることに鑑み、家庭生活は満足いくものであったことを強調しておきたい。

つづけるべきかな？

ああ、つづけるべきだと思う。自分がなにを言わんとしているのかわかっている。

当時アシスタントをつとめてくれていた若い女性、ジョージーナ・ハリスが結婚することになったので、代わりの女性アシスタントを募集する広告をいくつかの劇場業界紙に出した。スタッフに新しい人間がはいってくることによって生じる混乱は、いつも懸念のもとだった。とりわけ、舞台アシスタントのようなとても重要なスタッフの場合には。オリーヴ・ウェンスコムが手紙を寄越し、面接の申しこみをしてきたとき、その手紙の内容から、アシスタントにはふさわしくないように思え、しばらく返事を保留した。

手紙によると、オリーヴは二十六歳だった。年齢が、希望より若干年かさだった。奇術アシスタントに転身した、訓練を受けたダンサーである、と自己紹介していた。多くのイリュージョニストは、健康で、しなやかな身体を歓迎してダンサーをアシスタントに雇っているが、わたしは過去に一時期やったことがある仕事の関連だけでこの仕事を始めようとする者よりも、奇術の経験がある若い女性を雇うほうをつねづね好んでいた。しかしながら、オリーヴ・ウェンスコムの手紙は、良いアシスタントが見つけにくい時期に舞いこんだため、結局、会う約束をすることとなった。

奇術師のアシスタントという仕事は、適任の人間がおおぜいいるようなものではない。若い女性で、特定の身体的特徴を持たねばならない。もちろん、若いことは必須で、かりに生まれつき美人でなくとも、美しく見せることが可能な好ましい顔つきでなくてはならない。加えて、細く、しなやかで強靭な身体の持ち主でなくてはならない。狭い空間に、ときには何分間も、立ち、あるいはしゃがみ、あるいはひざまずき、あるいは寝て、解放されたとたんに、完璧にリラックスしており、それまで閉じこめられていた様子を毛ほども見せないようにしなくてはならない。なかんずく、イリュージョンの成功を追求する雇い主の、異様な要求や風変わりな要請を、いやな顔ひとつせず耐えなければならない。

オリーヴ・ウェンスコムの面接は、それまでと同様、エルジン通りのわたしの工房でおこなわれた。そこには、扉の開いたキャビネットや鏡張りの箱やカーテンで隠されたアルコーブのなかに、わが職業に伴う秘密の多くが剝きだしになっていた。スタッフのだれにも、ひとつのトリックがどのように機能するのか正確に教えたことは一度もなかったが——それを知っていることがスタッフの果たす役割に不可欠な場合はべつだったが——個々のトリックには、その背後に合理的説明があり、自分がなにをやっているかわたしが熟知していることを、スタッフには理解してもらいたかった。舞台イリュージョンのなかには、ナイフや剣や火器すら使うものがあり、観客席からは危険に見える。わたしが実演しているイリュージョンの一部もそうだった。とりわけ、〈新・瞬間移動人間〉は、爆発的な電気反応と炭素アーク灯の放電の雲をともなうことから、どの実演でも、かならず舞台正面六列の観客の心胆を寒からしめるのだった！　しかし、わたしのために働いてくれる者に危ない思いをさせたくなかった。わたしが堅く秘密を守っている唯一のイリュージョンは〈新・瞬間移動人間〉であり、その仕掛けは、ともに舞台を務める若いアシスタントにすら、イリュージョンがはじまる直前まで、隠すようにしていた。

すなわち、わたしがひとりきりで働いているわけではないのは、明白であろう。当世のイリュージョニストはだれでもそうだ。舞台のアシスタントに加え、かけがえのない工作家《アンジェニュール》、トマス・エルボーンと、そのもとで〈新・瞬間移動人間〉の装置を作りあげ、維持してくれている若きふたりの職人の手をわたしは借りていた。ほとんど最初のころから、わたしはトマスを雇っていた。わたしのところに来るまえは、トマスはマスケリン氏のもとで、エジプティアン・ホールに勤めていた。

(トマス・エルボーンはわが最大の秘密を知っている——知らぬはずがあろうか。だが、わたしはトマスを信用している——信用せずにおれようか。トマスに対する底意のない信頼を伝えようとするなら、こんなふうに直截に言わざるをえない。トマスは生涯を通じて、奇術師たちと仕事をしてきており、どんなことにも驚かずにきた。こんにちの奇術について、なんらかの形でトマスから学ばなかったものはほとんどない。それでも、ずいぶんまえに引退したトマスと、いっしょに仕事をつづけていた歳月のなかで、ほかの奇術師の秘密をわたしにであれ、ほかのだれにであれ、明確にトマスが明かしたことは一度たりともなかった。トマスの信頼性に疑問を抱くというのは、わたし自身の正気を疑うに等しいだろう。トマスはトッテナム出身のロンドンっ子で、妻と何人かの子どもがいた。わたしよりはずいぶん年上だったが、はたして正確に何歳上なのかは、ついぞわからなかった。オリーヴ・ウェンスコムがわたしのところで働きはじめた当時、トマスは六十代なかばか後半だったはずだ)

オリーヴ・ウェンスコムが到着すると、即座に雇う決心をした。オリーヴは背が高くもなく、太ってもおらず、魅力的でほっそりとした体つきだった。歩いているときや立っているときに、背をぴんと伸ばしており、目鼻立ちのはっきりした顔立ちだった。アメリカ生まれで、自称東海岸なまりがあるということだったが、もう永年、ロンドンで働いていた。わたしはできるだけさりげなくオリーヴをエルボーンとジョージーナ・ハリスに紹介すると、どんな紹介状を持ってきたのか見せてほしいと頼んだ。一般的に、わたしは志願者を見極めるとき、紹介状に重きを置くことにしている。自分が知っている奇術師からの推薦があれば、志願者はその仕事を手にいれたも同然だった。オリーヴは二通の紹介状を持ってきていた。一通は、サセックス州とハンプシャー州のリゾート地で働いている奇術師からのもので、その名前を耳にした覚えはなかったが、もう一通は、ジョウゼフ・ブアティア・ド・コルタからのものだった。現存する最高の奇術師のひとりだ。正直言って、わたしは強い印象を受けた。黙ったまま、ド・コルタの手紙をトマス・エルボーンに渡し、相手の表情をうかがった。

「ムッシュ・ド・コルタとの仕事はどのくらい？」わたしはオリーヴに訊ねた。

「ほんの五カ月です」オリーヴは答えた。「ヨーロッパ巡業のため雇われ、それが終わると、お払い箱でした」

「なるほど」

そののち、オリーヴを雇うかどうかテストするのは形式のようなものだったが、そうであっても、いつものテストをさせてみなければならないと感じた。ジョージーナが来ているのはそのためであり、どんな志願者でも、たとえオリーヴ・ウェンスコムのような経験者であっても、介添人抜きで、能力を発揮するよう頼むのは正しいことではなかった。

「リハーサル用の衣装は持ってきていますか？」わたしは訊ねた。

「はい、持ってきました」

「では、恐れいりますが――」

数分後、体の線をあらわにした衣装を身につけ、オリーヴ・ウェンスコムはトマスに導かれて、キャビネットのまえに進み出、そのうちのひとつで、しかるべき位置につくよう乞われた。一見空《から》に見えるキャビネットから、生気あふれる健康な若い女性を取りだすのは、伝統的な定番奇術だった。この奇術を成功させるためには、アシスタントはキャビネットのなかの隠し区画へはいりこまねばならず、その区画が小さければ小さいほど、イリュージョンの効果は驚異的なものになりうる。かさばる衣装、それも明るい色で作られ、きらきら光るリボンを生地に縫いつけ、スポットライトをとらえ、反射するようにした衣装を入念に選ぶことで、この奇術の神秘性が増す。オリーヴが秘密の区画やパネルを熟知しているのは、われわれ全員の目に明らかだった。トマスがまず輿《パランキーン》のところにオリーヴを連れていった際（その当時ですら、輿を用いたトリックがあまりに有名になっているため、めったに舞台で使われない代物だった）、オリーヴは隠し区画がどこにあるのか正確に知っており、すばやくなかにもぐりこんだ。

次にトマスとわたしは〈ヴァニティ・フェア〉として知られているイリュージョンを試してみるようオリーヴに頼んだ。若い女性が堅い鏡を通り抜けたように見えるイリュージョンだ。それは演じにくいイリュージョンではないが、女性側に俊敏な動きが求められる。以前にこのイリュージョンに参加したことはないと言ったものの、われわれが仕組みを教えると、オリーヴは賞賛に値する速さでくぐり抜けてのけた。

残るは、オリーヴの物理的な大きさをはかる試験だけだったが、そのころには、トマスとわたしは、もしこの女性が大きすぎたら、装置の一部を作り直す心づもりになっていた。その心配は杞憂に済んだ。トマスが〈首を斬られた王女〉と呼ばれているイリュージョンで用いるキャビネットにオリーヴをいれたところ（たいていのアシスタントにとって、あまりに窮屈で、数分間動かずにいなければならない悪名高いイリュージョンだった）、オリーヴは易々と出入りでき、どれだけなかに閉じこめられているのが必要だったとしても、苦しまないと思います、と答えた。

通常のテストのどれをとっても、オリーヴ・ウェンスコムが非常にすばらしい結果を示したと言うだけで充分であろう。これらの予備試験が終わるとすぐ、わたしは妥当な賃金でオリーヴを雇いいれた。それから一週間もしないうちに、わたしのレパートリーのうち、女性アシスタントを必要とするすべてのイリュージョンでしかるべき役割を果たせるよう、オリーヴを訓練した。やがて、ジョージーナは婚約者と結婚するため、われわれのもとを去り、オリーヴがフルタイムのアシスタントとして取って代わることになった。

こう書いていると、なんとすべてが整然と見えることだろう！　なんと冷静かつ仕事に徹した態度なんだろう！　さて、オリーヴの「表向きの」バージョンを書き記したからには、われらが契約のもと、無視できない事実を書き加えさせてもらいたい。わたしのまわりの大切な人々からこれまでのところずっと隠してきた事実を。オリーヴにわたしはあやうくだまされるところであり、真の説明を書き添えなければならぬ。

もちろん、ジョージーナは面接に同席していなかった。わたしもだ。トミー・エルボンはいたが、いつものように、関与していなかった。オリーヴとわたしは、工房で実質的にはふたりきりだった。

わたしは衣装のことをオリーヴに訊ねた。すると、オリーヴは持ってきていない、と答えた。そう言ったとき、オリーヴはわたしの目をまっすぐ覗きこみ、長い沈黙があり、その間、わたしはその答えがなにを意味するのか、なにを意味しようとオリーヴのほうで考えているのかについて、つらつら思いを巡らした。この仕事に応募してくる若い女性は、なんらかの形で、測られ、合わされ、試されないことには雇われるはずがないと心得ているはずである。志願者はかならずリハーサル用の衣装を持ってくる。

ところが、オリーヴは明らかにそうではなかった。すると、オリーヴが言った。「衣装は必要ないのよ、あなた」

「介添えの女性はここにいないんだがね」

「いなくても大丈夫だと思うわ！」

オリーヴはすばやく外衣を脱ぎ、その下に身につけているのは、下着だった。みだらで、ゆったりとしており、なにかの拍子に外れそうな下着姿にオリーヴはなっていた。わたしが輿のところに連れていくと、この女性はそれがなんであるか、どこに身を隠さねばならないか、はっきり心得ている様子なのに、はいるのにわたしに手を貸してほしいと頼んだ。

おかげで半裸のその肉体をかなり親密に触らざるをえなかった！　おなじことが、〈ヴァニティ・フェア〉の仕組みを説明しているときにも起こった。脱出口をくぐってくる際にわざとつまずき、わたしの腕のなかに飛びこんできたのだ！　面接の残りは工房の裏にあるカウチの上でつづけられた。トミー・エルボーンは、われわれふたりに気づかれることなく、静かに姿を消した。いずれにせよ、その後、トミーがそこへくることはなかった。

ほかの部分は基本的に真実だ。わたしはオリーヴを雇い、こちらがその身体を必要とするイリュージョンすべての扱い方をオリーヴは学んだ。

9

わたしのショーは、いつも、〈チャイニーズ・リンキング・リング〉で幕を開ける。演じるのが楽しく、観客のほうも、たとえ以前に見たことがあったとしても、見て楽しい定番の出し物である。輪は、スポットライトを浴びてまばゆく輝き、たがいにぶつかって軽やかな音を立て、奇術師の手足のリズミカルな動きと、輪の優雅な結合と離脱の様子は観客を催眠術にかけなんとするほどである。演者から数センチと離れていないところに立ち、輪をかっさらうことができないかぎり、タネを見破るのは不可能なトリックである。つねに魅力を放ち、つねに神秘と奇跡の痺れるような期待感を募らせてくれる。

このトリックが完了すると、舞台後方の〈モダン・キャビネット〉がまえに転がりだされる。フットライトから一メートルかそこら離れたところで、それを回転させ、両側面と裏面を見せる。キャビネット越しにわたしがいることがかならず見えるようにする。観客は、舞台とキャビネットの底とのあいだの隙間からわたしの足をかいま見るという寸法だ。観客はその裏面にだれもしがみついていないことをすでに見ており、こんどは底にだれも潜んでいないのだと得心して満足する。わたしが扉を勢いよく開けて、内部をさらし、なかにはいって、奥のパネルを留めている留め金を外すと、観客はまえから奥までキャビネットを見通せる。さきほど同様、わたしがいることをまえから奥にかけて観客は目にする。わたしはふたたび奥のパネルを留める。扉は開いたままで、わたしがキャビネットの裏でなにやら忙しくしているあいだ、観客はさらにその内部をしっかり見る機会を得る。もっとも、観客に見えるものはなにもない——キャビネットはまったく空っぽなのだから。空っぽのはずなのだ。そこで、すばやくわたしは正面の扉を勢いよく閉め、キャスターつきのキャビネットを回転させてから、扉をさっとひらく。なかには、かさばる服を着た、大きくて美しく若い女性がほほえみ、両手を振りながらはいっている。狭い内部でちぢこまっていたのだ。娘は外へ出ると、嵐のような拍手に一礼して、舞台を去る。

わたしはキャビネットを舞台の袖へ転がし、そこで静かにトマス・エルボーンに引き渡す。

さて、次だ。こんどのは見栄えは劣るものの、客席から二、三人の協力者を募る。どの奇術ショーでも、トランプを用いた出し物の時間が少し含まれている。奇術師は自分の技倆をこうした手先の早業《スライハンド》で示さなければならない。さもなければ、同業者たちから、あいつはたんなる自動機械の操縦者にすぎないと思われかねないからだ。わたしはフットライトのところへ歩いていく。背後でカーテンが閉まる。こうするのは、カード・トリックに必要な、閉ざされた親密な雰囲気をかもしだすためでもあるのだが、カーテンの裏で、トマスが〈新・瞬間移動人間〉の装置を設置できるようにするのが主目的だった。

カードが終わると、しんと静まりかえった雰囲気をいったん壊す必要があるため、すみやかに一連の彩りあざやかな取りだし芸に移行する。旗やテープ、扇、風船、シルクのスカーフがとどまるところを知らずに、わたしの手や袖やポケットから流れでて、周囲に明るく、混沌とした色模様を描く。女性アシスタントが舞台に歩みでて、わたしの背後にまわり、テープを片づけるふりをしながら、じっさいには、さらに圧縮した材料をこっそりわたしに手渡す。最後には、明るい色紙やシルク類は足下に何センチも積もることになる。わたしは歓声に応える。

観客がまだ拍手をつづけているあいだに、カーテンが背後でひらき、薄暗闇のなか、〈新・瞬間移動人間〉用の装置がそのシルエットを浮かびあがらせる。アシスタントたちがすばやく舞台に現れ、すみやかに色つきテープを片づける。

わたしはフットライトのところにもどり、観客と向かいあい、フランスなまりの文法のあやしい英語で話しかける。これからお目にかけるのは、電気の発見があって初めて可能になったものだ、と説明する。この実演は地球の内部からパワーを引きだすもので、わたし自身ですら完全には理解できていない、想像もおよばぬ力が働くのです、と。みなさんがこれからご覧になるのは、まぎれもない奇跡であり、サイコロ遊びでわれわれの先祖たちが水責め椅子を避けようとしていたのと同様、生死を賭けたものなのです。

わたしがしゃべっているあいだに、照明が明るくなり、磨きたてられた金属の支持台、黄金色のワイヤー・コイル、きらめくガラス球を照らしだした。装置はまさしく美術品だった。だが、当時、死にいたらしめる電流の力を人々は耳にしていたことから、それは威圧感を持つ美しさだった。新聞は、多くの都市で手にはいるようになったこの新しい力が原因で起こった、痛ましい死亡事故や火傷事故を記事にしていた。

〈新・瞬間移動人間〉の装置は、そうした身の毛もよだつ出来事を観客に思いださせるような意匠になっていた。無数の白熱電球がついており、わたしがしゃべっている間にも、一部が灯りはじめていた。一方の側に、大きなガラス球があり、なかではまばゆい電弧《アーク》がじりじりと光り、派手にはぜていた。観客にとって、装置の主要な部分は、長い木製のベンチのように見える。舞台の床から一メートル弱の高さがあるベンチだ。観客にはベンチの向こうも、まわりも、下も見える。アークに照らされるガラス空間側の端に、やや高くなった台があり、何本もの金属線におおわれており、そのそれぞれの末端は危険にも剝きだしになっている。台の上部には、天蓋がかかっており、たくさんの白熱電球がとりつけられている。反対側の端には、金属製の円錐があり、比較的小さな電球が螺旋状に飾られている。この円錐は、常平架機構《ジンバル》の上に載っており、いくつもの方向に旋回できるようになっている。主要部分のぐるりを小さな窪みや棚がとりまいており、剝きだしの端末が使われるのを待っている。装置全体がぶーんという、やかましい音を立てていて、内部に途方もないエネルギーを秘めていることを示していた。

わたしは観客に、装置をご自分で調べてもらうため、舞台にみなさんを何人か招きたいところですが、危険が大きすぎるのです、と説明する。以前に事故が起こったことをほのめかす。その代わり——とわたしは言う——この機械に備わっているパワーをお見せする簡単な実験を二、三、用意しました。わたしはふたつの剝きだしになった接点のあいだにマグネシウムの粉をこぼし、まばゆい閃光に舞台最寄りの観客の目を一時的にくらませる！　閃光の雲が上昇していく間、わたしは紙片を取りだして、装置のなかば隠されている部分にそれを落としいれる——紙はたちまち燃えあがり、その煙も頭上の天蓋へ劇的にのぼっていく。ぶーんという音はますます大きくなっていく。装置はまるで生きていて、体内に横たわる恐るべきエネルギーをかろうじて抑えているかのようだ。舞台の左手では、女性アシスタントが車輪つきのキャビネットといっしょに姿を現す。このキャビネットは木製で頑丈に作られているが、車輪つきのため、アシスタントは四方から見られるように回転させることができる。そののち、正面のパネルと両側のパネルを倒し、なかが空っぽであることを示す。

わたしは悲しげに観客に向かって渋い顔を示すと、アシスタントに合図をする。若い娘は二本の巨大な焦げ茶色の手甲をわたしのところに運んでくる。それは皮素材に見えるように作られている。手甲で両手を覆うと、アシスタントに誘導されてわたしは装置のところへ行き、そのうしろに立つ。観客は、わたしの体の大半がまだ見えており、隠し鏡やついたてがないことを納得する。わたしは手甲をはめた両手を台の表面に下げていき、それに伴い、電流の音は増していき、さらにまばゆい放電が起こる。わたしは電気ショックを浴びたかのように、うしろへよろめく。

女性アシスタントは装置から離れ、少しかがむ。わたしは口上を一次中断し、危ないから舞台から離れるようにアシスタントに頼む。最初、アシスタントは抵抗するが、やがてほっとしたかのように袖へ駆けこむ。

わたしは方向可変円錐へ近づき、重たい手甲をはめた両手でこわごわそれをつかみ、慎重に慎重を重ねながら、先端部がキャビネットをまっすぐ指すように動かす。

イリュージョンはクライマックスに近づいている。オーケストラ・ピットから、ドラムロールが鳴りひびく。わたしがふたたび両手を台に置くと、残っていた電球が魔法のようにいっせいにまばゆく灯った。不気味なハム音はますます大きくなっている。わたしはまず台の上に腰をおろし、体をぐるっとまわして、両脚を台の上に伸ばし、背中を倒していき、完全に寝そべる格好になる。周囲を恐るべき電気の力に囲まれているのがありありとわかる。

わたしは両腕を垂直に立て、手甲を順に抜き取っていく。腕を下げていき、両手が台の面よりも低くなるようにする。片方の腕、観客から見えるほうの腕が、たまたま、ほんの少しまえに、紙片に火がついた電極にはいりこんでしまう。

まぶしい、目をくらませる閃光があがり、装置上のすべての電球がいっせいに消える。

同時に……わたしは台の上から姿を消す。

キャビネットの扉が勢いよくひらき、なかでうずくまっているわたしの姿が見える。

わたしはゆっくりとキャビネットから転がりでて、床の上に倒れこむ。わたしは舞台照明を煌々と浴びている。次第にわたしは意識を恢復する。立ちあがる。照明のまぶしさに目をしばたたく。観客のほうを向く。台のほうへ体を向け、そこにさっきまでいたことを示し、すぐに背後のキャビネットのほうを向いて、そこに到着したことを示す。

わたしは一揖《いちゆう》する。

観客はわたしが変容を遂げたのを目撃したのだ。彼らの目のまえで、わたしは電気の力で舞台上の一箇所からべつの箇所へ放出された。三メートルのなにもない空間を飛んで。六メートルでも九メートルでも、舞台の大きさ次第だ。人間の肉体が瞬時に伝送された。奇跡であり、不可能事であり、イリュージョンである。

アシスタントが舞台へもどってくる。その手をつかみながら、わたしはほほえみ、会釈をする。鳴りやまぬ拍手のなかで、カーテンが目のまえで閉まる。

これ以上なにも言わないとしても、それは許されるだろう。もう二度と口ははさまない。最後までこのままでいるかもしれないな。

10

セントジョンズ・ウッドにある自宅から数キロ離れたロンドン北部の地域、ホーンジーのフラットでの生活には、遺憾な点が多かった。静かな裏通りにある十部屋のアパートのなかのそのフラットを選んだのは、ひとえに目立たないというこちらの要求を満たしたからだった。今世紀なかばに建てられた地味な建物の二階にあり、通りとは反対側の角部屋で、まわりをとりまく狭い庭に面した窓がいくつもあったものの、その部屋に行くためには、階段をのぼったすぐのところにある一枚の簡素な扉を通ればすんだ。

そのフラットの住人になってほどなく、わたしはそこを選んだことを後悔しはじめた。ほかの住人の大半は中流よりやや低い階層の家族持ちで、つつましく暮らしている連中だった——たとえば、わたしの階のほかの部屋の住人は、みな、子持ちで、ひっきりなしにいろんな家事手伝いが出入りしていた。これだけの大きさのフラットに独身でいるわたしの状態は、近隣住民の好奇心を露骨に刺激した。世間話に引きこまれたくないぞという雰囲気を四方に発散していたものの、どうしても避けられない場合もあり、まもなく、自分が彼らの揣摩憶測《しまおくそく》に晒されているのを強く意識するようになった。べつの場所へ引っ越すべきだとわかっていたものの、はじめてそのフラットを手にいれた当時、公演のあいだに滞在できる定まった場所がほしくてたまらなかったし、引っ越したところで、好奇心をかきたてずに済む証はいっさいないこともわかっていた。礼儀正しい中立の存在でいる決意をかため、隣人とあまり関わり合いになったりもせず、秘密めいた挙動もしないように、静かに出入りするようにした。やがて、近所の人間にとって、わたしは取るに足りぬ存在になったらしい。英国人というものは風変わりな人間への許容力が伝統的にあり、わたしが夜遅くに帰ってくること、家事手伝いを置かずに独身でいること、生計をどうやって立てているのか説明しないことも、無害で、よくあることに見えるようになった。

それをべつにしても、最初に越してきてから長いあいだずっと、フラットでの暮らしは気にくわないものだった。家具抜きで借り、稼ぎの大半をセントジョンズ・ウッドの家族の家に注ぎこまねばならなかったことから、当初は、安物の、快適とは言えない家具しか買えなかった。暖房の主たる熱源は、ストーブであり、そのための薪を階下の物置場から運びあげてこなければならず、すぐ近くにいれば暖かいのだが、フラットのほかの場所にいると、まったくといっていいほどその恩恵を受けられなかった。言及に値するほどの敷物は皆無。

このフラットはわたしの避難場所であることから、快適に暮らせ、ときには長い期間、静かに暮らすのに都合が良いことが不可欠だった。

物理的な暮らしにくさをべつにしても——もちろん、暮らし向きに役立つさまざまな物を手にいれられるようになるにつれ、徐々に改善されていったが——最悪なのは、孤独と、家族から切り離されている思いだった。当時もいまも、それに対する解決策はない。最初、離ればなれになっているのがセイラだけだったときも、充分たえがたく、妻が双子の難産に苦しんでいるときには、セイラのことを心配してしばし苦悶した。だがグレアムとヘレナが生まれたあとでは、とりわけ、双子のどちらかが病気になったときには、フラットにいることがいっそうつらくなった。家族は愛情をもって遇され、世話をされているのはわかっており、使用人たちは献身的で信用に値する者たちで、たとえひどい病気にかかるようなことがあったとしても、最高の医療を受けさせるに足る金は充分あるのはわかっていたものの、そのように考えるのが、慰安と安心を覚える手段ではあったにせよ、だからといって、つらさが減るわけではなかった。

〈新・瞬間移動人間〉とその現代版を計画していた歳月、およびわが奇術師としてのキャリア全体を通じて、家庭を持つことがいつかそのキャリアを脅かすようになるという考えが浮かんだことは一度もなかった。

何度となく、舞台を諦めたい、あのイリュージョンを二度と演ずまい、結果的に、奇術の公演自体をやめてしまいたい気持ちになったし、ずっとその気持ちを抱いている。愛しい妻への情愛と義務、子どもたちへの熱い愛情を抱いているからこそだ。

ホーンジーのフラットで過ごす長い日々、そして、ときおり舞台シーズンでわたしの公演がない数週間に、わたしにはたっぷりすぎるほど物思いにふける時間ができた。

もちろん、重要な点は、わたしが諦めなかったことである。

最初のころの困難な年月もたえつづけた。評判と稼ぎが上昇しだしたときもたえつづけた。そして、事実上、わが有名なるイリュージョンのうち、解き明かされずにいるのは、それを取り巻く謎だけであるいまも、たえつづけている。

しかしながら、最近、事態はずいぶん改善された。オリーヴ・ウェンスコムがわたしのところで働きはじめた最初の二週のあいだに、この女性がユーストン駅に近い商人宿に滞在していることをたまたま知った。じつにいかがわしい地域だ。ハンプシャー州の奇術師が仕事も泊まる場所も提供してくれたのだが、むろん、契約満了にともない、そこも明け渡すことになったのだ、とオリーヴは言い訳した。そのころまでに、オリーヴとわたしは工房の奥のカウチを定期的に利用するようになっており、わたしが雇っている以上、相手に恒久的宿泊施設を提供してもいいのではないかとわたしが気づくまでに長くはかからなかった。

契約はその手の内容にかかわるあらゆる判断をも規制しているが、今回の場合は、たんなる形式にすぎなかった。数日後、オリーヴはホーンジーにあるわたしのフラットに引っ越してきた。そこにオリーヴは住み、以来ずっと住んでいる。

すべてを変えることになったオリーヴの告白は、数週間後のことだった。

一八九八年の終わりごろ、一軒の劇場から出演取り消しがあり、〈新・瞬間移動人間〉

の実演に一週間以上の空きがでた。その時間をホーンジーのフラットで過ごし、一度工房へ出かけることがあったものの、週の大半をオリーヴと家庭の味を味わいつつ、肉体的に刺激を受けながら幸せに過ごした。フラットの模様替えをふたりではじめ、ウェストエンドのイリュリア劇場での成功した興行の収益を一部使って、なかなかすてきな家具を何点か買った。

この牧歌的な生活が終わる最後の夜――わたしはブライトンの演芸場に出演することになっていた――オリーヴに仰天させられた。夜遅く、われわれは褥《しとね》を重ねて、眠りに落ちようとしていた。

「ねえ、聞いて、あなた」オリーヴが言った。「ずっと考えていたんだけど、あなたは新しいアシスタントを探しまわりたくなるかもって」

驚きのあまり、最初、どう答えたらいいのかわからなかった。その瞬間まで、働くようになってからずっと追い求めていた、安定した暮らしが達成できたように思っていたのだ。わたしには家庭があり、愛人がいた。本宅で妻と暮らし、フラットに愛人を囲っていた。子どもを溺愛し、妻を慈しみ、恋人を愛していた。わが人生はふたつにくっきり別れ、明確に隔絶されたままで、どちらの側も他方が存在するとは、露とも疑っていなかった。加えて、わが恋人は魅惑的な美貌の舞台アシスタントとして働いてもいた。仕事ぶりがみごとなだけでなく、アシスタントとして加わって以降、その美しい外見が、わたしの舞台にさらに多くの客を惹きよせるのにまちがいなく役に立っていた、とわたしは確信している。

俗な言い方をするなら、わたしはケーキを手にいれ、それをむさぼっていたのだ。ところが、オリーヴは、いまの発言ですべての釣り合いを乱すかに思え、わたしはひどくうろたえた。

わたしの反応を見て、オリーヴは言った。「吐きだしたい胸の裡《うち》がたくさんあるの。あなたが思っているかもしれないことほど、ひどくはないはず」

「これ以上悪いことなど想像できん」

「でも、半分しか聞いてくれないなら、想像していたよりずっと悪くなるわよ、きっと。最後まで聞いてくれたら、結局は、気分が良くなるわ」

わたしは注意深くオリーヴを見て、彼女が緊張し、昂奮している様子に気づいた。本来なら、最初から気づいていてしかるべきだったのだが。明らかになにかが起きようとしていた。

打ち明け話がはじまり、言葉が溢れ出、すぐにオリーヴの事前の警告が正しかったのが証明された。彼女の話はわたしを恐怖で満たした。

オリーヴは、ふたつの理由から、わたしのところで働くのを辞めたい、と切りだした。最初の理由は、永年舞台に立っており、たんに変化が欲しいから、というものだった。あたしは家にはいり、あなたの愛人として人生を送りたいのだ、と言う。もしあなたが望むなら、あるいは代わりが見つかるまで、アシスタントの仕事をつづけてもいい、と言った。そこまではけっこうだ。だが、あなたはまだふたつめの理由を聞いていないわ、とオリーヴは言った。つまり、あたしはあなたの職業上の秘密を知りたがっている人に雇われて、あなたのところで働くよう送りこまれたの。その人とは――

「エンジャだ！」わたしは叫んだ。「きみはわたしをスパイするために、ルパート・エンジャに送りこまれたのか？」

その指摘にオリーヴはすぐ白状し、わたしの怒りを見て、あとじさり、距離を置くと、むせび泣きだした。

わたしは脳をフル回転させ、この告白に先立つ数週のあいだに、自分がオリーヴに言ったことをすべて思いだそうとした。どんな装置をオリーヴが見、あるいは使ったか。どんな秘密を彼女が学び、あるいは独自に見いだしたか。そしていったいなにをわが宿敵に伝えることが可能であったか。

しばらくのあいだ、わたしはオリーヴの話が聞けなかった。冷静に、論理的に考えられなくなっていた。ほぼおなじ時間、オリーヴはむせび泣き、話を聞いてちょうだいと懇願しつづけた。

そうした心悩ませる、無駄な時が二、三時間経過すると、ついにわれわれはなにも感じられない、心が痺れた状態になった。われわれの無感動状態は、夜中過ぎまでつづき、おたがいに睡眠の必要性が重たくのしかかってきた。われわれは明かりを消し、いっしょに横になった――かかる恐ろしき新事実にも破れなかった習慣だ。

目が覚めると、まだまわりは暗く、この事態にどう対処すべきか考えようとするものの、心は千々に乱れ、ぐるぐるとおなじところを巡るばかりだった。すると、暗がりのなか、隣にいるオリーヴが落ち着いた声で、強情に主張するのが聞こえた。

「わからない？　あたしがまだルパート・エンジャのスパイだったら、こんなことあなたに話すわけがないって？　ええ、あたしはあの人とつきあっていたけれど、あの人には飽きたの。それにいつもほかの女といちゃついていて、それが腹立たしくてならなかった。四六時中、あの人はあなたを攻撃することに取り憑かれていた。あたしには変化が必要で、こちらからこのアイデアを持ちかけたの。でも、あなたに会ったら……ええ、気持ちが変わったの。あなたはなにからなにまでルパート・エンジャとはちがいすぎる。なにがあったのか知ってるでしょ。それがあたしたちのあいだの真実じゃなくて？　ルパートはいまもあたしがあなたをスパイしていると思っているけれど、たぶん、そろそろ、あたしからなんの連絡ももらえないだろうと悟っているころよ。あなたのアシスタントを辞めたいのは、あなたといっさいかかわりたくないからじゃなく、あなたといっしょに舞台に立っているかぎり、自分の望み通りにあたしがやるのをルパートが待ちつづけるから。こんなことといっさいから逃れたいだけなの。このフラットに暮らし、あなたといっしょにいたいだけなの、アルフレッド。わかっているでしょ、あたしがあなたを愛しているのを――」

などなど。夜が更けるまでずっと。

朝になり、雨模様の夜明けの陰鬱な灰色の光のなかで、わたしはオリーヴに言った。

「どうすべきか決めた。伝言をエンジャに伝えてくれ。どう言えばいいか、いまから話す。

きみはそれを届け、やつが探していた秘密を伝えるんだ。わたしからその秘密を盗みとったこと、そしてそれこそやつが探しつづけた一番大事な情報であると信じさせるためなら、なんでも好きなように言ってくれ。そのあと、もしきみがもどってくるなら、そしてそのとき二度とふたたびエンジャと関わり合いを持たないと誓うなら、そして、きみがわたしを信じさせることができた場合に限り、われわれはまたいっしょに暮らそう。それでいいかい？」

「きょうやるわ」オリーヴは誓った。「エンジャをあたしの人生から永久に追い払いたいの！」

「まず、わたしは工房に行かなくてはならない。エンジャに伝えても害のないことはなにか決めなくては」

それ以上説明せずに、わたしはフラットにオリーヴを残し、乗り合い馬車でエルジン通りへ向かった。二階席に静かに座り、パイプを吹かしながら、おれは恋に溺れたなんたるばかものだろう、すんでのところですべてを投げだしてしまうところじゃなかったのか、と自らを責めた。

工房に到着すると、この問題は徹底的に討議された。潜在的に深刻な事態になる可能性は持っていたものの、これは契約が永年直面せざるをえなかった数多くの危機のひとつにすぎず、今回現れたのが大問題であるとも、新奇な問題であるとも感じなかった。たやすいことではないが、これが解決すれば、契約は以前同様強固なまま維持されるのだ。契約への変わらぬ信義を記録にとどめる証として、わたしがフラットにもどっている間、工房にとどまっていたのは、わたしのほうだと記しておこう。

さて、フラットで、わたしは口頭でオリーヴに内容を伝え自筆で書かせた。彼女はそれを書き記した。緊張していたが、自分が必要だと見なしたことをやりとおす決意をかためていた。その伝言はエンジャにまちがった方向を探らせるためのもので、信憑性が高いだけでなく、エンジャが自分では考えつかないような内容である必要があった。

オリーヴは伝言を携えて、午後二時二十五分にホーンジーのフラットを出発し、午後十一時を過ぎるまで帰ってこなかった。

「やったわ！」オリーヴは声を張り上げた。「あの人はあたしが渡した情報を受け取ったの。もう二度と会わずにすむ。金輪際、あの人に親しい口を利くもんですか。あの人のことを良く言わずにすむし、あの人を知っているふりもしないわ」

オリーヴがフラットを空けていた八時間半のあいだになにがあったのか、なぜ文書になった伝言を届けるのにそれほど長くかかったのか、わたしはけっして訊ねなかった。オリーヴが言った説明は、単純極まりないものであったため、きっと真実なのだろう。公共輸送機関でロンドンを移動するのに時間がかかったこと、エンジャがすぐには見つからなかったこと、ロンドンの離れた地域で舞台に立っているのがわかり、無駄に時間が過ぎてしまったこと。だが、オリーヴの帰還を待つ長い夜が更けていくにつれ、陰鬱な空想がわたしの脳裏に去来した。最初の主人に反抗するよう仕向けた二重スパイが、ふたたび裏切る可能性。二度とふたたびオリーヴを見ることはないかもしれない、あるいは、エンジャのため、あらたな内密の使命を受けてもどってくるかもしれない、などと。

ところで、以上のことは一八九八年の暮れに起こったことであるが、これを書いているいまは、一九〇一年の一月という出来事の多かった月の終わりである。（外界での数々の事件がわたしの耳に鳴り響いている。これまでのところを書き記そうとした前日に、女王陛下がついに崩御なされ、いま国じゅうで、その服喪期間が明けようとしているところだ）オリーヴは二年以上まえに彼女の言葉どおりわたしのところにもどり、わたしの願いどおり、いまもずっとわたしのもとにとどまっている。仕事は順調に推移し、イリュージョンの世界でのわたしの立場は不動のものとなり、家族は発展をつづけており、富は保証されている。またしてもわたしはふたつの平和な家庭を維持している。ルパート・エンジャはオリーヴが偽の情報を渡して以来、攻撃してこなくなった。わたしのまわりは静まりかえっており、動乱の歳月の末、やっと落ち着いた暮らしを送れるようになった。

11

一九〇三年、不本意ながら、これを書いている。手帳の頁を永久に閉じておくつもりだったのに、それに反する出来事が出来《しゅったい》したのだ。

ルパート・エンジャが急死した。四十六歳で、わたしより一歳若いだけだ。タイムズ紙によれば、死因は、サフォークの劇場でおこなった舞台イリュージョン実演中の負傷による合併症だという。

ほかの死亡記事を探しまわっていたところへ、短めのものがモーニング・ポスト紙に載ったが、どんな情報があらたに見つかるかと期待したものの、目新しいものはほとんどなかった。

以前から、エンジャが病気ではないか、と疑っていた。最後に生身のエンジャを見たとき、あの男はどこかひ弱な表情をしており、なにか年来の長患いに苛《さいな》まれているのではないかと推測したのだ。

手にいれたものに基づいて、公にされた追悼記事をまとめてみよう。ルパート・エンジャは一八五七年にダービーシャー州で生まれたが、若いころにロンドンに引っ越し、そこで永年イリュージョニストおよび手品師として働き、赫々《かっかく》たる成功をおさめた。英国諸島および欧州全域で奇術を演じ、新世界にも三度巡業しており、最後の米国巡業はことしはじめにおこなわれている。数々の有名な舞台イリュージョンを考案したことが公認されており、とくに〈明るい朝〉（封印された壜のなかに閉じこめられているとおぼしきアシスタントを、観客が四方から見ている状態で解放するもの）は、多くの奇術師が真似をした。最近では、〈閃光のなかで〉と称するイリュージョンの考案に成功しており、その実演中に致命的事故に遭ったのだった。手技の達人、エンジャは小規模な、個人的な集まりで人気を博する演者であった。結婚しており、ひとりの息子とふたりの娘がおり、最期まで、家族とともに、ロンドンのハイゲート地区で暮らしていた。死に結びついた事故が起こるまで、エンジャは定期的に公演をおこなっていた。

12

エンジャの死について書くのは嬉しくもなんともない。あの男の死は、二年以上にわたって積み重ねられてきた一連の出来事の悲劇的クライマックスとしてやってきた。わたしはそれらのことを記録するのを潔《いさぎよ》しとしなかった。残念ながら、一連の出来事はわれわれふたりのあいだに存在していた不愉快な状況を甦らせる懸念があったからだ。

この備忘録に以前に記したように、わたしは人生と仕事の両面で、心地よい平穏と安定状態に達し、そのとき手にしている以上のものをほしがる気持ちはなかった。かりにエンジャがなんらかの攻撃や報復を試みようとも、たんに肩をすくめてやりすごすしかないと思っていたし、心からそのように信じていた。じっさいのところ、オリーヴのメモが提供した偽の手がかりの追求が双方の最後の行動であると、信ずるに足る理由が充分あった。エンジャをまちがった方向へ誘い、ありもしない秘密を探させる意図でおこなわれたことだった。二年以上、エンジャの存在がわたしの意識から消えていた事実が、わたしの計略がうまくいったことを示している。

しかしながら、この文書の最初の部分を書き終えたすぐあとで、わたしはふとした拍子に、フィンズベリー・パーク・エンパイア劇場でおこなわれたショーの雑誌評を目にした。ルパート・エンジャがショーに出ており、どう読んでも、早い時間の出番だった。記事ではエンジャのことをほんのついでに触れているだけだった――「エンジャの才能がしぼんでいないのを知ることができて良かった」と。それはすなわち、エンジャのキャリアが停滞をつづけていることを示唆していた。

それから二、三カ月後、すべてが変わった。奇術業界誌の一誌が、エンジャのインタビューを掲載し、写真すら記事に添えられていた。とある日刊紙が社説欄で、「奇術芸の復興」について触れ、ミュージックホールで奇術の公演がプログラムの一番上にふたたび躍りでるようになっていることを指摘した。ルパート・エンジャはそのなかのひとりとして名前を挙げられていた。もちろん、ほかにも何人もの奇術師の名があったのだが。

製作に時間がかかる定期購読者向け奇術業界誌では、しばらく経ってから、エンジャに関する詳細な記事を載せた。記事では、現在のエンジャの出し物を、オープン・マジックにおけるみごとな躍進例である、と書いていた。エンジャの新しいイリュージョンは、〈閃光のなかで〉と呼ばれており、囲みで特別に扱われ、専門家の賞賛を浴びていた。卓越した技倆のあらたな水準を確立したと述べられており、エンジャ氏自身がその仕掛けの秘密を明かす判断を下さないかぎり、ほかのイリュージョニストがその効果を再現するのは、少なくとも近い将来にわたって、不可能であろうと思えるほどに卓越しているのだ、と。同記事では、〈閃光のなかで〉は、移動イリュージョンの分野の「先行例」を飛躍的に発展させたものであると書かれており、〈新・瞬間移動人間〉だけではなく、わたし自身への侮蔑的な言及がなされていた。

かかる挑発行為をわたしは無視しようとした。本気でそうした。だが、出版物でのそうした記述は、その後につづいたたくさんの記事の先駆けにすぎなかった。まちがいなく、ルパート・エンジャはわれわれの業界のトップに立っていた。

とうぜんのことながら、なにか手を打たねばならない、と感じた。この数カ月、わたしの仕事の多くは巡業で、地方の比較的小さなクラブや劇場に集中していた。自分の立場を恢復しなければならない、と決心した。わが技倆の披露の場として、ロンドンの有名どころの劇場で一シーズン公演する必要があった。その時期、舞台イリュージョンへの関心が高くなっていたため、わたしの出演交渉担当代理人は、評判を得るはずのショーの手配を苦もなくできた。舞台はストランド街のリリック劇場で、一九〇二年九月に一週間の予定でおこなわれるバラエティ・ショーのプログラムの筆頭にわたしは名をつらねた。

幕を開けてみると、客の入りは半分で、翌日出た舞台評はごく少なかった。わたしの名前を挙げたのは三つの新聞だけで、いちばん好意的な評でも、わたしは「創造的な才能よりも、ノスタルジックな価値において特筆すべき奇術のスタイルの標榜者」であるそうだ。つづく二夜、客の入りはほとんど零《ゼロ》に近く、ショーは週なかばで打ち切られた。

エンジャの新しいイリュージョンを自分の目で見る決意をかため、十月末にハクニー・

エンパイア劇場で二週間の公演があると聞き、こっそり切符売り場で切符を自分で買った。エンパイア劇場は奥行きが深く、横幅の狭い劇場で、通路は細くて長く、客席は上演中ずっと暗闇に深く沈んでいるため、わたしの目的にみごとに合致していた。わたしの席から舞台はよく見えたが、こちらの姿をエンジャにつきとめられそうなほど舞台は近くはなかった。

公演のメイン・イベントにいたるまでをつぶさに見た。エンジャはスタンダードな奇術レパートリーのなかのイリュージョンを完璧にこなしていた。仕種は良質で、しゃべくりはおもしろく、アシスタントは美人で、演出は平均以上だった。仕立ての良いイブニングを身につけ、髪はポマードでてかてかとかためて、綺麗になでつけていた。だが、ショーを見ながら、顔に疲労が表れているのにまず気づいた。体調が良くないのを示すほかの手がかりも目にした。動きがぎこちなく、何度か、右手より力が弱いかのように左手をかばっていた。

観客が書いたメッセージが封印済みの封筒から現れるという、なかなかおもしろい定番トリックののち、エンジャは締めくくりのイリュージョンにとりかかった。まず、まじめくさった口上をはじめた。それをわたしは急いで手帳に書き殴った。エンジャが言ったのはこうだ――

紳士淑女のみなさん！　新世紀が速やかに進んでいるいま、いたるところに科学の奇跡をわれわれは目にしています。その驚異の数々は日増しに増えております。今世紀の終わりまでに——今宵この場にお集まりのみなさんで、そこまで生きておられる方はほとんどいないでしょうが——いったいいかなる驚異がくり広げられていることでありましょうや？　人が空を飛ぶやもしれません。海を隔てて話ができるようになるやもしれません。天空を旅しているやもしれません。しかしながら、科学が生みだすかもしれぬどんな奇跡も、この世で最大の驚異に比肩できるものではないのです……すなわち、人間の心と人間の肉体です。

今宵、紳士淑女のみなさん、わたくしは科学の不思議と人の心の不思議をひとつにした奇術の技を試みる所存であります。この世のいかなる舞台奇術師も、みなさんご自身がこれから目撃なさるものを再現できるものではありません！

そう言うと、エンジャは良いほうの腕を芝居がかった様子で掲げた。すると、カーテンがさっと分かれて開いた。そこにスポットライトを浴びて鎮座しているのは、わたしが見たいと思っていた装置だった。

予想よりもかなり大きかった。奇術師は通常、こぢんまりとした造りの装置で演じたがるものだ。使いかたの神秘性を高めるために。エンジャの仕掛けは事実上、舞台の上をかなりの部分占めていた。

舞台中央に、三本の長い金属製の脚が三脚状に置かれており、直径四十五センチほどの輝く金属球を支えていた。三脚の下には、ちょうど人がひとり立てるくらいの空間があった。三脚と金属球の間には、接合部にしっかり留められた木と金属でできた円柱状のからくりがあった。その円柱はあいだにはっきりとした隙間が空いた木の薄板でできており、まわりを細いワイヤーで数百回は巻かれていた。座席から見て、円柱は、少なくとも高さ一・二メートル、たぶん直径もおなじくらいだろうと判断した。それはゆっくりと回転しており、舞台照明をとらえて、われわれの目に反射していた。きらきらとした反射光が客席の壁をゆっくり動きまわっていた。

そのからくりをおよそ三メートルの距離をあけて、八枚の金属板からなる第二の円が放射状にとりかこんでおり、おなじようにワイヤーで何重にも巻かれていた。金属板は舞台の上に立っており、三脚を同心としていた。金属板は個々のあいだがかなり広く均等に空けられていた。観客は装置の中心部分をその隙間越しにはっきり見ることができた。かかるものを目にしようとは、まったく予想だにしていなかった。わたしが使っているのとだいたいおなじ大きさの、奇術用キャビネットのたぐいを予想していたのだ。エンジャの装置はあまりに巨大で、舞台上に第二の隠しキャビネットを置く余地などどこにもなかった。

わたしの奇術師としての頭脳が回転をはじめ、このイリュージョンがどんなものになるのか、わたし自身のものとどれほど異なっているのか、どこに秘密があるのか、予想しようとした。第一の印象――装置の全体の大きさに驚いた。第二の印象――装置の外見が見事と言っていいくらい、地味である。三脚の真上で回転している円柱をべつにすると、明るい色や、注意を逸らせる明かりや、計画的な黒い部位もない。仕掛けの大半はニスをかけていない木材や磨き上げていない金属から作られている。四方八方に電線やワイヤーが巡らされていた。第三の印象――これからなにが起こるのかを暗示するものがまったくない。装置がどう見られたいかという意図が分からなかった。奇術に用いられる装置は、観客をミスディレクトしようとして、ありふれた形状を取っていることがよくある。たとえば、普通のテーブルや、階段や、大型トランクのような形をしている。だが、エンジャの装置は見慣れたものにするという配慮をいっさいしていなかった。

エンジャがトリックの披露にかかった。

舞台上には鏡は存在していないようだ。装置のどの部分も直接見ることができ、エンジャが事前準備にとりかかると、舞台の上を歩きまわり、個々の隙間を通りすぎ、ときにはエンジャの脚に注目した。相手が動きまわり、とくに装置の背後にまわるときに子細に観察してしまうというイリュージョニスト特有の分析癖のひとつだ（説明のつかない動きは、鏡ないしはほかの仕掛けの存在を示唆しうる）。だが、エンジャの足取りは自然で、正常なものだった。エンジャが利用できるような落とし戸はないように見える。舞台は一枚の大きなゴムシートで覆われており、舞台の下の奈落にはいりこむのはむずかしかった。なにが変わっていると言って、一見したところイリュージョンの理由づけが、なにもないことほど変わっていることはなかった。奇術の装置は、通常、観客の期待を募らせたり、逸らせたりするためにある。どう見ても人間の体を収めておくには小さすぎる箱（じっさいには、可能なのだ）や、通り抜けることができなさそうに見える鉄板や、脱出不可能に思える鍵のかかったトランクなどだ。どの場合も、観客が目のまえにあるものを見て、自分なりに下した推測を、イリュージョニストは混乱させるのである。エンジャの装置は、これまでに見たことがなさそうなものであり、たんにそれを見ただけでは、いったいどんな働きをするのか推測しようがなかった。

そうこうしているあいだも、エンジャは舞台セットのまわりを闊歩しながら、あいかわらず科学と生命の神秘について得々と語っていた。

エンジャは舞台中央にもどり、観客に相対した。

「さて、みなさん、どなたかおひとり、われと思わんかたはおられませんか？　なにが起こるのか心配にはおよびません。簡単な確認作業をお願いしたいだけです」

エンジャはまばゆいフットライトのなかに立ち、一等席の最前列にいる観客に向かって、招くように身を乗りだした。あの男の機械をもっと近くで見られるかもしれないと思うと、わたしは、まえに駆けだし、立候補したいという突然の狂気の衝動を抑えた。もしそんなことをすれば、エンジャはたちまちわたしに気づき、きっとトリックの披露を中途半端に終えてしまうだろう。

こういうときにはつきものの、ざわつきとためらいがあったのち、ひとりの男がまえに進みでて、舞台脇の階段から舞台にあがった。その隙に、エンジャのアシスタントのひとりがいくつもの品物を載せたトレイを運んで、舞台へやってきた。品物の目的はすぐに明らかになった。それぞれが目印をつけたり識別したりするためのものだった。色の異なるインク壺が二、三。小麦粉いりのボウルが一個。チョークが数本。炭の棒が数本。エンジャは協力者にどれかを選ぶよう促し、男が小麦粉いりのボウルを選ぶと、男に背中を向け、上着の背にボウルの中身をどさっとぶちまけるよう頼んだ。男が言われた通りにすると、白い雲が舞台照明のなかでくっきりと立ちのぼった。

エンジャはふたたび観客のほうを向き、協力者にどれかインク壺を選ぶよう頼んだ。男は赤いインク壺を選んだ。エンジャは粉まみれの両手を差しだし、赤インクをそこへ降り注がせた。

くっきり印をつけられると、エンジャは男に客席へもどるよう頼んだ。舞台照明が、一本の明るいスポットライトを除いて、薄暗くなった。

ぞっとするような、なにかがはじける音がした。まるで空気自体がばらばらになってしまったかのような音だ。驚いたことに、突然、青白い放電の矢が光を放つ金属球をとりまいたかと思うと、放たれた。電弧《アーク》は、不意に、勝手きままに動きまわって、見ている者の心胆を寒からしめ、それをとりまく薄板の内側を駆けまわり、歩いているエンジャ自身に接触した。電光のぱちぱち、ばしばしとはじける音は、それ自体激しい生命力に溢れているかのように思えた。

不意に放電が二倍になり、ついで三倍になって、さらなる電光がのたうちまわり、とりかこまれた空間を探りまわっているように見えた。一本が必然的にエンジャをとらえ、即座に巻きつき、エンジャを青い光で、肉体表面だけでなく、内部からも光らせているように見せた。エンジャは電気の一撃を歓迎し、良いほうの腕を掲げ、体をぐるっとまわし、のたくり、しゅーしゅーと音を立てる炎に囲まれ、巻きつかれるのを許した。

さらなる電光が現れ、悪意をこめてエンジャのまわりでじりじりと鳴った。エンジャはほかの電光を無視したときと同様、あらたな電光も無視した。個々の電光が順繰りにエンジャを攻撃しているように見える。一本が高く掲げた鞭のようにエンジャをぴしりと打って跳ね返ると、べつの一、二本がエンジャを燃え立たせ、たえずねじまがりつづけている炎でその体を舐めた。

放電のにおいがまもなく観客を襲いはじめた。わたしはほかの客とともにそのにおいを吸いこみ、なにが含まれているやもしれないと思って、内心おぞけをふるった。この世のものならぬ原子的な性質を持っている。あたかも人間にはこれまで禁じられていた力が、いま解きはなたれ、純粋なエネルギーからなる悪臭を奔放に吐きだしているかのように。

さらに噴出する電弧の流れを浴びながら、エンジャはこの煉獄の中心、電弧の発生源の真下にある三脚に近づいていった。いったんそこにたどりつくと、エンジャは安全なように見えた。

明らかにできないのか、あるいはみずからに跳ね返ってくるのがいやなのか、まばゆい電弧は、エンジャから飛びのくように離れ、激しい音とともに、外側の薄板にぶつかった。ややあって、薄板一枚一枚に一本の電弧がつながり、たえず動きつつ、しゅーしゅー、ぱちぱちと音を立てながらも、その場から離れなくなった。

しかして、それらの八本のまばゆい光の線は、エンジャがひとり立っている円形舞台の上方に一種の天蓋を形成した。スポットライトがふいに消え、ほかのすべての舞台照明も弱まったままだった。エンジャは白熱した放電から降り注ぐ明かりによってのみ、照らされていた。エンジャは立ったまま動かない。良いほうの腕が掲げられた。頭部は、すべての電気が放射されている円柱の金属部分のほんの数センチ下にある。なにかしゃべった。観客に対する宣言か。だが、エンジャの頭上の空気を焦がしている喧《かまびす》しい音にまぎれて、わたしには聞こえなかった。

エンジャは腕を下げた。二、三秒間、黙って立ったまま、自分が起こしたすさまじい奇観に身をゆだねていた。

つぎの瞬間、エンジャは消えた。

いまのいままでエンジャはそこにいたのだが、つぎの瞬間にはいなくなっていた。装置はかん高い、切り裂くような音を立てており、震動しているように見えたが、エンジャがいなくなるとともに、まばゆいエネルギーの放射が瞬時に止んだ。電弧の触手はじじじじと音を立て、小さな花火のようにぽんと鳴ったかと思うと、消えた。舞台は真っ暗になった。

わたしは立っていた。自分がいつから立ち上がっていたのか、判然としなかった。わたしとほかの観客たちは、啞然としてその場に立ちつくしていた。われわれの目のまえで、あとかたもなくあの男は消えてしまったのだ。

わたしの背後の通路で騒ぎがあり、なにが起こっているのか、ほかのみんなと同様に、わたしもそちらを向いた。人の頭や体がたくさんありすぎて、はっきりとは見えなかったものの、暗くなった観客席でなんらかの動きがあった！　ありがたいことに、劇場の照明が灯り、人があやつるスポットライトがボックス席のはるか上方の位置から動かされ、その光線が、現在進行中のものを浮かびあがらせた。

エンジャがそこにいた！

劇場の係員たちがエンジャに向かって早足に通路を駆け降りてきた。数人の観客もエンジャに近づこうとしたが、エンジャは立ちあがり、寄ってきた客を押しのけた。

エンジャはふらつきながら通路を降りてきた。舞台に向かっていく。

わたしは驚愕から恢復しようとし、すばやく計算した。エンジャが舞台から消失してから、通路に姿を現すまで、一、二秒以上はかかっていない。舞台と通路を交互に見て、その間の距離を割りだそうとした。わたしの座席は舞台正面から少なくとも十八メートルは離れており、エンジャは、客席入り口にほど近い通路の奥に姿を現した。エンジャはわたしの席のかなり奥におり、少なくともそこまではさらに十二メートルはあった。

舞台の暗闇に動きを隠されていたとして、エンジャは三十メートルを一秒で駆け抜けることができたのだろうか？

それは数字上の疑問であったし、いまもそうだ。奇術の技術を用いることなく、そんなことができるわけがない。

だが、どの技術を使ったのだ？

舞台に向かって通路を進むうち、つかのま、エンジャはわたしの横に並び、そこでさらに進もうとして、階段につまずいた。エンジャがわたしを見なかったのは、はっきりわかる。というのも、観客のだれをも見ていないのは自明のことだったからだ。エンジャの挙《きょ》措《そ》は、みずからの苦痛にさいなまれている男のそれに尽きた——顔はゆがみ、苦痛に苦しんでいるかのように全身をくねらせている。酔っぱらい、はたまた病人、あるいは精も根も尽き果てた人間のようによろよろと歩いていた。左腕をいたわるように力なくだらんと下げており、その手が小麦粉で灰色に煤け、赤いインクが汚れて黒っぽくなっているのが見えた。上着の背中には、ほんの数秒まえ、三十メートル離れたところで、ぶちまけられた小麦粉がまだ見えており、協力者がぶつけたときにできた不定形の形を保ったままだった。

われわれはみな拍手喝采を送っており、おおぜいの客が歓声をあげたり、口笛を鳴らしていた。エンジャが舞台に近づくと、第二のスポットライトがその姿を照らしだし、エンジャが踏み段をのぼって舞台にあがるのを追った。エンジャは弱々しく舞台中央に歩いていき、そこでようやく恢復したかに見えた。ふたたび舞台照明を燦《さん》々《さん》と浴びて、エンジャは拍手喝采に応え、観客に一揖し、手を振って応え、投げキスをし、ほほえみ、勝ち誇った様子を見せた。わたしはいま目にしたものに驚愕しながら、ほかの客とともに立ちつくした。

エンジャの背後で、遠慮がちにカーテンがしまり、装置を隠した。

あのトリックがどのように実現できたのかわからない！　この目で見たのに。実演中の奇術師の見方を知っているこの目で、奇術師が昔から観客の目を逸らせて見せないようにしている場所をすべて見たというのに。わたしは憤懣やるかたない思いを抱いて、ハクニー・エンパイア劇場をあとにした。わが最高のイリュージョンが模倣されたことに腹を立てていた。しかも、上手《うわて》をいっていることになおさら腹が立った。だが、最悪なのは、どうやってトリックがなされたのか、わたしにはわからないという事実だった。

あの男はひとりだった。一箇所にいた。べつの場所に現れた。替え玉、すなわち共謀者がいるはずがない。同様に、ひとところからべつのところへ、あれほどすばやく移動できるわけがない。

嫉妬が怒りに拍車をかけた。〈閃光のなかで〉というのが、〈新・瞬間移動人間〉のエンジャ版、いまいましいことに改良版の安っぽい名前なのだが、まちがいなく一流のイリュージョンであり、しばしばかにされ、誤解されることの多いわれわれのパフォーミング・アートの世界に、あらたな水準を打ち立てたものだった。その点について、あの男に対するほかの感情がどんなものであれ、エンジャを賞賛するほかない。当日、客席にいたとおぼしき同業者たちの大半とともに、自身、あのイリュージョンを目撃する僥倖に恵まれたとわたしは感じていた。劇場正面を去るとき、楽屋口へ下っていく細い通路のまえに通りかかり、一瞬、エンジャの楽屋に名刺を送り届けることが可能だろうか、とすら思った。会いにいって、個人的に祝福するために。

わたしはその衝動を抑えた。これほど長きにわたって辛辣な敵対関係をつづけてきた以上、洗練された舞台イリュージョンをひとつ見せつけられただけで、あの男のまえでひざを屈するおのれを肯《がえ》んじられなかった。

わたしはそのとき、たまたま滞在することになっていたホーンジーのフラットにもどり、オリーヴのかたわらで輾転反側《てんてんはんそく》しながら、眠れぬ夜を過ごした。

翌日、わがトリックのエンジャ版について、じっくりと、実質的な検討にとりかかり、どう解釈できるかつきとめようとした。

やはり、認めざるをえない——どうやってエンジャがやったのかわからない。実演を見たとき、タネを解き明かすことができなかった。あとになり、奇術の原理をいくらあてはめようとしても、解答は思いつかなかった。

タネの中心には、イリュージョンの六つの基本カテゴリーのうち、三つ、おそらくは四つが用いられていた——エンジャは自分自身を「消失」させ、ついでべつの場所に自身を「発生」させ、「入れ替え」の要素もあるように見え、すべてが明らかな「自然の法則の無視」によって成し遂げられていた。

舞台からの消失は、比較的容易に準備することができる。鏡ないしはハーフミラーを置いたり、照明を利用したり、奇術師の〝黒い技〟すなわちブラインドを用いたり、注意逸らしのテクニックを使ったり、舞台上の落とし戸を利用したり等々。べつの場所での発生は、まえもってその物体を置いておいたり、似た模造品を用いたりなどの問題であるのが普通だ……あるいは、それが人間ならば、当該人物の良く似た替え玉を仕こんでおく。このふたつの効果をいっしょにおこなうことで、三つめの効果が得られる——困惑しながら、観客たちは自然の法則が無視されたものを目撃したと信じる。

あの夜、エンパイア劇場でわたしも自然の法則が無視されたのを目撃したと感じたのだ。

通常の奇術の原理で謎を解こうとするわたしの試みはすべて失敗に終わり、取り憑かれたように頭を振り絞ってみたものの、得心のいく解答には近づくことすら不可能だった。

このみごとなイリュージョンの中心には、頭にくるような単純さがあるはずだという考えにしょっちゅう気持ちを乱された。奇術の基本的法則に、目に見えるものは、現実にはおこなわれてはいないというものがある。

エンジャのトリックのタネは依然としてわたしには理解できなかった。ほんのささいな慰めがふたつあるにはあったが。

そのひとつは、たとえどれほどエンジャの効果がめざましいものであれ、わたし自身のトリックのタネはいまなおエンジャには秘密のままであるという事実。エンジャはわたしのやるようにイリュージョンを成し遂げたわけではない。むろん、できるわけがないのだ。
第二に、トリックの速度だ。タネがどんなものであれ、エンジャの効果は、わたしのほどすばやくはなかった。わたしの体はひとつのキャビネットからべつのキャビネットに一瞬で移動するようになっている。強調しておきたいのだが、すばやくではない——イリュージョンは一瞬の出来事なのだ。いかなるたぐいの遅滞もない。エンジャのやり口は、多少、遅かった。あのイリュージョンを目撃した夜、わたしの計算では、一秒あるいは最大限で二秒は経過した。すなわち、エンジャはわたしより一秒あるいは最大限で二秒遅いことになる。

解答を見つける取り組みのひとつとして、関係している時間と距離を調べようとした。あの夜、なにが起こるかまったく見当もつかず、科学的測定手段をいっさい持ち合わせていなかったため、わたしの計算はすべて主観的なものだ。

そこがイリュージョニストのやり口のひとつだ——観客に心の準備をさせないことで、演者は、不意を打って自分の足跡を隠せる。たいていの人間は、トリックが実演されるのを見たのち、どれくらいすばやかったか訊ねられても、正確なところは言えないだろう。イリュージョニストの技があまりにすばやいため、予期していない観客は、あとになって、あんなことできっこない、だって、時間がまったく足らなかったんだからと断言するような原則に、多くのトリックはのっとっている。

それがわかっているので、わたしは自分が目にしたものを慎重に思い返し、心のなかであのイリュージョンを再演し、エンジャの明白な消失から他所での実体化まで正確にどれくらいの時間が経過したか計算しようとした。最終的に、一秒ないし二秒だったという最初の計算より短いことはなく、おそらくは五秒近く経過したのは確かだという結論に達した。突然の完璧な闇に包まれた五秒間で、腕の良い奇術師なら、目に見えない策略をかなり実行しうる！

この短い時間経過が、イリュージョンのタネの明白な手がかりだったが、エンジャが客席のいちばん奥近くまで駆けていくには足らないように思えた。

その出来事から二週間後、客席担当マネージャーとの交渉で、わたしはハクニー・エンパイア劇場の舞台裏へ赴いた。自身の公演の事前準備のため、測量したいという口実を用いた。そういう行為は奇術公演の際によくあることで、イリュージョニストは劇場の物理的制約に自分のショーを適応させるのだった。結局、わたしの要請は通常のものとして扱われ、マネージャーの部下が丁重な態度でわたしを迎え、調査を手伝ってくれた。

わたしがまえに座っていた席を見つけ、舞台から十五メートルをほんの少し越えたところにあることを確認した。エンジャが再実体化した通路上の正確な地点を見つけようとするのは、もっとむずかしく、じっさいには、当日の自分の記憶に頼るほかなかった。わたしは自分が座っていた席のかたわらに立ち、振り向いてエンジャを見たときの角度を思い起こすことで、三角測量しようとした。とどのつまり、どうにかこうにかできたのは、段のついた長い通路の適当なところにエンジャの位置を定めることだけだった。その段つき通路と舞台との最短距離は、二十三メートル弱、最長距離は、三十メートルを優に超えていた。

わたしはしばらく舞台中央の三脚の頂点があったとおぼしき場所に立ち、中央通路ぞいに目を走らせ、自分だったら、真っ暗闇のこみあった客席のなかで、五秒以内に、ひとつの場所からべつの場所へたどりつくのにはどうするだろう、と思いを巡らした。

引退後イングランド南部のウォーキング市で暮らしているトミー・エルボーンとこの問題を話し合うため、旅に出た。エンジャのイリュージョンのことを詳しく語り、どのように説明しうるものだろう、とトミーに訊ねた。

「この目で見ないことにはなんとも言えませんな」じっくり考え、わたしを反対訊問したのち、エルボーンは言った。

質問の切り口を変えてみた。わたし自身がやってみるイリュージョンにするとしたらどうなる、とエルボーンに訊ねた。この男とは、過去にこんなふうによく協力してきた。わたしが自分のやってみたい効果を述べると、われわれは、言うなれば逆から、その働きを設計するのだ。

「だけど、それはあなたの場合、なんの問題もないのでは、ボーデンさん？」

「いかにも。たしかに、わたしはちがうんだ！　では、ほかのイリュージョニストのために、設計するとしたらどうだろう？」

「どうやったらいいのかわかりませんな」エルボーンは言った。「いちばん良いのは、替え玉を使うことでしょう。観客席にあらかじめ仕こんでおいてね。ですが、あなたの話では――」

「エンジャのトリックはその手を使っていない。あの男はたったひとりだった」

「では、わしにはとんと見当がつきません」


新しい計画を立てた。エンジャのつぎの興行に出向き、あのイリュージョンの秘密を解き明かすまで、必要なら毎晩、ショーを見にいくのだ。トミー・エルボーンもわたしといっしょに行く。わたしはできるかぎり自分の矜持にしがみついた。もしエンジャの疑念をかきたてることなく、あの男から秘密をもぎとることができたなら、それが理想だ。しかし、もし、興行の終わりまでに、実効のある説にたどりつかなかったなら、過去の対抗意識と嫉妬をすべてかなぐり捨て、エンジャを直接訪れ、必要ならば、説明の手がかりを懇願するつもりだった。エンジャの謎はわたしにさまで狂おしいほどの影響を与えていた。

恥も外聞もなく書く。イリュージョンのタネは奇術師たちの共通通貨であり、あのトリックの働きをつきとめるのは、自分の職業的義務である、とわたしはみなしていた。もし膝を屈しなければならないというなら、エンジャが卓越した奇術師であることを認めなければならないというなら、そうしようではないか。

しかしながら、それらはいずれも実現しなかった。長期のクリスマス休暇ののち、欲求不満に歯がみするわたしをあとに残して、エンジャは一月末にアメリカ合衆国への巡業に出発したのだった。

エンジャが四月に帰国した（タイムズ紙で報道されていた）一週間後、わたしは相手の家を訪ね、和解をする決意でいたが、エンジャは家にいなかった。ハイゲート・フィールズからほど遠くない高台に建つ、大きいが質素なたたずまいの家は、門扉を閉ざしていた。近所の住民に話をしてみたものの、その家に住んでいる人間のことはなにも知らないと繰り返し告げられた。どうやらエンジャは、わたし同様、世間には自分の私生活を秘密にしているようだった。

わたしはヘスキス・アンウィンと連絡を取った。エンジャの出演交渉代理人であると聞き知っている男だ。だが、はねつけられた。早急にエンジャに連絡してもらいたい旨頼む伝言をアンウィンに残した。代理人は伝言をエンジャ自身に届けると約束したが、連絡はついぞこなかった。

直接エンジャに手紙を書いた。私信として。これまでの対立、敵意に終わりを告げようと申し出、おたがいの和解のために謝罪であれ、償いであれ相手が望む名で呼ぶものを提供しようとした。

エンジャは返事を寄越さなかった。ことここにいたって、わたしは自分が理屈に合わない不合理さを突きつけられているのだと感じた。

相手の沈黙に対するわたしの反応は、感情の喪失とでも呼ぼうか。

13

五月第三週に、わたしはロンドンから列車に乗り、サフォーク州の海沿いの街であり漁港でもあるローストフト市に向かった。そこでエンジャは一週間の興行を打つ予定になっていた。わたしはたったひとつの意図を持って赴いた。すなわち、こっそり舞台裏に忍びこみ、イリュージョンのタネを自分でつきとめるのだ。

通常、舞台裏への入場は、それを制限するために雇われた職員によって管理されているのだが、この業界あるいは当該建物に通じている場合は、なかにはいる方法はいくらでもあった。エンジャはパヴィリオン劇場で公演していた。海に面したなかなか大きな、設備の整った劇場《こや》である。わたし自身、以前にその舞台に立ったことがあった。むずかしいことはあるまいと予想していた。

わたしははねつけられた。楽屋口を試すのは望み薄だった。表に手書きではっきりと、訪問者は全員、事前に楽屋管理人のブースで許可を得ること、と張り紙がしてあった。関心を惹きたくなかったので、とやかく言わずに撤退した。

道具部屋へはいるのにも同様の困難さにつきあたった。やりかたさえ心得ていれば、なかにはいる方法や手段はいくらでもあるのだが、エンジャは多くの予防措置を講じており、まもなくわたしもそれに気づいた。

道具部屋の裏で、背景の用意をしている若い道具係にでくわした。わたしが名刺を示したところ、若者は充分友好的な態度で挨拶した。世間話を少し交わしてから、わたしは言った。

「背景のうしろからショーを見てみたいな」

「みんなそうしたいだろうね！」

「いつか、わたしをなかにいれてくれることはできるだろうか？」

「望みはないし、むだですよ。今週のメインの出し物は、箱で囲んでいるから。なんにも見えやしない！」

「そのことをどう思う？」

「べつに悪いとは思いませんよ。なにせ、あの人からたんまりもらっているから――」

またしても、わたしは退却した。舞台を箱幕で囲むというのは、タネを道具方やほかの舞台裏の職人に気づかれることに神経質になっている少数の奇術師が採用している極端な方法だった。通常それはたんまりとチップをはずまぬかぎり、公演のあいだ演者がともに働かねばならない裏方の協力を明らかに欠くことになる、普通でない手段だった。エンジャがわざわざそんな手間をかけているという事実自体、あのイリュージョンのタネがいかに入念な防衛策を必要としているかを告げるさらなる証拠だった。

劇場に忍びこむ方法は、ほかに三つしか残されておらず、いずれもかなりの困難をともなうものだった。

まず第一に、劇場正面にはいり、裏手へ通じる扉のひとつを利用するというものがある（ロビーからパヴィリオン劇場の客席へ通じている扉は、みな鍵がかけられ、職員が来訪者全員を油断なく見張っていた）。

第二の方法は、臨時の裏方仕事を手にいれるというものだ（今週は、だれも雇われていなかった）。

第三は、客のひとりとしてショーを見にいき、そこから舞台へあがろうとするというものだった。ほかに選択の余地がなかったので、わたしは入場券売り場へいき、エンジャの興行で、手にはいるすべての公演の、一階前方席の券を買った（エンジャのショーがたいへんな成功をおさめているため、たいていの公演は完売で、キャンセル待ちを受け付けているほどで、残っているのは、いちばん高価な席だけというのが、いっそう腹立たしいことだった）。

わたしが二度目に見ることになったエンジャのショーの席は、一階前方席のかぶりつきだった。エンジャは舞台に歩みでてすぐちらっとわたしを見たが、わたしはたくみに変装しており、見られたところでわたしだとばれない自信があった。自分の経験から、客のだれが進んで協力をしてくれそうな人物なのか事前に勘でわかることがままあり、正面の二列ないし三列めに座っている客をちらっと見やるのは、たいていの奇術師がやることだとわかっていた。

エンジャがトランプの定番トリックをはじめ、協力者を募る呼びかけをしたとき、わたしはおずおずとためらいながら立ち上がり、みごと舞台の上に招かれた。エンジャのそばに近づくとすぐに、相手がひどく神経質になっているのがわかった。エンジャはろくにわたしのほうを見ようともしなかったが、ふたりでカード選びとカード隠しのなかなか楽しいトリックをやり終えた。わたしはまったくまっ正直で通した。エンジャのショーをだいなしにすることがわたしの望むことではなかったからだ。

定番トリックが終わると、女性アシスタントがすばやくわたしの背後にやってきて、丁重だがしっかりとわたしの腕をつかみ、舞台袖へ誘導した。前回のショーでは、協力者はひとりで踏み段をおりていき、アシスタントは次のイリュージョンの用意があるので、足早に舞台中央へもどっていった。

この手順を承知していたので、わたしはチャンスを逃さなかった。喝采の騒音にまぎれ、わたしは変装の一部である田舎くさいなまりを発揮して女性アシスタントに話しかけた。

「だいじょうぶですよ、お嬢さん。自分の席はわかっとります」

アシスタントは感謝の笑みを浮かべると、わたしの腕を軽く叩き、くるりと背を向けて、エンジャのほうへ向かった。歓声が止み、エンジャは小道具テーブルを前方へ押しだしているところだった。ふたりともわたしのほうを見ていなかった。観客の大半はエンジャを見ていた。

わたしはあともどりをして、こっそり舞台袖にはいった。重たいキャンバス地の幕が垂れている狭い隙間を押し開けて進まざるをえなかった。

たちまち裏方が姿を現し、わたしの行く手をふさいだ。

「すみません」裏方は声を張り上げた。「舞台裏には行けませんよ」

エンジャはわれわれからほんの数メートルのところにいて、次の定番トリックをはじめていた。もしわたしがこの男と言い争えば、エンジャはまちがいなく聞きとがめ、なにかが起こっていることを悟るだろう。瞬間的にひらめいて、わたしは身につけていた帽子とカツラを引っぱって外した。

「これはショーの一部だ、ばかやろう！」わたしは地声で、せわしなく、しかし、静かに言った。「どかんか！」

裏方はうろたえたようだったが、謝罪の言葉をもぐもぐと口にすると、引っこんだ。わたしはそのそばをすりぬけた。手がかりを探すとしたらいちばん良い場所はどこか、時間をかけて事前に検討していた。舞台が箱幕で覆われている以上、求めているものは、舞台下にある可能性が高い。短い廊下を通り、下へ通じる階段にたどりついた。

舞台天井の仕掛け場とともに、舞台下は、劇場の主な仕掛け区域のひとつである——いくつもの落とし戸や橋機構がそこにはあり、場面転換機の動力源として用いられる巻き上げ機もあった。いくつもの大きな背景がサイズに合わせてしまわれていた。おそらく、次の公演用のものだろう。わたしはさまざまな装置のあいだを機敏に歩を進めた。もしこのショーが、いくつもの場面や場面転換のある大がかりなものだったら、そこには装置をあやつる何人もの技師がひしめいていただろうが、奇術ショーは、主にイリュージョニスト自身が持参する道具に拠っており、技術的な作業は、カーテンの上げ下げと照明にほぼ限られていた。それゆえ、この場所に人けがないのを見て、ほっとしたが、驚きはしなかった。

奥の方に、目指しているものを見つけた。最初は、いったいそれがなんだかほとんどわからなかったのだが。ふたつの大きな、頑丈に作られた木枠に出くわしたのだ。たくさんの昇降用および移送用突起がついており、はっきり刻印がほどこされていた――偉大なるデントン私物、と。その隣には大きな変圧器があった。見覚えのない形をしていた。わたしのショーでも、電動ベンチに動力を送るため、似たような装置を用いていたが、さしてややこしくない簡単な装置だった。だが、この変圧器はエンジャの特注品だった。近づいていくと、明らかに熱を放っており、低くて強力なぶーんという音をどこか奥深くから発していた。

わたしは変圧器に身を乗りだし、その働きを理解しようとした。頭上では、舞台のエンジャの跫音が聞こえ、エンジャの声が客席全体に届くよう張り上げられたのも聞こえた。科学の驚異について演説しながら、おおまたで舞台上をうろうろ歩きまわっているところが想像できた。

ふいに変圧器が大きなノッキング音を発し、驚いたことに、薄い、キナ臭い青い煙が上部パネルの格子から、かなりの激しさで立ちのぼりはじめた。ぶーんという音が激しさを増した。最初、わたしは飛びのいたが、警戒感を募らせ、ふたたびまえに身を乗りだした。エンジャのゆっくりとした歩調が、頭上数十センチのところを行き交っているのが聞こえた。その下でいったいなにが起こりかけているのかまったく気づかずにいる。

ふたたび装置内部でノッキング音が聞こえ、今回は、非常にまがまがしいひきつるような音を伴っていた。まるで金属が鋸《のこぎり》でひかれているような音だ。煙がまえよりも速度を増してこぼれ出ており、装置の反対側にまわりこむと、分厚い金属コイルが赤熱《せきねつ》して光っているのに気づいた。

わたしのまわりには奈落のがらくたが転がっていた。乾燥した木材が何トンもあり、潤滑油でてかてかした巻き上げ機、何マイル分ものロープ、無数のごみ、紙ごみの束、巨大な油彩の背景画。この場所全体が燃えやすい火口箱であり、その中心に、いまにも爆発して炎に包まれそうな物体があった。わたしはその場にためらいながら立ちつくし、エンジャかアシスタントはここでなにが起こっているのかわかっているのだろうか、と考えていた。

変圧器はさらに騒音を立て、ふたたび煙が格子から吐きだされた。煙が肺にはいりこんできて、わたしは咳きこみだした。必死になって、消火器はないものかとあたりを見まわした。

すると、変圧器が奥の壁にとりつけられた大きな接続箱につながっている分厚い絶縁ケーブルから動力を得ているのに気づいた。わたしはそちらへ突進した。接続箱には緊急停止・始動用取っ手が作りつけられており、なにも考えず、わたしは取っ手をつかむと、引きおろした。

変圧器のおぞましい動きは瞬時に止まった。えぐみのある青い煙だけが格子から吐きだされていたが、刻々、薄まっていった。

頭上では、重たいどさっという音がして、静寂がそのあとにつづいた。

一秒ないし二秒が経過し、その間、わたしは後悔の念とともに、頭の上を見上げていた。複数の跫音が駆けまわり、エンジャが怒声を張り上げるのが聞こえた。観客たちの立てる音も聞こえた。エンジャの声よりはっきりしない音だったが、はやしたてているのでもなく、歓声をあげているのでもなかった。駆けまわる跫音と張り上げられる声からなる騒ぎは、ますます大きくなっていった。わたしがしたことがなんであれ、エンジャのイリュージョンをだいなしにしてしまったのだ。

わたしは謎を解くためにこの劇場に来たのであって、ショーを中断させるためではない。しかし、前者に失敗し、ついうっかり、後者に成功してしまった。当初の目的に関して言うなら、わたしが学んだのは、エンジャがわたしのよりも強力な変圧器を用いており、エンジャのトリックは火災の危険性があるということだった。

もしこの場にとどまっていたら、見つかってしまうだろうと悟り、急速に冷えつつある変圧器から離れ、来た道をもどりはじめた。吸いこんだ煙のせいで、肺が痛みだしており、めまいがしていた。頭上では、舞台と舞台裏で、多くの人間があわただしく、ばたばたと動きまわっているのが聞こえた。自分の都合の良いように事態が動いている、とわたしは感じた。建物のなかのどこかさほどここから遠くないところで、だれかが悲鳴をあげているのが聞こえた。この混乱にまぎれて、こっそり逃げだせるだろう。

階段を一段飛ばしで駆けあがり、だれが来ようとなにがあろうと立ち止まるつもりはなかったのだが、驚くべき光景を目にして足が止まった！

わたしの心は、煙や、自分がたったいましでかしたことの昂奮や、つかまるかもしれないという不安で混乱していた。正常に考えることができなくなっていた。エンジャ自身が階段のあがり口に立ち、怒りのあまり両腕を掲げ、わたしを待ち受けていた。だが、わたしには、エンジャが幽霊のような形態を取っているように思えた。エンジャの体の向こうに明かりが見えたのだ。どういうトリックでか、明かりはエンジャの体を突き抜けてくるように見えた。すぐにさまざまな考えが頭を駆け巡り、かかるトリックのための特殊な衣装のせいにちがいないと思った。特殊加工した繊維！　透明にしてしまう生地！　エンジャを透明にしてしまうのだ！　これがエンジャの秘密だろうか？

だが、まったくおなじ瞬間、わたしの上方向への勢いがわたしを押しあげてエンジャにぶつかってしまい、われわれは床の上にばったり倒れた。エンジャはわたしにつかみかかろうとしたが、自分自身に塗りたくっているなにかのせいで、わたしをしっかりつかめずにいた。わたしは身をふりほどき、エンジャから這って逃れることができた。

かなっていなかった。「動くな！」

「ボーデン！」エンジャの声は怒りのあまりかすれており、ぞっとするような囁き声にし

「事故だったんだ！」わたしは叫んだ。「おれに近づくな！」

どうにか立ちあがると、わたしはエンジャから走って逃げた。堅い床の上に倒れている

エンジャを放っておいた。短い通路を駆け抜け、靴が立てる音がぴかぴかに塗られた煉瓦に反響した。角をまがり、番人のブースに行きあたった。わたしが駆け抜けると、番人は驚いて顔をあげたが、わたしを誰何《すいか》したり、足を止めさせる時間の余裕はその男にはまったくなかった。

数瞬ののち、わたしは楽屋口の外に出ており、照明の乏しい路地を海岸通り目指して走った。

海をまえにして、一瞬足を止め、まえのめりになりながら、膝に手を置いた。何回か苦しい咳をし、肺に残っている煙を追いだそうとした。すばらしく乾いた初夏の夜だった。太陽は沈んだばかりで、色とりどりの照明がプロムナード沿いに灯りはじめていた。潮が高く、波がゆるやかに防波堤に打ちつけていた。

観客たちはパヴィリオン劇場から三々五々出てきて、町中へ散っていった。人々の多くは、おもしろがっている表情を浮かべていた。おそらくは、ショーが終わったその唐突さからだろう。わたしは人の波とともにプロムナード沿いに歩を進め、目抜き通りへたどりつくと、内陸方向へ曲がり、鉄道駅へ向かった。その夜、真夜中をずいぶん過ぎてから、

わたしはロンドンの家に帰った。子どもたちはそれぞれの部屋で、セイラはわたしのかたわらで温かく眠っており、わたしは暗闇のなかで横になりながら、いったい今晩、自分はなにをしでかしたんだろう、と訝《いぶか》っていた。

すると、七週間後、ルパート・エンジャが死んだ。

やましさに苛まれたと言うのは、控えめに過ぎるだろう。とりわけ、エンジャの死を報じた新聞二紙が、イリュージョン実演中にこうむった「負傷」に触れている以上。わたしがローストフトにいた日に事故が起こったとは書かれていなかったが、その日にちがいないとわたしにはわかっていた。

エンジャがパヴィリオン劇場での興行の残りをキャンセルしたのはすでに確認しており、知るかぎりでは、その後、公の場で奇術を披露したことは一度もなかった。その理由はわたしにはわからなかった。

ところが、いま、あの夜、致命傷を負ったことが知れわたったのだ。わたしにわからないのは、偶然に介入してしまってから一分もしないうちに、エンジャにぶつかってしまったことだ。そのとき、エンジャは致命傷はおろか、いささかでも傷を負っているようにも見えなかった。反対に、きわめて健康に見え、わたしと対決する心づもりでいた。なんとか身をふりほどくまえに、われわれはつかのま床のうえでもみあった。あの男について唯一異常だったのは、自身あるいは衣装に塗りたくっていたべとべとした化合物だった。おそらく、イリュージョンを手助けしたり、なんらかの方法で、姿を消すためのものなのだろう。そこのところが、ほんとうに不思議だ。煙を吸いこんだ後遺症がなくなると、その数秒間の記憶は正常なものだとわかったからである。ほんの一瞬、エンジャの体が透けて見えたのは、確かだ。あたかも、エンジャの一部が透明になったかのように、あるいは体全体がまだらにそうなったかのように。

　謎のささいな一面として、ふたりがもみあうあいだに、例の化合物がいっさいわたしにくっつかなかったことが挙げられる。エンジャの両手は確かにわたしの手首をつかんだ。わたしはぬるぬるした感触をはっきり意識したのに、化合物の痕跡はいっさい残らなかった。ロンドンにもどる列車に座りながら、腕を光にかざし、自分自身が透けて見えるかどうか確かめようとしたのを覚えている！

　とはいえ、そのニュースに対する反応として、やましさや悔恨の情が多くを占めていたかというと疑問が残る。しかしじっさいには、その出来事のいたましさに直面して、なんらかの償いをできるようになるまで安らげないと感じたのだ。

　あいにく、新聞の死亡記事は、エンジャが死んで数日経ってから掲載されたもので、すでに葬儀は終わっていた。その場に出向いていれば、遺族や関係者と遅ればせの和解をはじめる理想的な機会になったであろうに。花輪や、気取らぬお悔やみのメッセージが、その過程を容易にしてくれたであろうに、そうはならなかった。

　じっくり検討してから、わたしは未亡人に直接連絡することに決め、真摯な、同情心に満ちた手紙を書き送った。

その手紙のなかで、わたしは自分の正体を説明し、いまよりずっと若かりしとき、永遠の悔恨事であるのだが、エンジャと仲違いをしたことの次第を述べた。ご主人の志なかばでの死は衝撃であり、悲しみでもあり、奇術業界全体がその喪失を悼んでいる、と記した。演者として、そして、驚くべきイリュージョンの作り手としてのエンジャの技倆に賞賛を送った。

そののち、この手紙の主眼である話題を持ちだした。もっとも、未亡人にはついでに思いついたことのように思ってもらいたかったのだが。奇術師が亡くなると、業界では、遺族にとってもはや使い道のない商売道具を同業者が買い取る申し出をするのが恒例になっている、とわたしは書いた。

さらに、生涯にわたるご主人との長い、問題の多かった関係に鑑み、ご主人亡きいま、かような申し出をすることはわたしの義務であり、それ相応の金額をご用意できるものである、と書き添えた。

その手紙を送りだし、必ずしも未亡人の協力が期待できるわけでないことを予想して、仕事上の関係者を通じて、問い合わせをした。これは微妙な判断を要する方策であった。というのも、いったい同業者のどれほどが、わたし同様、エンジャの装置を入手したいと思うものなのか、見当もつかなかったからである。おおぜいがそう思うと推測した――あの衝撃的な実演を目撃したプロの奇術師はわたしだけのはずがない。ゆえに、エンジャの商売道具が少しでも市場に出まわったら、自分が興味を示さないわけがないことを広く知らしめた。
エンジャの未亡人に手紙をしたためてから二週間後、返事が届いた。チャンセリーレーンの事務弁護士《ソリシタ》事務所からの手紙の形で。その文面を以下にそのまま書き記す——

謹啓
故ルパート・デイヴィッド・エンジャ氏の遺産の件
当事務所依頼人に対する貴兄のこのたびの問い合わせに対して、故ルパート・デイヴィッド・エンジャ氏の主な家財および従物の処分はすでにおこなわれており、それらの行き先あるいは権利の享受先に関するさらなる問い合わせは無用であることをお知らせするよう、わたくしどもは指示を受けました。
雑多な財産の処分に関する亡き依頼人の指示にしたがい、それらは公開オークションを通して入手可能となります。オークションの日時および場所は、一般の官報を通じて発表される予定です。
恐惶謹言
ケンドール、ケンドール&オーウェン
（公認事務弁護士兼宣誓管理人）

14

わたしはまえへ進みでて、フットライトのなかに立つ。その明かりの照り返しがみなさんをまっすぐに射す。

わたしは言う。「わたしの両手をご覧下さい。手のなかにはなにも隠されておりません」

わたしは両手を上にあげ、てのひらをみなさんに見えるように掲げ、指のあいだにこっそりなにかをはさんでいないことを証明するため、指を広げる。これから最後のトリックを披露し、空っぽだとみなさんご承知のこの手から、色あせた紙でできた花束を取りだすとしよう。

15

いまは、一九〇三年九月一日。わたし自身のキャリアはエンジャの死とともに事実上、終わった、と言えよう。充分裕福ではあるけれど、わたしは子どもたちを抱えた妻帯者であり、金のかかる、複雑な生活様式を維持していかねばならない。わたしは自分の責任から逃れるわけにはいかず、そのため、申し出が届くかぎり、出演契約に応じなければならない。その意味では、完全に引退したわけではないが、若かりし日々、わたしを突き動かしていた野心や、人を驚かせたり当惑させたりしたいという願い、不可能なことを夢に紡ぐ純粋なる悦び、それらはわたしから去ってしまった。いまも、奇術を演じる技術的な能力は維持しており、わたしの手先はあいかわらず器用で、エンジャがいなくなった以上、わたしだけが〈新・瞬間移動人間〉を実演する人間であるが、それだけでは充分ではないのだ。

大いなる孤独感がわたしに襲いかかっており、契約のせいで、そのことを詳述できないものの、わたしはわたし自身が望むたったひとりの友人なのである、と言うにとどめる。むろん、わたしはわたしが会えないただひとりの友人なのである。

それについて、細心の注意を払って、触れてみよう。

わが人生は、けっして説明できない数々の秘密と矛盾に満ちている。セイラはだれと結婚したのか？　それはわたしなのか、あるいはわたしなのか？　わたしにはふたりの子どもがおり、わたしはふたりを慈しんでいる。だが、ふたりはわたしが慈しむべきものなのだろうか、ほんとうにわたしだけのものなのだろうか……それともほんとうにわたしのものなのか？　どうやってわたしにわかるだろうか。子どもを慈しむ本能以外に？　それを言うなら、わたしのどちらがオリーヴと恋に落ち、どちらと彼女はホーンジーのフラットに暮らしているのだろう？　最初に彼女と愛を交わしたのはわたしではないし、フラットに誘ったのもわたしではない。しかし、彼女がそこにいることを利用したのはわたしだ。わたしもおなじことをやるだろうとわかっていたので。どちらのわたしがエンジャの正体を暴こうとしたのだろう？　どちらのわたしが最初に〈新・瞬間移動人間〉を考案したのだろう、そして、どちらのわたしが最初に瞬間移動したのだろう？

自分自身、あてずっぽうに書いているように思えるが、ここに記すすべての言葉は一貫しており、正確なものだ。そこにわたしの存在の本質的なジレンマがある。

昨日、わたしはロンドン南西にあるバラムの劇場で舞台に立っていた。昼公演をおこない、夜のショーがはじまるまで二時間の待ち時間があった。そういう場合によくすることなのだが、控え室へいくと、カーテンを引き、照明を落として、扉を閉めて鍵をかけ、カウチで昼寝をすることにした。

ほんとに起きたのだろうか？　あれは幻想だったのでは？　夢だったのでは？

目が覚めると――

目が覚めると、わたしの控え室にルパート・エンジャの幽鬼じみた姿が立っているのに気づいた。エンジャは両手で長い刃のついたナイフをつかんでいた。こちらが動いたり、声をあげるいとまもなく、エンジャが飛びかかってきて、カウチの端に乗り、すばやくわたしに覆いかぶさり、胸と腹の上にまたがった。エンジャはナイフを掲げ、切っ先をわたしの心臓の真上にとどめた。

「覚悟しろ、ボーデン！」耳障りで、不気味なかすれ声をエンジャは発した。

かかる地獄図のなか、エンジャの体の重さがほとんど感じられないようにわたしには思えた。たやすくはねのけられそうなくらいに。だが、恐怖がわたしから力を奪っていた。わたしは両手をまえに持っていって、エンジャの二の腕をつかみ、ナイフが致命的なほど深く刺されるのを防ごうとしたが、驚いたことに、エンジャは例のべとつく化合物を塗っており、そのせいでしっかりつかむことができなかった。いくら懸命につかもうとしても、指がエンジャのいまわしい肉のまわりでつるっと滑ってしまうのだ。相手の嫌な体臭を嗅いだ。墓場の、骨捨て場の、鼻持ちならぬ悪臭だ。

わたしは恐怖にあえいだ。ナイフの切っ先が胸に痛みとともに強く押しつけられるのを感じたからだ。

「さあ！　言え、ボーデン！　おまえはどっちなんだ？　どっちのやつだ？」

わたしはほとんど呼吸ができなかった。いつなんどき刃が肋骨のあいだを抜け、心臓を破るかもしれないという恐怖、恐るべき戦慄《わなな》きのあまりに。

「言えばかんべんしてやろう！」刃の圧力が増した。

「わからないんだ、エンジャ！　もうわたしにもわからない！」

すると、どういうわけか、それは終わった。はじまったときと同様、いきなり終わってしまった。エンジャの顔はわたしの顔と数センチしか離れておらず、怒りのあまりエンジャが歯をむきだしているのを見た。鼻につく息がかかってくる。ナイフは皮膚を貫きはじめた！　恐怖がわたしに発作的な蛮勇を発揮させた。一発、二発、エンジャに殴りかかった。拳で相手の顔をめったやたらとぶち、相手をひるませた。心臓への致命的な圧力が和らいだ。隙を感じ、わたしは拳を握りしめて、両腕で相手の体を突いた。エンジャは苦悶の声をあげ、わたしからのけぞった。ナイフが持ちあがって離れた。まだエンジャはまたがっていたので、もう一度殴りつけ、体を横にひねって、相手を払い落とした。心底ほっとしたことに、エンジャは転がり落ち、床に落ちた拍子にナイフを手放した。恐ろしい刃は音を立てて壁にぶつかり、床に落ちた。幽鬼じみた姿は床板の上を転がった。

エンジャはすばやく立ち上がり、冷静さをとりもどし、油断ない表情を浮かべて、わたしが再度襲ってきたときに備えて、こちらの様子をうかがっていた。わたしはカウチの上で上体を起こし、さらなる攻撃に備えた。やつは究極の恐怖の化身であり、わが生涯最悪の敵の亡霊だった。

ランプがエンジャの半透明の体越しに見えた。

「放っておいてくれ！」わたしは金切り声をあげた。「おまえは死んだんだ！　おれに用はないだろ！」

「こちらも貴様に用はない、ボーデン。貴様を殺しても復讐にはならん。起こってはならないことだったのだ。けっして！」

ルパート・エンジャの幽霊はわたしに背を向け、鍵のかかった扉へ歩いていくと、そこを通り抜けた。あとに残されたのは、しつこく消えないおそるべき腐敗臭だけだった。

この亡霊出現は、わたしを恐怖で縛りつけ、予鈴が鳴りはじめても、わたしはまだカウチに座ったまま動けずにいた。数分後、衣装係が部屋にやってきて、なかにはいろうとし、しつこくノックをつづけたので、やっとカウチから立ちあがった。

控え室の床にエンジャのナイフがあるのに気づいた。そのナイフはいまも手元にある。本物だ。幽霊が運んできたものだ。

まったく道理にかなっていない。息をしたり、動こうとすると胸が痛む。心臓に押しつけられるナイフの切っ先をいまでもありありと感じることができる。わたしはいまホーンジーのフラットにいるが、どうすればいいのか、わたしはほんとうはだれなのか、わからない。

ここに書き記した言葉は一字一句真実であり、いずれもわが人生の現実を書き表している。わたしの両手にはなにもなく、わたしはあなたをなんの裏表もない表情でじっと見ている。これがこれまでのわたしの生き方であるのだが、依然として、なにも明らかにしていない。

わたしは独りで最後へ向かうのだ。

第3部

ケイト・エンジャ

PART THREE

Kate Angier

1

わたしはそのときほんの五歳だったけど、あれがほんとうに起こったことだ、と心から信じている。記憶は錯覚を起こしがちだ。とくに夜間、ショックを受け、怯えた子どもの場合は。人は、起こったと思っていることや、起こってほしいと思っていることや、あとでほかの人から聞かされたことからつぎはぎして記憶にするものだともわかっている。じっさいにそういうことがあって、ほんとうに起こったことをつなぎあわせるには長い年月がかかった。

それは冷酷で、暴力的で、謎だらけで、ほぼ確実に犯罪だった。大半の関係者たちの人生をだいなしにした。わたし自身の人生もだめにした。

さて、いまなら、わたしがじっさいに目にしたままを話せる。でも、子どもではなく、おとなの立場で話すとしよう。

わたしの父は、コルダーデイル卿。その名前を持つ十六代目。ファミリーネームは、エンジャで、父の洗礼名は、ヴィクター・エドマンド。父はルパート・エンジャのひとり息子エドワードの子ども。だから、偉大なるデントン、ルパート・エンジャは、わたしの曾祖父にあたり、十四代コルダーデイル伯爵だった。

わたしの母の名は、ジェニファー。父は家では母のことをいつもジェニーと呼んでいたけれど。ふたりは父が外務省で働いていたころに出会った。父は第二次大戦中ずっと外務省に勤めていた。キャリア外交官ではなかったけれども、健康の理由で、軍にははいらず、その代わり、文民の仕事に志願した。大学ではドイツ文学を専攻し、一九三〇年代にはライプチヒにしばらく滞在していたので、戦時の英国政府にとって役に立つ技能を有していた。ドイツ最高司令部から傍受したメッセージの翻訳がたぶんその仕事だと思う。父と母は、一九四六年、ベルリンからロンドンへ向かう列車のなかで出会った。母はドイツの首都に駐留していた占領軍で働いていたナースで、外地勤務期間が終わって、イングランドへもどる途中だった。

ふたりは一九四七年に結婚し、ほぼおなじころ、父は外務省の職を解かれた。両親は、ここコールドロウで暮らすことになり、やがて姉とわたしが生まれた。わたしたち姉妹がこの世に誕生するまえの年月のことや、両親が子どもを持つまでかなりの時間を空けた理由は、はっきりとはわかっていない。ふたりは頻繁に旅行していたが、それを後押ししたのは退屈を避けたいという理由で、さまざまな場所を見たいという積極的なものではないと思う。ふたりの結婚生活は一度も順調だったことはなかった。一九五〇年代後半に、母が短期間家を出ていたのを知っている。というのも、後年、母と母の妹（わたしにとっては、キャロラインおばさんだ）が交わしている会話を小耳にはさんだことがあるので。姉のロザリーは一九六二年に生まれ、一九六五年にわたしがつづいた。そのとき、父は五十歳近くになっており、母は三十代後半だった。

たいていの人とおなじように、わたしは生まれた当初の年月のことをろくに思いだせない。屋敷はいつも冷え冷えとしていたように覚えており、母がベッドの上に何枚毛布を重ねてくれても、湯たんぽがどんなに熱かったところで、わたしはいつも骨の髄まで寒さを感じていた。たぶんそれは、ただの一冬、あるいは冬のあいだの一月《ひとつき》、あるいは一週間のことだけなのだろうが、いまでも、いつも寒かったように思える。この屋敷を冬季にしっかり温めることは不可能なのだ——十月から四月中旬まで、谷から渦を巻いて風が吹きつけてくるせいで。一年のうち、三カ月近くは、雪に覆われている。敷地内の木々でこしらえた薪をいつも大量に燃やしていたし、いまでもそうなのだけど、薪は石炭や電気と異なり、効率的な燃料ではない。わたしたち家族は屋敷の一番小さい翼棟で生活しており、成長していくなかでも、この屋敷のじっさいの大きさがどれほどなのか、ろくに見当もつかなかった。

八歳のとき、わたしはコングルトンに近いところにある、全寮制の女子校に放りこまれたが、幼いころは、ほぼずっと母といっしょに屋敷で過ごした。四歳のとき、母はわたしをコールドロウ村の保育園にいれ、そののち、礼拝堂へつづく道路沿いにある隣村、ボルドンにある小学校にいれた。ときおり、父の黒いスタンダードで送り迎えされた。慎重に運転していたのは、スティンプスンさんで、この人と奥さんがわが家の全使用人だった。第二次大戦まえは、大所帯の使用人がいたが、すべては戦争中に変わった。一九三九年から四〇年にかけ、屋敷の一部は、マンチェスターやシェフィールド、リーズからの疎開者を収容するため使用され、また、その子どもたちの学校として使われた。一九四一年に英国空軍に接収され、それ以来、わたしの一家は屋敷の母屋部分では暮らしていない。わたしがいま住んでいる翼棟は、わたしが育った場所でもある。

かりになんらかの用意がなされていたとしても、ロザリーとわたしは来訪者が何者なのか聞かされていなかったし、最初にわたしたちがそれに気づいたのは、一台の車がメインゲートに到着し、スティンプスンさんが車を屋敷へ通すため、降りていったときだった。ダービーシャー州議会が屋敷を使っていた時期のことであり、議会は週末に門を閉めておきたがった。

屋敷にやってきた車は、ミニだった。塗装は光沢を失っており、フロントバンパーは衝突でできたへこみがついて、窓のまわりには錆が浮いていた。ふだん、屋敷にくるのを見慣れていたたぐいの車とはまったく異なっていた。わが家がかなり苦境に喘いでいたその当時ですら、両親の友人の大半は、裕福であるか、重要人物であるかのどちらかだった。

車を運転してきた男がミニの後部座席に手を伸ばし、いましがた目覚めたばかりの幼い男の子を引っぱりだした。男は子どもを抱っこした。スティンプスンさんがふたりを丁重に屋敷へ案内した。ロザリーとわたしは、スティンプスンがミニのところにもどり、親子が運んできた荷物をおろしているのを見ていたが、子ども部屋から降りてきて、お客に挨拶するよう言われた。全員わが家の主居間にいた。両親は、たいせつな機会であるかのようにドレスアップしていたものの、客のほうはずっとカジュアルな服装に見えた。

わたしたち姉妹はいつものように、正式に紹介された——うちの家族はマナーを大変重視しており、ロザリーとわたしはそれらに精通していた。男の名前はミスター・クライヴ・ボーデン。少年は、ボーデン氏の子息で、ニコラスあるいはニッキーと呼ばれていた。ニッキーはおよそ二歳で、つまり、わたしより三つ年下で、姉より六つ年下だった。ボーデン夫人の姿がないようだったが、そのことについてわたしたちには説明されなかった。

その後、わたしが独自に調べた結果、ボーデン一家について、多少わかったことがある。たとえば、クライヴ・ボーデンの細君は、赤ん坊を出産したあとすぐに亡くなっていた。旧姓は、ダイアナ・ルース・エリントンで、ハートフォードシャー州のハットフィールドの出身だった。ニコラスはダイアナの一人息子だった。クライヴ・ボーデン自身は、かの奇術師、アルフレッド・ボーデンの息子であるグレアムの子どもだった。ゆえに、クライヴ・ボーデンはルパート・エンジャの最大の敵の孫であり、ニッキーは、わたしと同世代で、アルフレッド・ボーデンの曾孫だった。

明らかにロザリーもわたしもこのとき、この面談についてなにも聞かされておらず、数分後、ニッキーを子ども部屋に連れてあがり、おもちゃを見せてあげたら、と母に勧められた。わたしたちはすなおに従った。そのようにしつけられていたから。その場に出席していたスティンプスン夫人がわたしたち三人の世話をすることになった。

そののち三人のおとなたちのあいだに交わされた会話の内容については、推測するしかないが、面談は午後いっぱいつづいた。クライヴ・ボーデンと息子が到着したのは昼食時間のすぐあとで、わたしたち三人の子どもは、外がほとんど暗くなるまで、午後のあいだずっと、だれにもじゃまされずに遊んだ。スティンプスン夫人が子どもたちを遊ばせつづけた。喜んでいっしょに遊んでいるときには、そのまま放っておき、退屈しだすと、本を読んでくれたり、新しいゲームをやってみてはと勧めてくれた。子どもたちのトイレの行き来を夫人は世話し、スナックや飲み物を持ってきてくれた。ロザリーとわたしは、高価なおもちゃに囲まれて育っており、わたしたち子どもの目にも、ニッキーがそうした贅沢さに慣れていないのは明らかだった。おとなになってから思えば、ふたりの女の子のおもちゃは、二歳の男の子にはまったくおもしろいものではなかっただろう。けれども、長い午後をともに過ごし、けんかをした記憶はわたしにはない。

おとなたちは下の階でなにを話していたのか？

この面談は、両家の人間が、先祖たちのあいだに起こった諍いを修復しようという散発的な試みのひとつであったのだと、わたしは了解している。なぜ彼らが、わたしたちが、そのまま放っておいて過去を腐らせ、死に絶えさせることができなかったのか、わたしにはわからない。だが、双方の心理構造の奥深くに、この問題を悩みつづけねばならなかったものがあったようだ。ふたりの舞台奇術師がたびたび険悪な争いをしていたからといって、いま、あるいはその当時、いったいなにが問題でありうるのだろう？　ふたりの老人たちのあいだにどんな遺恨あるいは憎悪あるいは嫉妬がうずまいていたとしても、独自の生活を送り、独自の事情がある遠い子孫に、いったいなんの関係があるのだろう？　まあ、常識ではそうかもしれないけれど、血がなせる感情は不合理なものなのかも。

クライヴ・ボーデンの場合、不合理さがそのひととなりの一部であったように思える。先祖の身に起こったことがどんなものであれ。ボーデンの人生は調べがつきにくかったけれど、ロンドン西部で生まれたのはわかっている。ありふれた子ども時代を過ごし、そこそこスポーツの才能があった。学校を出ると、ラフバラ大学に入学したが、初年度が終わると、辞めてしまった。その後十年間、頻繁に宿なしの身分となり、友人や親戚の家を泊まり歩いた。飲酒と風紀紊乱《ぶんらん》行為で何度か逮捕されているものの、前科がつくのをなんとか免れている。自称俳優であり、映画産業で不安定な生計を立て、エキストラや代役の仕事が見つかったときにはそれをやり、あいまを失業手当でまかなっていた。人生において、感情的にも物質的にも安定していたみじかい期間に、ボーデンはダイアナ・エリントンと出会い、結婚した。ミドルセックスのトウィッケナムに家庭を築いたものの、ふたりの結婚は悲劇的な短命に終わった。ダイアナが死ぬと、クライヴ・ボーデンは夫婦で借りていたフラットにそのまま残り、結婚しておなじ区域に住んでいる姉に頼みこんで、赤ん坊の息子を育ててもらうことにした。映画業界での仕事をつづけ、またしても社会的には安定しない状態になったけれど、子どもの養育費を稼げる程度ではいたようだ。わたしの両親のところを訪ねてきた時期、ボーデンのおおよその状況はそのようだった。

（その訪問のあとで、ボーデンはトウィッケナムのフラットを引き払い、ロンドンの中心に引っ越したらしく、一九七一年の冬に海外へ移住している。まず、合衆国へ渡り、そののち、カナダかオーストラリアのどちらかへ向かった。ボーデンの姉の話によると、ボーデンは名前を変え、過去との関係をすべて入念に断《た》ったそうだ。わたしはできるかぎりの調査をおこなったけれど、現在、ボーデンが生きているかどうかは、ついぞ確かめることができなかった）

しかし、いまは、クライヴ・ボーデンがコールドロウ・ハウスにやってきたあの日の午後と夜のことにもどり、わたしたち子どもが上の階で遊んでいるあいだに起こったことを再構成してみよう。

父は歓待の精神を大いに発揮したのだろう。酒を勧め、この機会を祝うための貴重なワインを抜栓して。晩餐は贅沢なものだったはずだ。ボーデンの車での旅について、あるいは、最近のニュースに関する相手の意見や、はたまた、この客のおおよその暮らしぶりについても穏やかに訊ねたかもしれない。相手の出方が予見あるいは制御できない社交の場で、いつもそのようにふるまうのが父のやりかただった。はったりであり、礼儀正しい英国紳士がかぶるにふさわしい仮面だった。悪意はないものの、この場合にはまったくふさわしくない態度だ。彼らが意図していた仲直りをいっそうむずかしくしたであろうことは想像に難くない。

一方、母は比較的うまくふるまったと思われる。ふたりの男のあいだに存在する緊張にはるかにうまく適応しただろうが、今回の件に関して、直接の関係者でないことによる気詰まりを覚えていただろう。母はろくにしゃべらなかっただろう。少なくとも、最初の一時間かそこらは。だが、その場にいる全員にかかわっている問題に話を集中させる必要性を強く意識していたにちがいない。母は会話をそちらの方向へ、たくみに、でしゃばらないように導こうとしていたはずだ。

クライヴ・ボーデンについて話すのは、かなり難しい。なぜなら、本人のことをほとんど知らないから。だけど、この面談を持ちかけたのはきっとボーデンのほうだと思う。わたしの両親のどちらもそんなことをする人間ではない。それに先立って何度か手紙が交わされたあげく、今回の招待にいたったのだろう。いまでは、当時のボーデンの経済状況のことをわたしは知っているので、仲直りの結果としてなんらかの対価があるかもしれない、とボーデンは期待していたはずだ。あるいは、アルフレッド・ボーデンの行動を説明する、あるいは免ずることになるかもしれない一家伝来の備忘録を見つけたのかもしれない（もちろん、当時、ボーデンの本は存在していたが、奇術業界以外の人間には、ほとんど知られていなかった)。それとは逆にクライヴ・ボーデンはルパート・エンジャの日記が現存していることを突き止めたのかもしれなかった。ルパートが日記をつけていたのは、日付や細かなことに対する強迫観念からほぼ確実だったが、死ぬまえに、ルパートは日記を隠すか廃棄するかしていた。

だれがそれを提案したにせよ、反目を修復する試みが、このときの面談の背景にあったと確信している。当時わたしが見たもの、および、いま思いだせるものは、充分真摯なものだった。少なくとも最初は。なんと言っても、自分たちの親の世代よりまえからなんとか実現しようとしてきた顔を合わせての面談なのだから。

たとえそれがどんなものであれ、古い確執が背景にあった。ほかのどんな事柄も両家をこれほどしっかり結びつけることも、これほどはっきりと分かつこともなかっただろう。父の愛想のよさ、ボーデンのいらだちもやがては消えてしまっただろう。どちらかが言ったはずだ——さて、過去の一件についてなにかあらたなことがわかりましたか、と。

思い返してみると、その袋小路の愚行が自分にのしかかってくる感じがする。かつてわれわれの曾祖父たちを縛っていた職業上の秘密は、すべて彼らとともに消えてしまったはずだ。どちらの家の子孫たちのだれも、奇術師ではないし、奇術になんらかの興味を抱いた者もいない。かりにその件に少しでも興味を示した者がいるとしたら、それはわたしだ。なにがあったのかについて若干調査を実行しようとしたたったひとつの理由はそれだった。わたしは舞台奇術に関する本を何冊も読んだし、偉大なる奇術師の伝記も何冊か読んだ。

その大半は現代の書き手によるものだったけれど、読んだなかで一番古いものが、アルフレッド・ボーデンの伝記だった。奇術の技は十九世紀末から進歩を遂げ、当時人気のあったトリックはとっくの昔に流行遅れとなって廃れ、より現代的なイリュージョンにとって代わられている。たとえば、曾祖父の時代、人間が鋸で半分に切られたように見えるトリックのことを聞いた者はだれもいなかった。いまではよく知られているこのイリュージョンが発明されたのは、一九二〇年代で、デントンとル・プロフェッスールがふたりとも亡くなってずいぶん経ってからのことだった。イリュージョニストたちが自分たちのトリックをよりいっそう不可思議な方法で発揮させようと考えつづけねばならないのが、奇術の持つ本質である。ル・プロフェッスールの奇術は、いまでは、古風で、おもしろくなく、のろくて、とにもかくにも、不思議でもなんでもないように見えるだろう。ル・プロフェッスールを有名に、金持ちにしたトリックは、博物館行きの代物に見えるだろうし、われと思わん奇術師なら、苦もなく真似し、さらに観客を惑わすことができるだろう。

それにもかかわらず、確執は一世紀近くつづいてきた。

クライヴ・ボーデンがやってきた日、わたしたち子どもは、やがて子ども部屋から階下へ降ろされ、おとなたちといっしょに食事をするため、食堂へ連れていかれた。わたしたち姉妹はニッキーを気にいり、三人ならんでテーブルの一辺に座らされて、喜んだ。食事のことをはっきり覚えているのは、ニッキーがいっしょにいたからにほかならない。姉とわたしは、ニッキーが自分たちをおもしろがらせようとしていると思ったものだが、その幼い少年が正式にセッティングされた食卓についたことも、ほかの人に給仕されたこともなかったんだと、いまにしてわたしにはわかる。どうしたら良いのか、たんにわからなかっただけなのだ。ニッキーの父親はときおり息子に厳しい声をかけ、たしなめようとしたり、落ち着かせようとしていたが、ロザリーとわたしは幼い少年をさかんにけしかけていた。両親はわたしたちになにも言わなかった。元々、わたしたちになにかを言うということがなかったからだ。親としての教育など、彼らのような人種には関心のあるものではなく、それに客のまえで子どもたちを叱るという行為をうちの両親は夢にも思ったことはなかろう。

そんなこととは露知らず、わたしたちのじゃれあいは、まちがいなくおとなたちのあいだの緊張を高める結果につながった。クライヴ・ボーデンの張り上げる声は、怒鳴りつけ、いらいらしたものになっており、わたしはその声を嫌いはじめていた。うちの両親もクライヴ・ボーデンにきつく当たりはじめており、礼儀正しくしようというそぶりはかなぐり捨てられていた。おとなたちは口論をはじめ、父は、レストランでサービスが遅いときに家族の者がいつも耳にしている口調で、ボーデンに話しかけていた。食事の終わりごろには、父はなかば酔っぱらい、なかば激昂していた——母は青ざめ、黙っており、クライヴ・ボーデンは（おそらくは少々酒がはいりすぎていて）、ひっきりなしにみずからの不運をぼやいていた。スティンプスン夫人がわれわれ三人をせきたて、隣の部屋、すなわち居間に移動させた。

どういうわけか、ニッキーが泣きだした。おうちに帰りたいと言い、ロザリーとわたしがなだめようとすると、ニッキーはわたしたちに体をぶつけ、拳をふるい、足を蹴った。わたしたち姉妹はこの手の気分に陥ったときの父を、以前に目にしたことがあった。

「怖いよ」わたしはロザリーに言った。

「わたしも」姉は答えた。

わたしたちはふたつの部屋を隔てている両開きの扉に耳を澄ました。荒げられた声が聞こえ、ついで長い沈黙があった。父はいらいらと歩きまわっていた。磨きたてられた寄せ木張りの床の上をいらだたしげに父の靴が堅い音を立てているのが聞こえた。

2

屋敷には、子どもたちがけっして行ってはならないとされていた場所があった。そこへはいるには、奥の階段下の三角形のスペースにはめこまれた、なんのへんてつもない、茶色に塗られた扉を通らねばならない。その扉はいつも鍵がかかっており、クライヴ・ボーデンがやってきた日まで、家のなかのだれかが、家族であれ、使用人であれ、そこを通っていくのを見たことは一度もなかった。

扉の向こうには幽霊が出るんだよ、とロザリーがわたしに言ったことがある。姉は身の毛もよだつイメージをこしらえ、その一部はじっさいに絵に描かれ、一部はわたしが自分で映像化できるようあいまいな形で残されていた。手足を切断された犠牲者が、下で囚われの身になっているだの、地獄へ堕ちた痛ましい魂が安逸の場所を探しているだの、扉のすぐ向こうの暗闇のなかでこちらの腕や足首をとらえようと待ちかまえている手やかぎ爪だの、脱出しようとがたがた音を立てて動きまわったり、ひっかいているだの、上の日の光のなかで暮らしているわたしたちに恐ろしい復讐計画を練ってぼそぼそつぶやいているだの、とわたしに話してくれた。ロザリーはわたしより三つ上で、なにが妹を怖がらせるのか、よくわかっていた。

　わたしはしょっちゅう怯えている子どもだった。わが屋敷は、神経質な人間が快適に暮らせる場所ではなかった。冬になると、天気の穏やかな夜でさえ、まわりに人家のないことで、邸内を抑圧された沈黙が支配している。説明のつかない、ひそやかな物音が聞こえる——隠れ家で凍えている動物や鳥が温もりを求めて突然動いたときの音。木々や葉を落とした藪が風に煽られてたがいにこすれ合う音。漏斗様の形状の谷底で増幅され、ゆがめられて届く谷の反対側の物音。わが敷地のはずれを通っている道を村からやってきた人が歩いている音。あるときには、北風が谷に吹きおろし、沼を渡って吹きすさび、谷底いったいに点在している岩や倒れた下生えのせいでひゅーひゅー音を立て、屋敷の軒や屋根板のまわりの木製の装飾のあいだを駆け抜けて、かん高い音を鳴らした。また、屋敷全体が古く、ほかの人々の人生の記憶で充ちており、彼らの死の残滓で汚れてもいた。想像力に富んだ子どもが暮らせる場所ではない。

　邸内にはいると、薄暗い廊下や階段、隠れたアルコーヴや凹《へこ》み、暗い壁掛けや厳粛な顔つきの祖先たちの肖像画など、それらすべてが抑圧的な脅威を感じさせた。わたしたちが暮らしている部屋は、明るい照明がほどこされ、現代的な調度が整っていたものの、すぐそばにあるものの多くは、死んだ先祖や、苔むした惨事、沈黙の夜といった、心を沈ませるものの残滓だった。わたしは屋敷の一部を駆け抜けることを学んだ。正面から視線を動かさず、自分に害をおよぼすかもしれない薄気味悪い過去からやってくるなにも気をとられないようにして。そんな場所のひとつが、奥の階段のかたわらにある一階の廊下で、そこには茶色く塗られた扉があった。ときおり、その扉が反対側から押されたかのように前後に揺れているのをたまたま見てしまうことがあった。すきま風の仕業にちがいなかったのだが、その扉が動いているのを見ると、その向こう側になにか大きくて物言わぬものがいて、扉がついに開けられるようになったかどうか密かに確かめようとしているのだと、いつも想像してしまうのだった。

子どものころはずっと、クライヴ・ボーデンがやってきた日以前も以後も、わたしは廊下の奥にあるその扉のまえを通りすぎるときは、ついうっかり目をやらないかぎり、けっして扉を見ようとはしなかった。立ち止まり、扉の向こう側の動きに耳を澄まそうとしたことも一度もない。いつも早足で通りすぎ、扉の存在を自分の暮らしから追い払おうとした。

ロザリーとわたし、それにボーデンの息子ニッキーの三人は、おとなたちが不可解な諍いをつづけている食堂の隣にある居間で待たされた。その二部屋は茶色い扉がある廊下とつながっていた。

声がまた荒げられた。だれかが連絡扉を通った。母の声が聞こえたけれど、ひどく動揺している響きがあった。

と、スティンプスンさんが居間をきびきびした足取りで横切り、連絡扉を通って、食堂へはいっていった。スティンプスンさんは、扉をすばやく開け閉めしたが、その向こうにいる三人のおとなの姿がかいま見えた——三人とも最初座っていたテーブル席にいたが、いまは立ち上がっていた。わたしは母の顔をちらっと見た。その顔が哀しみと怒りでゆがんでいるように見えた。スティンプスンさんのあとについて食堂へはいっていくいとまもなく、扉はすばやく閉められた。スティンプスンさんは扉からわたしたちをはいれないようにする場所に陣取ったにちがいなかった。

父が話しているのが聞こえた。なにか命令している。その口調は、あとで厄介事がやってくることをいつも意味していた。クライヴ・ボーデンもなにか言い、それに父が怒って応じた。わたしたちにも一語一語はっきり聞こえるくらい大きな声だった。

「やるがいい、ボーデンくん！」昂奮して父の声はつかのま、裏返った。「さあ、やるんだな！　かならずやるんだな！」

廊下に通じる食堂の扉が開いた音が聞こえた。ボーデンはまたなにかを言ったものの、相変わらずちゃんと聞こえなかった。するとロザリーがわたしの耳元で囁いた。「パパは、いい、茶色の扉を開けるつもりよ！」

わたしたちは息を呑んだ。わたしはパニックに陥ってロザリーにしがみついた。ニッキーは、わたしたちの恐怖が伝染し、情けない泣き声を洩らした。わたしもだらしない泣き声をあげはじめたため、おとなたちがなにをやっているのか聞こえなくなった。

ロザリーはわたしをぴしゃりと叱った。「しっ！」

「あの扉が開けられたらたいへんだよぉ！」わたしは声をあげた。

そこへ、いきなりクライヴ・ボーデンが廊下から居間へはいってきて、わたしたち三人がちぢこまっているのを見た。わたしたちの様子がどのようにボーデンの目に映ったのか想像できないが、どういうわけか扉が象徴している恐怖がこのおとなにも伝染したように思えた。まえに進みでて、かがむと、片膝をつき、ニッキーを両腕に抱きかかえた。

ボーデンがなにごとか息子に言っているのが聞こえたが、それは安心させるような口調ではなかった。わたしは自分自身の恐怖に包まれていて、それに注意を払うどころではなかった。なにが言われたかはわかるものではなかった。ボーデンの背後、廊下の向かい、階段の下に、茶色い扉があるはずの三角形の空間が開けられ、その奥に明かりがついており、下へつづく階段が二段あり、百八十度回転して、さらに下っているのが見えた。

わたしは居間から連れていかれるニッキーをずっと見ていた。父親に高く抱きかかえられているので、ニッキーは両腕で父親の首にしがみつく格好になり、進行方向とは逆に顔が向いていた。父親は片手を上に伸ばし、息子の頭がかまちにぶつからないように守って、戸口をくぐりぬけると、階段を降りていった。

ロザリーとわたしは部屋に置いてきぼりになり、わたしたちは恐怖の選択を迫られた。ひとつは居間の見慣れた環境の中でふたりきりのままでいる選択、もうひとつはおとなたちのあとから階段を降りていくというもの。わたしは両腕で姉の片脚にしがみついていた。スティンプスン夫人の姿はどこにもなかった。

「みんなといっしょに行こうか？」ロザリーが言った。

「いや！　ひとりで行って！　見てきて、なにをしているのか教えて！」

「わたしは子ども部屋にあがるわ」

「置いてかないでよぉ」わたしは泣いた。「ここにひとりでいたくない。行かないで！」

「わたしといっしょにきたらいいじゃない」

「いや。みんなニッキーになにをするつもりなの？」

だが、ロザリーはわたしからむりやり身をひき剝がし、手荒くわたしの肩をぴしゃりとぶつと、わたしを押しやった。姉の顔は蒼白になっており、なかば目をつむっていた。ロザリーは震えていた。

「好きなようにしたらいいわ！」ロザリーはそう言って、もう一度しがみつこうとしたわたしから身をかわすと、部屋から駆けだしていった。恐怖の廊下沿いに進み、開いた戸口のまえを通りすぎ、階段のあがり口にある板石のところで向きを変えると、上の階へ駆け上がった。そのときは、姉は恐怖に怯える妹をばかにしたのだと思ったが、おとなになって考えてみると、わたし以上に怯えていたのではないだろうか。

　理由はどうあれ、気がつけばわたしはひとりきりになっていたが、ロザリーに押しつけられた形で、次の決断はずっと容易だった。落ち着きなどふっ飛んでしまい、わたしの想像力を麻痺させた。それも恐怖のあらたな形にすぎないのだが、とにかく、わたしは動けるようになった。いまいるところにひとりでじっとしていることはできないとわかっており、ロザリーを追って、遠くの階段をのぼっていく力もないのがわかっていた。残る行き場はひとつだけだった。わたしは開いている茶色の扉までのみじかい距離を進み、階段を見下ろした。

天井に二個の電球がついており、下までの道を照らしていたが、階段を降りきったところで、さらなる戸口が横にあり、ずっと明るい照明が階段までこぼれてきていた。階段は敷物などないむきだしの、ありふれたもので、驚くほど綺麗で、危険や、超自然の存在などの気配はいっさいなかった。下から声が聞こえてきた。

わたしは気づかれぬよう、そっと階段を降りていったが、降りきって、地下室の中心部を覗きこむと、身を隠す必要などないのがわかった。おとなたちは、自分たちのやっていることにすっかり没頭していた。

そこで起こっていることの多くを理解できるくらいの歳になっていたけれど、おとなたちが言っていたことをいま思いだせるほどではなかった。階段を降りきったとき、父とクライヴ・ボーデンがまた言い争いをしており、今回は、話しているのはおおかたボーデンのほうだった。母は使用人のスティンプスンさんとともに、かたわらに突っ立っていた。ニッキーはまだ父親の胸に抱かれたままでいた。

地下室はかなりの大きさと広がりと清潔さがあり、わたしをすっかり驚かせた。自分の家の下にこんなにも広い空間があるとは思いもよらなかった。子どもの視野からすると、この地下室は高い天井を持っているようだった。白いペンキ塗りの壁が四方に広がっており、わたしに見えるのはその壁までだった。（おとなたちは頭を下げずに地下室を動きまわることができたものの、天井は上の階の部屋ほどは高くなかったし、もちろん、地下室の大きさは、屋敷自体の床面積より広いはずがなかった）

地下室の大半は、母屋部分から運びおろされた保管物で充たされていた――戦時中に動かされた家具の多くが、白い埃よけのシーツをかぶせられて、そこにまだあった。一方の壁の端から端まで、額いりのキャンバスが並べられており、絵が描かれている側を向き合うように並べているので、どんな絵かは見えなかった。階段に近い区域に、煉瓦壁で仕切られた箇所があり、ワインセラーになっていた。地下室の中心部分の奥には、わたしの立っているところから見にくいものの、木箱や衣装箱がたくさん積まれ、きちんと並べられていた。

地下室の全体的な印象は、広々として、涼しく、清潔というものだった。利用されており、同時にきちんとメンテナンスされていた。しかし、そのときは、そういうことはどれもわたしにはろくに印象を与えなかった。ここまで書いてきたことすべては、わたしの知った知識にもとづいて修正した記憶なのだ。

その日、階段の最下段にたどりついた瞬間にわたしの関心をとらえたのは、地下室中央に設置されている装置だった。

最初は、一種の浅い檻だと思った。八枚の頑丈な木の板が円形に並んでいたからだ。つぎに気がついたのは、その装置が床に開けた穴のなかに設置されていたことだ。そこへはいろうとすると、段を下っていかねばならず、そのため、最初の見た目よりは大きなものだった。父は、すでに円の中心に降りていっており、腰から上の部分しかこちらからは見えなかった。上のほうに配線があり、はっきりとは形が見わけられなかったものの、まんなかの軸を中心にして回転している物体があり、地下室の照明を浴びて、きらきら明かりを反射していた。父は熱心に体を動かしていた。わたしからは見えない下のほうで、なんらかの制御作業をしているようだ。繰り返ししゃがんで、なにかを腕で操作していた。

母は距離を置いて立ち、かたわらのスティンプスンさんといっしょに、じっと目を凝らしていた。ふたりとも口をきいていなかった。

クライヴ・ボーデンは木の板の一枚のそばに立ち、作業をしている父の様子をうかがっていた。息子のニッキーは父親の腕のなかで背をまっすぐ伸ばし、首をひねって、おなじように下を見おろしていた。ボーデンがなにか言い、父が腕の上下動をつづけながら、声高に返事をし、片方の腕を振ってなにごとか身振りで示した。父が危険なムードなのがわかった。それがどれほどばかげたことであれ、ロザリーとわたしが父を激昂させ、なにか示しをつけなければならないと父が感じたときに、わたしたちが味わうような、そんなムードだった。

ボーデンが父のそのような激しい怒りを、おそらくはわざと、かきたてているのだとわかった。わたしはまえに進みでて、おとなたちにではなく、ニッキーに近づこうとした。幼い少年はおそらく自分では理解できないなにかにとらわれており、わたしは本能的にニッキーに駆け寄り、手をつかんで、危険なおとなたちのゲームから遠ざけようとするつもりだったようだ。一行までの距離の半分を、だれにも気づかれずに進んだところで、父が叫んだ。「全員下がれ！」

母とスティンプスンさんは、おそらくなにが起こるのか知っていたので、即座に数歩、下がった。母は、彼女にしては大きな声でなにか言ったが、その言葉は装置から立ち上る騒音にかき消されてしまった。装置はたえず、ぶーん、しゅーしゅーと危なっかしい音を立てていた。クライヴ・ボーデンは動こうとはせず、穴の縁から数十センチしか離れていないところに立っていた。依然としてだれもわたしを見ていなかった。

装置の最上部から突然、けたたましい破裂音が立てつづけに発せられ、音が轟くたびに、長くて、くねるひげ糸を伴なう白い放電が現れた。それぞれのひげ糸は、発生すると同時になにか恐ろしい深海の生き物の触手が獲物を求めて伸びてくるかのようにくねった。騒音は凄まじかった――閃光が光るたび、むき出しのエネルギーからなるくねる触手が現れるたび、かん高い、きしり音が聞こえ、わたしは耳が痛くなった。父はボーデンを見上げた。おなじみの勝ち誇った表情だ。

「さあ、わかっただろ！」父はボーデンに向かって怒鳴った。

「切って、ヴィクター！」母が叫んだ。

「だが、ボーデンくんがやれと言ったんだ！　さあ、これがそうだ、ボーデンくん！　これできみのしつこい願いは満足させられたかね？」

ボーデンはのたくる放電からほんの少ししか離れていないところに、根が生えたかのようにまだつっ立っていた。両腕に幼い息子を抱えているわたしには、ニッキーの表情が見えた。男の子が自分とおなじくらい怯えている。のがわかった。

「こいつはなにも証明していない！」ボーデンは怒鳴った。

父の反応は、からくりの内部にある柱の一本にとりつけられている大きな金属製のハンドルを閉じることだった。すぐにジグザクを描くエネルギー・ビームがその大きさを倍加させ、檻の木の板のまわりを、いっそうすばやさを増して、のたくった。騒音は耳を聾さんばかりになった。

「はいってきたまえ、ボーデン」父が怒鳴った。「はいってきて、自分の目で見るがいい！」

驚いたことに、父は穴から出て、地下室の床にあがり、二本の木の板のあいだに立った。たちまちいくつもの電気の光が父のまわりで光り、その体の周囲で恐ろしげな音を立てた。一瞬、父は放電に包まれ、炎に舐めつくされた。父は電気と溶けあい、体のなかから照らされているように見えた。身の毛もよだつ脅威にさらされた様子だ。ついで父はさらに一歩まえへ進み、そこから抜けだした。

「怖いんじゃないか、いいか、ボーデン？」父は辛辣な言葉を投げつけた。

父の頭髪が頭皮から逆立ち、袖口から覗く体毛も跳ね上がっているのが見えるくらい、わたしはそばに近づいていた。父の服はまるで空気をはらんでふくれあがっているかのように妙に着崩れた感じになっており、数秒間電気を浴びた結果、わたしの光にくらんだ目には、皮膚が永遠に青く輝くようになったかのごとく映った。

「畜生、くそったれ！」ボーデンは叫んだ。

ボーデンは父のほうを向き、恐怖にこわばっている子どもを父に向かって押しやった。ニッキーは父親にしがみつこうとしたが、ボーデンはむりやり押しだした。父はしぶしぶ男の子を受け取り、おずおずと抱きかかえた。ニッキーは恐怖に泣き叫び、逃れようともがいた。

「さあ、飛びこむんだ！」父はボーデンに向かって怒鳴った。「あと何秒もないぞ」

ボーデンは一歩まえに進んで、電気ゾーンの端まできた。わたしの父はボーデンのそばに立ち、一方ニッキーは悲鳴をあげ、父親を求めて泣き叫びながら両手を伸ばしていた。

放電の波打つ青い蛇がボーデンの目と鼻の先で狂おしく動いていた。ボーデンの髪の毛が逆立ち、両の拳を握りしめては弛めることを繰り返しているのが見えた。一瞬、ボーデンは頭をまえに倒した。その瞬間、即座に触手の一本がボーデンに気づき、その首からすると降りて、肩と背中を伝い降り、足のあいだの床に音高く跳ね散った。

ボーデンは恐怖にかられて飛び退き、わたしはこのおとなを気の毒に思った。

「できん！」ボーデンはあえいだ。「このいまわしい機械のスイッチを切ってくれ！」

「きみが望んだことじゃないのか？」

父は狂気にかられていた。クライヴ・ボーデンから離れ、まえに進みでて、電気の凄まじい弾幕のなかにはいっていった。即座に半ダースの触手が父と男の子に巻きつき、ふたりを致命的な青い光で染めた。頭髪がすべて逆立ち、見たこともないほど恐ろしい姿に父を変えていた。

父は穴のなかにニッキーを投げいれた。

父はうしろへ下がり、凄まじい弾幕から逃れた。両手両脚を激しくばたつかせながら、ニッキーは落ちていき、再度悲鳴をあげた。絶望的な叫びだ。恐怖そのものと、孤独と、見捨てられることに対する恐れからなる、長々とつづく叫びだった。

ニッキーが地面に落ちるまえに装置が光を爆発させた。頭上の電線から炎が飛び立ち、爆発音が激しく鳴り響いた。木製の支柱が内部からの圧力で外側へ膨れるかに見え、光の触手は、尖った鋼鉄同士がこすれあうときのようなかん高い音とともに萎んでいった。

ぞっとする余韻を残して、ついにかかる事態は終わった。濃い青色の煙が重く空気にたれこめ、地下室の天井を外へ向かってじりじりと広がっていった。装置はようやく静かになり、まったく動かなくなった。ニッキーは装置の下の堅い地面の上でじっと横たわっていた。

どこか遠くで、ニッキーの恐怖に充ちた悲鳴がまだ反響しているように聞こえた。

3

電気の炎のまばゆい光で、目がなかば見えなくなった。耳は大音響にわんわんと鳴っていた。心はたったいま目撃したもののショックでひどく乱れていた。

わたしは煙をあげている穴の光景に引き寄せられ、まえに進みでた。そこは静まりかえり、どうやら動きを止めているものの、脅威をたたえていた。それでも自分が否応なく引き寄せられるのを感じていた。まもなくわたしは穴の縁に立ち、母の隣にきていた。以前に何度もしたように、手が自然と上に伸び、母の指にからみあった。母も激しい嫌悪感と信じられない思いを抱えて、下を見つめていた。

ニッキーは死んだ。顔は悲鳴をあげたそのときの表情を凍りつかせていた。手足がねじまがっている。わたしの父によって穴へ投げこまれ、手足をばたつかせたまま写した、スナップ写真さながらに。仰向けに横たわっていた。髪の毛は電場を通過したときに総毛立ち、こわばった顔をつつむように立ちあがっていた。

クライヴ・ボーデンは惨めさと怒りと絶望がないまぜになったやりきれない叫びを発すると、穴に飛びこんだ。地面に身を投げだし、息子の遺体を腕にかき抱き、手足を正常な位置へそっともどそうとし、片手でニッキーの頭を抱え、ほおずりしながら、体の内奥からこみあげてくる嗚咽に肩を震わせていた。

母はといえば、まるで初めてわたしがそばにいることに気づいたかのようにふいにわたしを両腕で抱き、スカートにわたしの顔を押しつけてから、抱きあげた。母は足早に地下室を横切り、わたしをこの惨事の場から連れ去ろうとした。

わたしは母の肩越しに地下室を見る格好になっており、すぐに階段にたどりつこうとしていたが、最後に父の姿が目にはいった。父は穴を見おろしていた。その顔には二十年以上経ったいまでも、身震いするような嫌悪感とともに思いだすことができる無慈悲な満足感が浮かんでいた。

父はなにが起こるのかわかっていたのだ。むざむざそれを許した。いや、父が起こさせたのだ。父のたたずまいと表情が雄弁に物語っていた——自分の言い分が正しいことを証明してやった、と。

使用人のスティンプスンさんが床にしゃがみこみ、両手で自分自身をかき抱いていることにも気づいた。頭をうなだれて。

その直後に起こったことに関する記憶をすべて、わたしは失ったか、抑えこんでしまった。覚えているのは、翌年学校にはいったことと、何度か学校を変わり、新しい友だちをこしらえ、徐々に成長して、子ども時代を脱したことだけだ。まわりに正常な日常がどっと押し寄せていた。まるで、目撃したおぞましい場面のばつの悪いつぐないを大量にほどこされたかのように。

父がわたしたちを置いて出ていったときのことも思いだせない。それが起こった日付は知っている。母が晩年つけていた日記にその記述を見つけたからだ。だけれど、そのときの自分の記憶はなくなっていた。日記のおかげで、その離別に関する母の気持ちと、その後の環境の変化のことも知っている。わたしとしては、幼いころ父が屋敷にいたときの漠然とした感覚を覚えているだけだ。こちらを不安にさせる、予測のつかない人物で、ふたりの幼い娘たちの人生からいなくなってありがたかった。また、父がいなくなったあとの暮らしも覚えている。父の不在を強く意識しつつ、ロザリーとわたしがそのことで享受でき、以来ずっとつづいている安心感を覚えている。

父が出ていった当初、嬉しかった。いまのように、父を恋しく思うようになったのはもっと歳を取ってからだった。父はまだどこかに生きているにちがいないと信じている。さもなければ連絡があるはずだから。わたしたちの財産は、複雑に管理されており、父はいまだに権利を有している。ダービーの事務弁護士《ソリシタ》が管理する一家の信託財産があり、ソリシタは父と連絡を取っているらしい。土地と建物と爵位はいまだに父名義だ。税金のような直接経費の多くは、信託財産から支払われており、それ以外の預金はロザリーとわたしがいまでも利用できる。

父からの最後の連絡は、五年ほどまえ、南アフリカから届いた一通の手紙だった。ちょっと立ち寄っただけだ、と父はそこに書いていたが、どこから、あるいはどこへ行く途中だったかは記されていなかった。父はいま七十代で、おそらく自分の経歴を隠して、ほかの英国人異郷生活者とともにどこかをほっつき歩いているのだろう。人畜無害な、少々変わり者で、詳しいことは語らない、元外務省職員。わたしは父を忘れられない。どれほど時が経とうとも、わたしの脳裏に浮かんでくる父は、必ずや殺してしまうとわかったうえで、幼い男の子を機械へ投げこんだ冷酷な表情をした男だった。

クライヴ・ボーデンはその夜のうちに屋敷を発った。ニッキーの遺体がどうなったのかわからないが、ボーデンがいっしょに連れ帰ったのだろう、とずっと思っている。わたしはとても幼く、両親の権威を最終的なものと受け入れており、警察は少年の死に関心を示さないだろうと話されると、両親の言うことを信じた。じっさい、彼らの言うとおりに思えた。

後年、いかにそれがまちがったことかわかるくらいの歳になったとき、なにがあったのか、思い切って母に訊ねた。それは父が家を出ていったあとのことであり、母が亡くなる二年ほどまえのことだった。

過去の謎が解決するときがついに訪れ、あのときの闇の幾分かは晴れるものとわたしには思えた。また、それを自分自身の成長の徴として見ていた。母には娘に心を開き、娘をおとなとして扱ってもらいたかった。その週のはじめに父からの手紙を母が受け取っているのを知っており、わたしはそれをこの話題を持ちだすきっかけに利用した。

「どうして警察は訊問にやってこなかったの？」あの夜のことを話したいのだとはっきりさせてから、わたしは訊いた。

母は言った。「その話はいっさいしません、キャサリン」

「お母さんがしないという意味でしょ」わたしは言った。「でも、なぜ、お父さんは家を出ていったの？」

「それはあなたがお父さんに訊いたら」

「わたしにできないのはわかっているくせに。事情を知っているのはお母さんだけよ。お父さんはあの夜ひどいことをしたわ。だけど、理由がわからないの。方法すらわからないわ。警察はお父さんの行方を捜しているの？」

「警察はわたしたちの生活にいっさいかかわっていません」

「どうして？　お父さんはあの男の子を殺したんでしょ？　それは殺人でしょ？」

「みんなあのとき処理されたの。なにも隠すものはないし、やましく思うこともなにもないのよ。わたしたちはあの晩起こったことの代償を払いました。もちろん、ボーデンさんの被害がいちばん大きかったけれど、わたしたち家族みんなの人生に与えた影響をご覧なさい。わたしはあなたが知りたがっていることはなにも話せません。なにがあったか自分で見たでしょ」

「それで終わりだなんて信じられないわ」

「キャサリン、こんな質問をするべきではありません。あなたもあの場にいたんだから。ほかのわたしたち同様、あなたにも罪があるの」

「わたしはたった五歳だったのよ！　いったいそんな子どもにどんな罪がありうると言うの？」

「もし疑いを持っているなら、自分で警察に通報できたはずです」

母の冷静かつ堅固な態度をまえにして、わたしの意気地はくじけた。当時、スティンプスン夫妻はまだわたしたちのところで働いていたので、おなじ質問をスティンプスンさんにぶつけた。丁重に、ぎこちなく、簡潔に、氏は起こったかもしれないことについてなにも知らないと断言した。

4

母はわたしが十八歳のとき亡くなった。その知らせで父が永年の海外放浪からようやくもどってくるのでは、とロザリーとわたしはなかば期待していたが、そういうことは起こらなかった。わたしたちは屋敷にとどまったが、ここが自分たちのものであるということが徐々にわかりはじめた。わたしたちの反応は異なっていた。ロザリーは次第にここから離れようとし、結局、引っ越していった。わたしはここにとらわれるようになり、結局、いまでもここで暮らしている。どうしても振り払うことのできない罪の意識が、わたしをしばりつける理由の大半だ。地下室で起こったことに対するものだ。すべてがあのときの出来事に集中しており、やがて、あのとき起こったことから解放されるには、自分からなんらかの手を打たねばならないと悟った。

ついに勇気を奮い起こし、地下室へ降りていき、わたしが見たものがなにかまだそこに残っているのか確かめようとした。

それをするのに夏のある一日を選んだ。その日、友人たちがシェフィールドから訪ねてきてくれ、屋敷を、ロックと若者たちの話し声と笑い声で充たしてくれた。自分がなにを計画しているかだれにも話さず、庭での会話からこっそり抜けだし、屋敷のなかにはいっただけだ。景気づけにワインを三杯飲んでいた。

扉の鍵はボーデン来訪後すぐに変えられており、母が亡くなったとき、わたしがまた変えた。もっとも、なかへはいろうとはけっしてしなかったのだが。スティンプスンさんと夫人はとっくに亡くなっていたが、ふたりも、そのあとでやってきたハウスキーパーたちも、地下室を倉庫として使っていた。わたしはずっと神経過敏で、地下室の階段のそばにすら近寄らなかった。

だが、その日、どんなことがあろうとやりぬくつもりだった。このときのため、しばらくまえから心構えをしてきた。扉を通ると、内側から鍵をかけ(わたしがほどこした変化のひとつがこの内側の鍵だ)、電灯をつけ、地下室へ降りていった。

さっそく、ニッキー・ボーデンを殺した装置を探したが、意外ではなかったものの、それはもはやなかった。しかし、円形の穴は床の中央に残っており、わたしはそこへ近づいて調べてみた。それはほかのコンクリート敷きの部分よりも、新しく開けられたように見えた。はっきりとした意図を持って、掘り返されたのは明白だった。何本もの鉄のつなぎ材が一定の間隔でコンクリートの側面に穴を開けて差しこまれており、装置の木の板を止めるための支えの役割を果たしていたようだった。頭上の天井には、穴の中央の真上に、大きな接続箱があった。太いケーブルが地下室の壁に設置された変圧器につながっていたが、接続箱そのものは、汚れ、錆が浮いていた。

接続箱から放射状に天井に無数の焦げ跡があるのに気づき、だれかが白いエマルジョンペイントをその上に塗っていたものの、透き通ってくっきり跡が見えていた。

それ以外に装置がここにあったことを示す徴はいっさいなかった。

しばらくして、装置自体が見つかった。ほぼひとつの壁一面に沿ってきちんと積まれている木箱やケース、大きな謎めいた物体などを調べたときのことだ。そこが曾祖父の奇術道具をまとめて置いてある場所だとすぐにわかった。たぶん、曾祖父が亡くなって以来。いちばん手前近くに、目立たぬように積まれているのは、ふたつの頑丈な木箱で、それぞれがとても重く、わたしが押しても引いてもびくともしなかった。ましてや、ひとりで地下室から出すなどとうていむりだった。長い歳月を経てかなり色あせているものの、木箱のひとつに黒くステンシル刷りされているのは、輸送先の地名だった——デンヴァー、シカゴ、ボストン、リヴァプール（イングランド）。積荷目録がまだ側面にステープル留めされていたが、ぼろぼろになっており、触ったら手にくっついて剝がれてしまった。最寄りの照明にそれをかざすと、「中身——科学装置」とカッパープレート書体でだれかが書いているのがわかった。両方とも、四辺に金属製の輪っかがついていて、持ちあげやすくなっており、木箱全体に握りがたくさんついていた。

わたしはふたつの木箱のうち手近なほうを開けようと、蓋の端に沿って指で探り、むりやり開ける方法を見つけようとしたが、驚いたことに、蓋は上向きに軽く持ちあがり、なんらかの仕組みで途中でほどよく止まった。あの夜、目にした電気装置の仕掛け部分を見つけたのがすぐにわかったが、すべてばらばらにされていたので、脅威はどこにもなかった。

上蓋の裏側に、大きなカートリッジ紙が何枚も貼りつけられており、相当な時間が経っているのに、反り返りも、黄変もしておらず、そこに達筆ながら、小さく、神経質そうな筆跡で指示が書かれていた。最初のいくつかの指示をざっと眺めた――

1 現場でのアース接続をおこない、よく確認し、テストすること。もし不調なら、先へ進んではならない。アース接続の設置、確認、テスト方法に関する詳細は、下記（27）を参照のこと。つねに電線の色を確認すること――添付の図表を参照のこと。

2 （アメリカ合衆国あるいは英国で使用しない場合）現地の電気アンペアを測り、確認し、テストすること。小箱4・5・1にある装置を用いて、電流の種類、電圧、周波数を測ること。主変圧器の調節は、下記（15）を参照のこと。

3 装置組立ての間に、現地電気供給の信頼性をテストすること。プラスマイナス25ボルトの逸脱がある場合、装置を稼働させぬこと。

4 部品を扱う際には、かならず小箱3・19・1にある絶縁手袋を着用すること（スペアは、3・19・2にあり）。

などなど、組立てを指示する膨大なチェックリストがあり、その多くは、技術用語や科学用語を用いたものだった（その後それらのコピーを取るようにして、いまは屋敷のなかにコピーを置いてある）。すべてのチェックリストには、「F・K・A」のイニシャル署名がなされていた。

第二の木箱の蓋の裏側にも、同様の指示書きがあり、装置を安全に電源から外し、分解し、部品を木箱のなかの正しい位置に収める方法が記されていた。

この瞬間《とき》、自分の曾祖父がじっさいにどんな人間だったのか、わかりかけた。つまりなにが言いたいかと言うと、曾祖父がなにをおこない、なにができ、人生においてなにを成し遂げたのか、というのが感覚的にわかったのだ。そのときまで、たんなる先祖のひとりにすぎず、屋敷に遺物を遺している大おじいさまにすぎなかった。どんな人物だったのか、その片鱗をかいまみた瞬間だった。几帳面な指示書きが添えられたこの木箱が曾祖父のものであり、指示書きは曾祖父によって、あるいはもっと可能性が高いのは、曾祖父のためにほかのだれかが記したものだった。わたしはその場に長いこと佇み、曾祖父がアシスタントたちといっしょに、装置の荷ほどきをし、時計と競争で、最初の舞台にまにあわせようとセッティングしている様子を想像した。曾祖父のことはまだなにも知らないに等しいけれど、ようやく、かの人がおこなったことを把握し、どうやってやったのかを多少知り得た。

（おなじ年、あとでわたしは曾祖父の遺物の残りを整理した。そのことも曾祖父の人となりについて知る助けになった。曾祖父の書斎だった部屋は、きちんとファイルされた書類が山ほどあった——通信文書、請求書、雑誌、公演契約書、旅行関係書類、ちらし、劇場のプログラム。曾祖父の人生のかなりの部分がそこにきちんとファイルされており、地下室にはさらにたくさんのものが収められていた——ショーの衣装や道具一式が。衣装の大半は、年を経てぼろぼろになっており、捨ててしまったが、イリュージョン用キャビネットのたぐいは、まだ動くか、修理可能であって、お金が必要なことから、わたしは状態の良いものを奇術関係の蒐集家に売却した。また、ルパート・エンジャの奇術関係書のコレクションも処分した。買いにきた人たちから、ルパートの持ち物の多くは貴重なものであったが、骨董的な意味合いにおいてであることを知った。現代の奇術師にとって、物珍しさ以上の価値があるものはほとんどなかった。偉大なるデントンがおこなったイリュージョンの大半は、今日ではありふれた演目であり、専門家や蒐集家にとって、なんら驚くようなものは含まれていなかった。例の電気仕掛けは売らなかったので、あれはまだ木箱にはいって地下室にある)

予定していなかったものの、地下室に降りていくことで、子ども時代の恐怖を消し去る結果になった。たぶん、その歳月のあいだにわたしが成長しておとなになったというだけのことかもしれないし、ほかの家族が不在のなかで、この家の実質的な長になったというだけのことかもしれない。理由はともあれ、古びた茶色い扉から出て、鍵をかけると、あのころからずっとつきまとわれていた歓迎しないなにかをやっと追い払うことができたと思った。

だが、それだけでは充分ではなかった。幼い少年があの晩、無惨にも、しかもよりにもよってわたしの父親に殺されたという事実は、どんな言い訳も立たない。

その秘密がわたしの人生にそっと忍びこみ、自分がするあらゆることに間接的に影響を与え、感情面で自分を抑制し、わたしを非社交的な人間にした。わたしはこの屋敷で孤立している。めったに友人を作ることがなく、恋人を望まず、仕事でキャリアを積むことはわたしの関心事ではない。ロザリーが結婚するため出ていって以来、わたしはここにひとりで暮らしてきた。両親同様、犠牲者として。

両家の確執が過去にわたしの家族にもたらした狂気から、距離を置いておきたかったのだが、成長するにつれて、それから逃れる唯一の方法は、それに立ち向かうことだとますます強く思うようになっていった。わたしは、どのように、なぜ、ニッキー・ボーデンが死んだのかを理解するまで、自分の人生を送ることができないのだ。

ニッキーの死がじわじわとわたしを苦しめている。あの男の子についてもっと知れば、あの夜、あの子の身にほんとうになにが起こったのかわかれば、この強迫観念も止むだろう。自分の一家の過去について学ぶにつれ、否応なく、ボーデン家のことも学ぶようになった。わたくしはあなたのことを調べたの、アンドルー。あなたとわたくしがこの件の鍵だと思ったから――あなたはただひとり生き残っているボーデン家の人間で、わたくしが事実上、最後の生き残っているエンジャ家の人間だから。

理屈に合わないことは百も承知だけど、ニッキー・ボーデンがあなただったとわかっているの、アンドルー。そして、どうにかして、あなたがあの試練を生き残ったのだ、とわかっているわ。

5

雨は、夜のあいだに雪に変わり、アンドルー・ウェストリーとケイト・エンジャが夕食のあとも席をおなじくしているあいだも降りつづけていた。ケイトの話を聞いても、当初、アンドルーはなんの反応も示さないように見えた。というのも、空になったコーヒー・カップをただじっと見下ろして、スプーンを指でいじっているだけだったからだ。やがて、体を伸ばしたいな、とアンドルーは言った。部屋を横切り、窓辺に行くと、庭を見渡し、両手を首のうしろで組んで、頭を左右に振った。庭は真っ暗で、アンドルーの目になにも映っていないのがケイトにはわかっていた。屋敷の裏手にある主道は、地所よりも一段低いところにあり、屋敷のこちら側は、芝生と森と徐々にのぼっていく丘があるばかりで、その先は、カーバー・エッジの険しい岩山になっていた。アンドルーはしばらくその場所から動かずにいた。顔を見ることができなかったが、ケイトは、アンドルーが目をつむっているにちがいないと感じた。あるいは、暗闇をぽかんと見つめているだけなのか。

やがて、アンドルーは口を開いた。「わたしの知っていることをすべてお話ししましょう。わたしはいまあなたがお話しされたのとおなじくらいの歳に、双子の兄弟の消息がわからなくなってしまったんです。たぶん、あなたがおっしゃったことが、それを説明するんじゃないかな。ですが、双子の片割れの出生は記録にないので、あいつが存在していることを証明できないんです。だけど、あいつが実在しているのはわかっています。双子が一種の共感を抱くのは聞いたことがありますよね？　わたしが確信しているのはその感覚があるせいです。ほかにわかっているのは、あいつがなんらかの形で、この屋敷と結びついていることです。きょう、ここにやってきたときから、ずっとあいつの存在をここに感じています。どうしてかはわからないし、説明もできないんですが」

「わたくしも記録を調べてみました」ケイトは言った。「あなたには双子がいません」

「公文書をみだりに変更できたりするもんでしょうか？　そんなことは可能なんだろうか？」

「わたくしも不思議に思っています。もしあの男の子が殺されたなら、記録をごまかす方法をだれかが探すのに充分な動機にならないかしら？」

「たぶんなるでしょう。わたしがはっきり断言できるのは、わたしはそのことをなにも覚えていないということなんです。すべてが空っぽです。実の父親、クライヴ・ボーデンのことさえ覚えていないんですよ。その子どもはわたしのはずがありません。わたしだと考えることすらばかげてます。ほかのだれかのはずに決まってますよ」

「でも、あれはあなたの父親だったわ……それにニッキーはあの人のひとり息子だった」

アンドルーは窓から振り返り、椅子にもどった。ケイトの椅子とのあいだには、幅広いテーブルがある。

「いいですか、可能性はふたつ、ないし三つしかない」アンドルーは言った。「その男の子がわたしであり、わたしは殺され、いまわたしは生き返っている。どう考えたって、こんなのはまったく意味をなさない。あるいは、死んだ男の子がわたしの双子の兄弟であり、その子を殺した人物が、おそらくはあなたの父親が、あとで公文書を改竄させた。率直に言って、そんなことも信じられない。あるいは、あなたが勘違いして、子どもは生き延び、その子がわたしだったかもしれないし、あるいはわたしじゃなかったかもしれない。あるいは……あなたがすべてを想像でこしらえたのかも」

「いいえ。わたくしが想像したんじゃありません。この目で見たのがなんだかわかっています。とにかく、母もそのことを認めたも同然でした」ケイトは自分の持っているボーデンの本を手にとり、あらかじめ紙片をはさんで印をつけていたページを開いた。「もうひとつの解釈があります。それもほかのとおなじくらい、論理的じゃないのだけど。もしあなたがあの晩、殺されていないなら、なんらかのトリックだったかもしれない、という考え。あの夜わたくしが見た装置は、舞台イリュージョンのために作られたものだったわ」

ケイトは本を回し、アンドルーが読めるように差しだしたが、アンドルーのほうは手を振って、退けた。

「なにもかもばかげてますよ」アンドルーは言った。

「わたくしはこの目で見たの」

「ご自分の見たものを見誤ったのか、あるいはほかのだれかの身に起こったことなんでしょう」アンドルーはカーテンを引かれていない窓にふたたび視線を走らせ、上の空で腕時計を見た。「携帯電話を使ってかまいませんか？　両親に遅くなると伝えないと。ロンドンの自分の部屋にも電話したいんで」

「今晩はここに泊まっていただくわ」アンドルーが一瞬にやっとしたので、ケイトは言い方をまちがえたのに気づいた。この男性がある種素朴なみだらさを感じさせる、そこそこ魅力的な相手であることに気づいていたが、どんなときもセックスのチャンスをうかがっているたぐいの男のように思えた。「つまり、ミセス・マーキンに客室を用意させます、という意味です」

「夫人にその用意が必要ならばね」

この部屋で食事をしにはいるまえにもそうしたあやしい瞬間はあった。ライウィスキーを飲ませすぎたのか、自分の家族と相手の家族のあいだに融和しがたい食い違いがあったと言いすぎたのかもしれない。あるいは、そのふたつの組み合わさった結果かもしれない。午後のあいだときどき、アンドルーが堂々とあからさまに流し目を寄越す様子を、このときまでケイトはけっこう気にいっていたのだが、一時間半まえ、食事にこの部屋にくる直前に、アンドルーは両家のあいだにある種の仲直りを試みたいということをはっきり提案した。最後の子孫である、ふたりだけで。ケイトは心の片隅では嬉しく思ったが、アンドルーが思っていたことと、ケイトが思っていたことはべつだった。ケイトは自分流にできるだけおだやかに、アンドルーを退けたのだった。

「お酒を飲んでいて、雪のなか、運転できます？」ケイトは訊いた。

「できますよ」

だが、アンドルーは椅子から立とうとしなかった。ケイトはボーデンの本をテーブルの上に伏せて、ふたりのあいだに置いた。開いたページを下にして。

「いったいわたしにどうさせたいんです、ケイト？」アンドルーが訊いた。

「もうわからないわ。たぶん、最初からなにもわからなかったんでしょう。クライヴ・ボーデンが父に会いにきたとき起こったのも、こんなことじゃなかったのかしら。ふたりとも、なにかを解決しようとしなければならないと感じ、試みてみたものの、昔の不和が相変わらず問題になってしまった」

「わたしに興味があるのはたったひとつだけです。わたしの双子の兄弟がこの家のどこかにいます。きょうの午後、あなたの曾祖父の遺品を見せていただいてからずっと、わたしはあいつの存在に気づいているんです。立ち去るな、こい、見つけにくるんだ、とあいつが言うんですよ。こんなにも強くあいつのことを意識したのは初めてだ。あなたがなにを言おうと、出生記録がなにを示そうと、一九七〇年にこの屋敷にやってきたのは、わたしの兄弟だと思います。そして、あいつがなんらかのかたちで、まだここにいると思っています」

「その人が存在していないという事実にもかかわらず」

「ええ、にもかかわらず。同時に、わたくしたちはふたりとも、その晩に起こったことに、ひどくおかしなところがあるのを知っています。あるいは、少なくとも、あなたは知っている」

ケイトはそれには答えなかった。というのも、ケイト自身、袋小路に陥っているのを感じていたからだ。アンドルーの指摘は、ずっとまえから知っていたこととおなじものだった――確かに死んだ幼い男の子がのちにどうにかして生き延びていたのを突き止めた。その少年だった人物と会ってもなにも変わらなかった。確かにこの男だった。しかし、この男ではなかった。

ケイトは自分のカップにブランディーをたらした。アンドルーが言った。「電話をかけられる場所がありますか?」

「この部屋を使ってください。ここは冬のあいだ、屋敷のなかで一番温かい部屋ですから。調べたいことがあるので、わたくしが出ていきます」

部屋を出ると、ケイトはアンドルーが携帯電話のボタンを押している音を耳にした。メインホールに降り、玄関の扉から外を覗いてみた。雪が五、六センチ積もっていた。雨よけのついている歩道では、雪はなだらかに積もるのだが、谷をさらに下った、主道のあるところでは、雪が生け垣や路肩に吹きだまりかけているのが、わかっていた。ふだんならここからも聞こえる車の行き交う音はなかった。ケイトは屋敷の裏手へまわり、薪小屋に雪が吹きよせられはじめたのを目にした。ミセス・マーキンがキッチンにいたので、客室の用意をするよう頼んだ。

　ミセス・マーキンが食卓を片づけたあと、ケイトとアンドルーは食堂に残って、暖炉の向かいに腰をおろし、日常のさまざまなことを話題にした――アンドルーがかかえている、同棲中の女性とのもめごと、ケイトがかかえている、開発目的で地所の一部をほしがっている地元の議会とのもめごと。だが、ケイトは疲れており、正直言って、こんな会話をつづける気分ではなかった。十一時に、つづきはあしたの朝にしましょう、とケイトは提案した。

　ケイトは客室の場所と、どのバスルームを使えば良いか、アンドルーに教えた。ケイトが驚いたことに、第二の誘いはなかった。アンドルーは相手の歓待に丁重な礼を告げ、おやすみなさいと挨拶すると、それでおしまいだった。

　ケイトは曾祖父の書類の一部を置いてきた食堂にもどった。それらはすでにきちんと端をそろえて重ねられていた――てんでばらばらに紙を散らかすことができない、おそらくは遺伝的特質のなせるわざだ。ケイトのなかの一部は、散らかしたい、のんびりしたい、自由でいたいとつねに願っていたものの、そういうことをしないのがケイトの本性だった。

　暖炉に一番近い椅子に腰を降ろし、足に当たる熱気を感じる。薪を一本投げこんだ。アンドルーがベッドに向かってしまうと、ケイトは眠気が少し去ったように感じた。ケイトを消耗させたのはアンドルーではなかったが、アンドルーに話しかけ、子どものころの記憶を掘り起こしたせいでくたびれていた。そのことを話題にするのは、鬱積された毒をガス抜きするようなもので、ある種の浄化であり、ケイトは気分がましになった。

炉端に座って、あの古い出来事のことを考え、四半世紀のあいだやってきたように、あのことの意味に対峙しようとした。いまだにケイトの核心に恐怖を投げかけてくる。アンドルーが自分の兄弟だと呼んだ男の子が、その中心にいて、過去の囚われ人になっていた。

ちょうどそこへミセス・マーキンがはいってきたので、ケイトは、休むまえに、カフェイン抜きコーヒーを持ってきてちょうだい、と頼んだ。ラジオ4チャンネル放送で、深夜ニュースを聞きながら、コーヒーを口に運び、しばらくすると、BBCワールドサービスがはじまった。目はずっと冴えたままだった。アンドルーがいる客室は食堂の真上にあり、古いベッドのうえで客人が何度も寝返りを打っている音が聞こえた。あの部屋がひどく寒いのは、ケイトにわかっていた。子どものころ、ケイトの寝室だったのだ。

第4部

ルパート・エンジャ

PART FOUR

Rupert Angier

一八六六年九月二十一日

「わが人生のものがたり」

1　ぼくのれきし。ぼくの名まえはロビー（ルパート）・デイヴィッド・エンジャ。ぼくはきょう九つになった。大きくなるまでまいにち、この日記ちょうに書くことにする。

2　ぼくの先ぞ。たくさんいるけど、お父さまとお母さまがさいしょだ。きょうだいがひとりいる――ヘンリー・リチャード・アンガス・セントジョン・エンジャ。ヘンリーは十五さいで、学校に行っている。きしゅく学校だ。

3　ぼくはダービーシャーのコールドロウにあるコールドロウ・ハウスに住んでいる。こんしゅう、のとが痛かった。

4　しようにん――ぼくには、うばがいて、グリアソンがいて、ごごにはべつのメイドと交たいするメイドがいるんだけど、名まえは知らない。

5　書きおえたらお父さまにこれを見せなければならないんだ。おわり。（署名）ルパート・デイヴィッド・エンジャ

一八六六年九月二十二日
「わが人生のものがたり」
きょうお医者さんがまたぼくをみにきて、ぼくはもうだいじょうぶだ。きょうヘンリーから手紙がきていて、上級生、になったから、きょうからヘンリーを「サー」づけで呼ばないといけないんだって。
2　お父さまはぎ会《ハウス》にしゅっせきするためロンドンにでかけてしまわれた。お父さまがもどってこられるまで、この家《ハウス》の長はおまえだ、とお父さまはおっしゃった。ということは、ヘンリーはぼくを「サー」づけで呼ぶことになるんだけど、ここにいないからなあ。
3　手紙を書いたときにこのことをヘンリーにつたえた。
4　さんぽにでかけ、うばと話をして、グリアソンに本を読んでもらったけど、グリアソンはいつものようにとちゅうで、ねてしまった。
きちんとつけているかぎり、これをお父さまに見せなくてもよいことになった。

一八六六年九月二十三日

のとはだいぶ良くなった。きょうはグリアソンといっしょにドライブにでかけた。グリアソンはあんまりしゃべらなかったけど、家をついだら、おまえには出ていってもらうぞ、とヘンリーに言われたそうだ。つまり、ヘンリーが家をついだら、グリアソンは出ていってしまうんだ。もう決められたことですとグリアソンは言ったけど、神さまが望むかぎり、そんなことは何年もさきまで起こらないだろう。

お母さまがぼくに会いにこられるのを待っているけれど、こんばんはおそくなるみたいだ。

一八六七年十二月二十二日

きのうの夜、ぼくや村の男の子や女の子たちのためのパーティーがあった。クリスマスなので、ここによばれたのだ。ヘンリーもここにいたけれど、ほかの子たちがいたのでパーティーにはこようとしなかった。ヘンリーはとってもおもしろいものを見そこなったんだ。パーティーには手品使いがきていたんだ。

その手品使いは、A・プレストさんと呼ばれていたのだけど、ぼくがいままで見たなかで最高のトリックを見せてくれた。さいしょ、なにもないところから、いろんな旗や国旗やカサをたくさんとりだした。つぎにトランプをつかったトリックをいくつかやってくれて、ぼくらにえらばせたカードを当ててみせた。とてもかしこかったよ。男の子の鼻からビリヤードの球をとりだし、ちいさな女の子の耳をつかんで、そこからほんとにたくさんのコインをとりだしてみせた。半分に切ったヒモをもういちどつないでみせた。さいごに、手品をはじめるまえにからっぽだとぼくらに見えるような、ちいさなガラスのハコから白いトリをとりだしたんだ！

どうやったらそんなことができるのかおしえてほしいと、ぼくはなんどもなんどもたのんだけれど、プレストさんはけっしておしえてくれなかった。ほかの子どもたちが帰ってしまったあとでも、なにをいってもあの人の気持ちをかえることはできなかった。

きょうの朝、ぼくにかんがえがひらめいた。グリアソンに車でシェフィールドまで行かせ、見つかるかぎりの手品のタネを買って、どうやったら手品をできるのかおしえてくれる本があるかどうかたしかめてくるようにたのんだんだ。グリアソンはなかなか帰ってこなかったけど、やっとぼくがほしかったものをほとんど買ってかえってきてくれた。トリをかくしておいて、手品でとりだすことができるちいさなガラスのハコもあった。（ハコにとくべつな底がついているんだ――かんがえつかなかったよ）ほかのトリックはちょっとむずかしくて、れんしゅうしなければならない。だけど、ほかの人がえらんだカードを当てる手品はもう学集したので、なんどかグリアソンあいてにためしてみた。

一八七一年二月十七日
きょうの午後、この何カ月かではじめて、お父さまにふたりきりで会うことができ、状況はヘンリーからまえもってくわしく聞かされていたのと、ほぼおなじであるのを確認した。いま現在、そのことで手を打てそうなことはなにもない。ろくでもない仕事をがまんしてやる以外に。
できることなら、よろこんでヘンリーを殺してやるのに。

一八七三年三月三十一日
きょう、ぼくはこの二年間の記述をすべて取りはずして、捨てた。学校から帰ってきて最初にやったのがそれだ。

一八七三年四月一日
学校から帰宅。やっとこの日記を書くだけのじゅうぶんなプライバシーがある。
ぼくの父、十二代コルダーデイル伯は、三日まえの一八七三年三月二十九日に亡くなった。兄ヘンリーが爵位と土地と財産を襲う。ぼく自身と母、生意気であれ、謙虚であれ、家の使用人全員の未来は、いまやふたしかになった。屋敷の未来すら、あてにならない。というのも、ヘンリーは劇的な変化をもたらすと、ずっとまえに公言していたからだ。ぼくらには待つことしかできないが、当面のあいだ、屋敷は葬儀の準備でそれどころではない。

お父さまはあす、地下の納体所に納められる。

けさ、将来について、多少楽天的な気分になっている。午前中ずっとこの部屋にこもって、奇術の練習をしていた。この分野におけるぼくの進歩が、この日記のページの廃棄につながっている。なぜなら、最初から、手妻に上達するまでどれくらいかかったかを詳しく記録につけていた……けれどもそれらの記録は、ほかの記録を消そうと決めたときにいっしょに消してしまわねばならなかった。いまや人まえで披露できるほどの腕前になったと信じていると言えば充分だろう。まだ、全力で試してみたことはないけれど、学校の仲間に新しいトリックを見せたことはたびたびある。連中は奇術にろくすっぽ興味がなく、おまえのタネを知ってるぞと言いつのる者もなかにはいたが、嬉しいことに、一、二度、連中がほんとにとまどった表情を浮かべるのを見た。

あわてる必要はない。ぼくが読んだどの奇術の本も、急いではならない、と初心者に助言をしている。入念に用意をすれば、腕前が優れているのとおなじくらい人を驚かせるのだ、と。もし相手がこちらの正体を知らずにいると、こちらの人となりに、そしてこれからすることに対して、神秘性が増すのだ。

そう言われている。

ぼくの奇術を使って、お父さまを生き返らせることができたらいいのに、と願っているし、それは最大限の悲しみがつづくこれからの数週間のあいだ、唯一の願いでもあるだろう。利己的な願いだ。なぜなら、そうなれば、三日まえまでの生活がまちがいなくもどってくるだろうから。でも、強い愛情のこもった願いでもある。なぜなら、ぼくはお父さまを愛していたし、お父さまがいないことでもう寂しくなっているし、逝去を悼んでいるからだ。お父さまは四十九歳だった。心臓疾患の犠牲者になるには、若すぎる。

一八七三年四月二日

葬儀がとりおこなわれ、お父さまは眠りについた。礼拝堂での儀式のあと、亡骸は、東の丘の下にある家族の地下納体所へ運ばれた。会葬者がみんな一列になって納体所の入り口まで歩いた。ヘンリーとぼくが、葬儀屋とそこの職員とともに、棺を地下へ運んだ。

そのあと起こったことに対して、ぼくはなにも心構えをしていなかった。地下納体所は、丘の地下にひろがる巨大な自然の洞窟のようで、家族の墓室として使うため、拡張されたものだった。なかは真っ暗で、足元の地面はでこぼこで、ごつごつしており、空気は臭かった。たくさんの鼠を見かけ、無数の角張った棚が通路に突きでており、暗闇のなかを歩くと、しょっちゅうぶつかって痛い思いをさせられた。ぼくらはランタンを持っていたけれど、いったん階段を降りきり、日の光が届かなくなると、ほとんど役に立たないのがわかった。葬儀屋たちは仕事柄これを平然と受けいれていたが、そんな状況では、棺をかつぐのはきわめてむずかしかったにちがいない。もっとも兄とぼくにとっては、短いが重要な試練だった。適当な棚を見つけ、棺を置くと、古参の葬儀屋が聖書の言葉を節をつけてとなえ、ぼくらはぐずぐずせずに地上にもどった。数分まえにあとにした明るい春の日差し溢れる朝にもどってくると、東の芝生はラッパ水仙の花綵《はなづな》で飾られ、まわりの木々が芽吹いていたが、少なくともぼくの場合、あの暗い隧道《トンネル》での一時滞在が終日影を投げかけていた。頑丈な木の入り口が閉ざされると、ぼくは身震いしたが、大昔の壊れた棺や埃、臭い、場所自体の生命力を欠いた絶望感の記憶を振り捨てることができなかった。

夜

一時間かそこらまえに儀式がおこなわれた。この言葉を用いているのは、意図的なものだ。きょうという一日は、まさにこの儀式を中心に築かれていた。この儀式、すなわち、父の遺言書読み上げにとって、納体はたんなる前座にすぎなかった。

ぼくらはみな、主階段下のホールに集められた。父の事務弁護士《ソリシタ》、サー・ジェフリー・ヒューゼル゠ハントが、一同に静粛を求め、しっかりした、慎重な手つきで、分厚い茶封筒を開封した。封筒のなかには忌まわしき書類がはいっており、折りたたまれた上質皮紙が滑りでた。ぼくはほかの出席者を見まわした。父の兄弟姉妹が配偶者とともに、一部は子どもたちとともに、その場にいた。地所を管理している者、猟獣を管理している者、沼の見回りをしている者、農場や漁場を守っている者が、片側に小さな集団をこしらえていた。その隣に、おなじようにかたまっているのが小作人たちで、期待に大きく目を見開いていた。半円を描いている一団の真ん中に、ぼくらのうしろで腕組みをして立っているのは、この瞬間の中心人物であるヘンリーで、あたりを睥睨《へいげい》していた。

驚くような内容はなにもなかった。もちろん、ヘンリーの主要な相続権は、父の遺言で左右されるものではなく、地所の世襲権も同様だった。だが、処分方法を決めなければならない自由保有権や、株式、現金、貴重品があり、なかでも一番重要なのは、所有権と占有権の問題だった。

お母さまには、これからの半生、母屋の主棟を占有するか、あるいは門のそばの寡婦家屋の完全な占有権をもらうかの選択肢が与えられた。ぼくは、教育を終えるか成年に達するまで、いま自分のものとしている各部屋にとどまっていられることが認められた。その後のぼくの運命はヘンリーの裁量にゆだねられる。ぼくらの個人付き使用人たちの運命は、ぼくら自身の運命と結びついていた。残りの使用人たちは、ヘンリーの意のままに、とどまるか、暇を与えられるかのどちらかだった。

この先のぼくらの人生が明らかにされた。

若干の現金遺産が、父のお気にいりの使用人たちに与えられたが、財産の大多数はいまやヘンリーのものとなった。それが告げられたとき、ヘンリーはなんの動きも示さず、なんのそぶりも見せなかった。ぼくはお母さまにキスをし、地所管理人や小作人たちの何人かと握手をした。

あした、自分の身のふりかたを決めることにしよう。ヘンリーに決められるまえに決断しなければ。

一八七三年四月三日

将来ぼくはなにになるんだ？　学校にもどるまで一週間以上ある。ぼくにとって、最後の学期がはじまるのだ。

一八七四年四月三日

一年ぶりにこの日記にもどってくるのがふさわしいように思える。ぼくはまだコールドロウ・ハウスにいる。ひとつには、二十一歳になるまで、ぼくは法的後見人であるヘンリーの庇護のもとにあるからだ。でも、お母さまがそうしてもらいたがっているからという理由のほうが大きい。

ぼくの世話はグリアソンがみてくれている。ヘンリーはロンドンに住んでいて、そこから毎日議会に出席しているそうだ。お母さまは息災で、ぼくは毎朝、寡婦家屋へ歩いていく。朝がお母さまの一番調子の良いときなのだ。ふたりで、ぼくが成年に達したときなにをできるかについて、役に立たない思いを巡らす。

お父さまが亡くなってから、手品の練習を無視するようになったのだけど、九カ月ほどまえ、ぼくは練習に復帰した。それ以来、熱心に練習しており、舞台奇術の公演を機会があるたびに観にいっている。その目的のため、ぼくはシェフィールドやマンチェスターのミュージックホールまではるばるでかけており、出来不出来はさまざまだが、こちらの興味を刺激するのに充分な出し物を目にしている。イリュージョンの多くはすでになじみのものだけど、少なくとも、どの公演でも最低一回は、わくわくさせられたり、当惑させられるものを目撃できている。それを見たあとで、手品のタネの探索がはじまるのだ。いまでは、グリアソンとぼくは、さまざまな奇術商品の商人や納入業者と知り合いになっており、辛抱強くあれば、求めているものをどうにか手にいれることができていた。

グリアソンは、人員削減された使用人のなかでただひとり、奇術に対するぼくの興味と情熱を知っている人物だ。お母さまがぼくの将来について悲しげに語るとき、ぼくはあえて自分の計画を話さないようにしているけれど、心の奥底では、いずれはダービーシャー州でのなかば死んだような暮らしから抜けだし、追い求めるべき仕事を手に入れてやると意気ごんでいた。購読している奇術専門誌には、トップクラスのイリュージョニストが一回の公演で要求しているとおぼしき途方もない出演料のことが書かれていた。舞台でのまばゆいキャリアに付随している社会的な賞賛は言うにおよばず。

すでにぼくは役を演じている。財産を相続していない貴族舎弟で、貧窮し、後見人から施しをもらう身分で、この雨の多いダービーシャー州の丘陵のなかで、絶望的な暮らしをずるずると送っているという役を。

しかしながら、ぼくは翼棟でじっと待っている。なぜなら、成人したらほんとうのぼくの人生がはじまるからだ！

一八七六年十二月三十一日

アイドミストン・ヴィラ（北ロンドン）

ようやく倉庫から荷物を取りだすことができ、むかしなじみの持ち物をかきまわし、もはや欲しくないもの、もう一度見つけて嬉しいものを区別しながら、陰気なクリスマスを過ごした。この日記は後者にあたり、ついさきほどまでかかって読み通した。

かつて、奇術に関する自分の来し方について詳しく書き記そうと心に決めたことを思いだし、こうしていまこれを書いているが、考えはおなじだ。だけどすでに、その間には大きなギャップが生じている。ヘンリーとの諍いを詳しく記したページを全部破りとってしまい、それとともに、奇術の進捗状況の記録もなくなってしまった。記憶をさかのぼって、その間に学び、稽古したさまざまなトリックや、強制技《フォーシング》や動きなどをまとめるのはとてもめんどうでできない。

　また、二年半以上まえの、最後の記入を見るかぎり、ヘンリーに屋敷から追いだされる成人年齢二十一歳になることをひどく悲観しながら待ち受けているのがわかる。じっさいには、それほど長くは待たず、自分でことを運んだのだが。

　そう、だからぼくはここにいる。十九歳で、ロンドン郊外のまともな街の貸間に暮らしている。過去から解き放たれ、少なくとも二年間は経済的不安を免れている人間だ（というのも、どこに住んでいようと、ヘンリーはぼくに生活費を支給しつづけなければならない）。ぼくはすでに公の場で一度、奇術を披露した。対価はもらえなかったけれど（面目を失ったその機会のことは、ここで詳しく触れないほうが良いだろう）。

　ぼくは、肩書きのない、ただの〝ルパート・エンジャ氏〟になり、こんごもこのままでいるつもりだ。過去にはきっぱり背を向けた。このあたらしい生活では、ぼくが貴族の生まれであるという真実を突き止める者はいまい。

　あしたは元日。奇術に関する抱負をまとめ、決意のほどを書き記すとしよう。

一八七七年一月一日
　午前中の郵便で、何週間も待ち望んでいた書籍をいれた小包がニューヨークから届いて以来ずっと、本に目を通して、アイデアを探していた。

ぼくは奇術を演じるのが好きだ。舞台の使い方、ショーの見せ方、気の利いたセリフやおどけたセリフで観客を楽しませるやり方を研究している……笑い声、息を呑む音、昂奮の喝采のどよめきを夢見る。演じ方を研ぎすませるだけで、トップにのぼりつめることができるだろう。

ぼくの弱点は、説明されないかぎり、イリュージョンの仕組みを理解できないところにある。あるトリックを初めて目にするとき、ほかの観客同様、途方に暮れてしまうのだ。奇術に関する想像力が貧弱で、既知の一般的原理を適用して、望む効果をあげるのがぼくにはむずかしい。すぐれた実演を目にすると、見せられたものに目がくらみ、見られなかったものに困惑する。

あるとき、マンチェスター・ヒッポドロームの舞台で、ひとりの奇術師がガラス製のカラフを全員に見えるように提示した。奇術師がカラフを顔のまえに掲げると、ガラス越しに表情が透けて見えた——カラフを金属の棒で軽く叩き、その軽やかな響きでカラフが均整のとれた、ゆがみのないものであることが知れる。最後に奇術師はカラフを一瞬、逆さまにして、なかが空っぽであることを客に見せる。ついで奇術師は小道具テーブルのほうを向く。テーブルの上には金属製の水差しが載っている。奇術師は水差しからカラフに澄んだ水を半パイントほど注いだ。ついで、舞台の一方の端に設置されているワイングラスが載ったトレイのところへすたすたと歩いていくと、カラフから個々のグラスに注がれたのは、赤ワインだった!

折りたたんだ新聞紙に水を注いだのち、新聞紙からコップに牛乳を注ぎ直すように見せる仕掛けは、ぼくもすでに持っている（新聞紙は不思議なことに乾いたままなのだ）。原理はまったくおなじだったが、見せ方は異なっており、前者は後者とくらべようがないほど見事なものだった。

ぼくは毎月の収入の大半を奇術専門店に注ぎこんでおり、トリックのタネや仕掛けを買い求め、着実にレパートリーを増やしている。金で購えないタネを見破るのは、おそろしいほどむずかしかった！　カラクリがわかったとしても、答えにはならなかった。というのも、競争が激しく、イリュージョニストたちは独自のトリックを生みださねばならないからだ。そのようなイリュージョンが演じられるのを見るのは、苦痛であると同時にやりがいを感じるものだった。

奇術業界のプロたちは新人に対して守りを固め、けっして職業上の秘密を明かさない。いつの日かそちら側に加わって新人を排斥してやりたいものだが、いまのところは、年配の奇術師たちが油断なく秘密を守っているのが腹立たしくてしかたがない。きょうの午後、手品師パネル誌への投書をしたためた。定期購読者のみに頒布されている月刊誌で、トリックの守秘という広くいきわたった、愚昧な強迫観念に関する意見をぼくは縷々《るる》つづった。

一八七七年二月三日

平日は毎朝九時から正午まで、ぼくは奇術や色物を専門にしている四つの大手芸能代理店の事務所のあるすり減った街路を行き来する。それぞれの事務所の外で、お定まりの拒絶にそなえて気合いをいれ、できるかぎり自信ありげな顔を装い、なかに足を踏みいれ、受付に座っている職員に自分の存在を知らしめ、丁寧な口調で、なにか仕事はありませんか、と訊ねる。

いまのところ、答えは判で押したように否定的なものだ。この手の職員の態度はさまざまだったが、たいていの場合、ぼくに対して礼儀正しくあったものの、そっけなく〝ノー〟と言うのだった。

連中が、ぼくと似たような輩《やから》にたえず悩まされているのはわかっている。仕事にあぶれた芸人がまさに列をなして、ぼくとおなじ道をとぼとぼと歩いているからだ。自然と、そのうちの何人かと親しくなった。彼らの大半とことなり、ぼくの懐には多少の金がないということはなく（少なくとも、手当が送られつづけているあいだは）、昼飯どきにせかせかとホルボーンやソーホーのパブへ向かうときには、連中に何杯か酒をおごることができる。もちろん、そのせいで、ぼくは人気があったが、ほかに理由があるからだと思いこむような愚かな考えはしていない。仲間ができて嬉しかったし、乾杯の返礼として、仕事にありついただれかが、いつか、ぼくに多少仕事をまわしてくれるやもしれないという淡い期待もある。

充分快適な暮らしだし、午後や夜には、稽古をつづけるための時間がたっぷり残っている。

　それに手紙を書くための時間も充分ある。ぼくは奇術にかかわる常習的投稿者になった。物議をかもす投稿者だと思う。目を通している奇術専門誌のどの号に対しても投稿するようにしているし、正確かつ挑発的かつ議論のまとになるようにつねに心がけている。世俗にまみれた奇術業界には、正さなければならないところが多々あるという真摯な信念が動機の一部であるものの、人の記憶に残るやりかたで名前を売らないかぎり、自分の名前は知られないだろうという思いもあった。

　本名で書いた投書もあるが、プロのキャリアを積むために考えた名前で書いたものもある――デントンだ。ふたつの名前を使うことで、自分の意見に多少の融通性が生じた。まだ始めて日もないことから、日の目を見た投書はほとんどない。投書が載るようになれば、すぐにぼくの名が人々の口にのぼるようになるだろう。

　一八七七年四月十六日
　ぼくの財政的死刑判決がついに下され、公式のものとなった！　ヘンリーが、事務弁護士《ソリシタ》を通じて、ぼくの手当が二十一歳の誕生日に打ち切られることを通告してきたのだ。コールドロウ・ハウスでの居住権は継続するけれど、すでにぼくに割り当てられている部屋に限られていた。

この宣告をヘンリーがついに口にしたのは、ある意味では嬉しかった。もはや不確実さにつきまとわれることはない。猶予は来年の九月まである。仕事を手にいれそこねているこの悪循環を打ち破るのに残された十七カ月。知られることもなく、ぼくの技倆を見にくる客をつかむこともなく、畢竟《ひっきょう》、つぎの仕事も見つからないこの悪循環を。

これまでずっと芸能代理店をまわって挑戦的な売り込みをかけてきたけれど、いまから、あしたから、あらたなる決意で挑まねばなるまい。

一八七七年六月十三日

もう季節は夏なのだが、遅ればせながら、ぼくに春が訪れた！　ついに仕事の依頼があったのだ！

たいしたものじゃない。ロンドンのホテルで催されるバーミンガム《ブラマジェム》から来た実業家たちの会議で、カード・トリックを演じるもので、出演料はわずか半ギニーだが、これはまさに記念すべき日だ！

十シリングと六ペンス（半ギニーにあたる）！　この部屋の一週間の賃料より多い！　まさに巨万の富だ！

一八七七年六月十九日

日頃、ぼくが研究している本に、ヒンドゥーの奇術師、グプタ・ハイレルが書いたものがある。その本のなかで、ハイレルは、トリックが失敗に終わったときのイリュージョニストへの助言を書いている。そこで述べられている手段はいくつもあるが、その大半は観客の関心をそらせる方法である。だが、ハイレルは諦めの勧めもおこなっている。奇術師のキャリアは失望と失敗に充ちており、そのことを予想し、冷静に受け止めねばならないものなのだ、と。

それゆえ、デントンのプロとしてのキャリアの開始を沈着冷静に記してみよう。ぼくは出だしのトリック（単純なカードの入れ替え）でしくじり、恐怖に凍りついて、残りの出番をだいなしにしてしまった。

出演料は半分の五シリング三ペンスしかもらえず、プロモーターには、もっと稽古を積んでから舞台に立つんだな、と助言された。ハイレル氏もおなじことを本のなかで助言している。

一八七七年六月二十日

絶望のあまり、ぼくは奇術師としてのキャリアを諦める決断を下した。

一八七七年七月十四日
お母さまに会いにダービーシャー州に行っていたが、でかけるまえに陥っていた意気阻喪の気分よりもずっと深い憂鬱に沈んで、もどってきた。それに部屋の賃料が来月からあがって週十シリングになるという知らせも受けた。
自分で生計を立てられるようにならなければならない時までに、まだ一年以上ある。

一八七七年十月十日
ぼくは恋に落ちた！　相手の女性の名前はドルーシラ・マカヴォイだ。

一八七七年十月十五日
性急にすぎた！　マカヴォイなる女性はぼくにはふさわしくなかった。ぼくは自殺することを考えている。もしこの日記を目にすることがある人間が、残りのページが空白であるのを見たとしたら、ぼくが自殺に成功したのがわかるだろう。

一八七七年十二月二十二日

とうとう、ぼくの人生にとって本当に価値のある女性を見つけた！　こんなに幸せな気分になったことはない。彼女の名前はジュリア・フェンゼル。ぼくよりたった二カ月だけ年下で、髪の毛は艶のある赤みを帯びた茶色で、さらさらと顔にこぼれおちている。青い瞳とまっすぐな高い鼻、小さなえくぼのあるあご、口元はいつも笑みをたたえているようで、その足首の細さときたら、ぼくを愛と情熱で狂わせんばかりだ！　彼女はいままで会ったなかで間違いなく最高に美しい女性であり、向こうもぼくが彼女を愛しているくらいぼくを愛していると言ってくれている。

とても信じることができない。この幸運を信用できない。彼女はぼくの抱えているすべての不安、すべての恐れ、すべての怒りと絶望と野卑な渇望を心から追い払ってくれた。彼女はぼくの人生のすべてだ。万が一、不運にまたしても見舞われるときのことを心配して、彼女のことを書くのをはばかられるくらいだ！

一八七七年十二月三十一日

ジュリアのことや、自分のふだんの暮らしのことを書こうとすると、いまだに身震いしてしまう。ことしはもう終わろうとしており、今晩、午後十一時に、ぼくはジュリアとひとつになる。新年が始まったときにいっしょにいられるように。

一八七七年の収入――五シリング三ペンス。

一八七八年一月三日

先月なかばから、毎日ジュリアと会っている。彼女はぼくの最愛のもっとも親しい友人になった。彼女のことはできるだけ客観的に書かなくては。というのも、彼女と知り合ったことで、すでにぼくの運命が変わりきってしまったのだから。

まず、最初に、数カ月まえのランガム・ストリート・ホテルでの散々な出番以来、ぼくはいっさい出演依頼を受けていなかったことを記させてもらいたい。自信は地に落ち、一日、二日のあいだは、芸能事務所をまわろうといううわべの楽観的気分すら浮かばないほどだった。はじめてジュリアと出会ったのは、そんな憂鬱に沈んでいるときだった。以前にジュリアを見かけたことはあった。おなじ芸能事務所詣でをつづけている人間をみな目にしていたからだったが、あまりに美しい女性だったので、とうてい近づく気になれなかった。はじめてたがいに言葉を交わしたのは、グレート・ポートランド・ストリートにある芸能事務所の待合室でいっしょになったときのことだった。暖房がはいっていない、むきだしの板張りの、壁はくすんだ茶色、この世で一番堅いのではないかと思うくらいの座席の置いてある待合室だった。ジュリアとふたりだけになり、相手の存在に知らんぷりができず、ぼくは勇をふるって話しかけた。あたしは女優です、とジュリアは言った。自分はイリュージョニストなんだ、とぼく。最近ようやく少しだけ仕事を手にいれていることがすぐにわかったので、女優というジュリアの表現は、ぼくの場合と同様、建前にすぎなかった。ぼくらはおたがいの似通った二枚舌を面白がっていることに気づき、友人となった。

グリアソンをべつにすると、個人的にトリックを演じて見せたのは、ジュリアが初めてだった。どんなにぎこちなく、あるいは出来が悪かろうと、ぼくがやることにいつも拍手喝采していたグリアソンとことなり、ジュリアは批評眼を持ち、多かれ少なかれそれとおなじくらいの鑑識眼を持っていた。ジュリアはぼくを励ましてくれたが、ぼくがしくじっているのに気づくと、ぼくを打ちのめし、へこました。ほかの人間からのものであれば、ぼくはろくにとりあわなかっただろうが、ジュリアの批判がどれほど容赦ないものであったときも、すぐに愛情あふれる言葉や励ましの言葉、あるいは建設的な提案があとにつづいた。

まず、コインを用いた簡単な手先の早業《スライハンド》からはじめた。最初に学んだトリックのひとつだ。そのあとカード・トリックに移り、ついでハンカチを使ったトリック、帽子のトリック、ビリヤードの球のトリックとつづけた。ジュリアが興味を示すもので、ぼくは勢いこんだ。順番にレパートリーのほとんどを演じ、あまつさえ、まだ完全にはものにしていないイリュージョンすらやってみせた。

ときおり、こんどは、ジュリアがぼくのために朗誦してくれた――偉大な詩人や偉大な劇作家の作品から引用して。いずれもぼくには耳新しいものだった。それほどたくさんの文章を暗記できているのは驚きだったが、簡単に記憶する技術があるのだ、とジュリアは言った。すなわち、ジュリアは芸術家でもあり、職人でもあった。芸術と技。

まもなく、ジュリアはぼくに舞台での演出方法について話しだした。ぼくにとって重要な題材について。ぼくらの関係は深まりはじめた。

クリスマス休暇期間、ロンドンのほかの住民が祝っているあいだに、ジュリアとぼくはぼくの貸間でふたりきりでつつましく過ごし、たがいにそれぞれが身につけた修練の成果を教えあった。毎朝、ジュリアがぼくの部屋にやってきて、日中ずっといっしょに過ごし、夜になるとすぐぼくがジュリアをキルバーンにある彼女の部屋へ送り届けた。ぼくは宵の口から深夜にいたるまでひとりで過ごし、ジュリアのことを考え、彼女がもたらしてくれる昂奮のことを考え、彼女が教えてくれつつあった舞台のさまざまな事柄のことを考えた。ジュリアは、ぼくがつねづね自分にそなわっていると思っていた真の才能を徐々に、否応なく、引きだしてくれている。

一八七八年一月十二日

「いままでだれもやったことのない奇術をふたりで考えださない？」

前の項目を書き記した翌日、ジュリアが言ったのがこれだった。

なんと単純な言葉！　それが生活になんという大混乱をまきおこしたことか。ぼくの暮らしは絶望と落ちこみの繰り返しに陥ってしまった。それというのも、ぼくらが読心術という出し物をものにしようとしているからだ！　ジュリアが記憶の技をぼくに教えてくれている。ぼくは記憶術の仕組みと記憶幇助《ほうじょ》道具の利用方法を学びつつある。

ジュリアの記憶はいつもぼくには並はずれているように思えた。最初に知り合ったとき、苦労して身につけたカード・トリックを見せたところ、ジュリアは思いつく二桁の数字を、どんな順番でもかまわないので、読み上げ、自分に見えないように書きつけてちょうだい、と挑んできた。手帳の一ページを数字で埋めたところ、ジュリアはその数字を口ごもることも、まちがえることもなく、冷静に暗唱してみせた……しかも、ぼくが驚いていると、その数字をもう一度暗唱したのだ。今回は、逆の順に！

奇術だ、とぼくは思った。ジュリアはどうにかして、事前に記憶していた数字をぼくに書かせるようしむけたか、ぼくがこっそり記したメモをうかがい知る方法を持っているのだ、と。どちらもちがうわ、とジュリアは断言した。トリックではなく、なんらごまかしもなかった。奇術師の手法とは真反対で、ジュリアの実演の秘密は、じっさいに数字を記憶しているのだ！

そこでジュリアは記憶術の秘密をぼくに明かした。まだジュリアほど巧みではないけれど、かつては疑っていたみごとな記憶の妙技をぼくも披露できるようになっている。

一八七八年一月二十六日

用意が整った！　舞台上に目隠しをされてぼくが座っているところを想像してほしい。観客の志願者が目隠しの状態を確認し、ぼくにはなにも見えていないことを得心する。ジュリアが客のあいだを動きまわり、客の私物を手に取り、だれもが（ぼくを除いて）見えるように高く掲げる。

「わたしが持っているものはなに？」ジュリアが声を張り上げる。

「紳士用の財布だ」と、ぼくが答える。

観客は驚きに息を呑む。

「さて、つぎにわたしが手にしたのは――？」ジュリアが言う。

「金の結婚指輪だ」

「どなたがはめているのかしら――？」

「ご婦人だ」高らかにぼくは宣言する。

（もしジュリアが「これをはめているのはどなたかしら――？」と訊いたなら、同様の確信をもって、ぼくは「紳士だ」と答えるだろう）

「じゃあ、わたしが持っているのは？」

「紳士用腕時計だ」

かくのごとく進行する。

事前に用意されていた質問と答えの繰り返しなのだが、かかる出し物にまったく心構えをしていない観客に充分落ち着き払った態度で提示すると、おたがいのあいだに読心術のやりとりがあったようにはっきり映るのだ。

原理は簡単なものだが、習得は厳しい。ぼくは記憶術を学びはじめてまだまもなく、すべての奇術がそうであるように、完璧にこなすには稽古あるのみだった。

稽古を進めているあいだ、ぼくらはもっとも難しいパートを考えずにすんだ――すなわち、仕事を得るということを。

一八七八年二月一日

あすの夜、ついに始めるのだ！　劇場やホールでの確実な出演依頼を得ようと二週間無駄に費やし、悄然としてハムステッド・ヒースを歩いていると、ジュリアが、自分たちの手でやってみるべきでは、と提案した。

いまは真夜中で、今晩の下検分から帰ってきたところだ。ジュリアとぼくは、充分歩いていける距離にある合計六軒のパブを訪ね、もっとも適当と思える店を選んだ。キルバーン・ハイロードのミル・レーンの角にある〈子羊と子ども亭〉である。メイン・バーは大きくて、照明の明るい部屋で、一方の端には（いまはピアノが載っている――ぼくらがいるあいだに演奏されることはなかった）少し高くなった壇がある。テーブルの間隔は充分に広く、ジュリアがあいだを動きまわり、客に話しかけるのに不足はない。ぼくらは自分たちの意図を亭主や従業員には伝えなかった。
ジュリアは自分の部屋にもどっていった。もうすぐぼくはベッドにはいる。ぼくらはあした一日じゅうリハーサルをおこなったのち、夜に出陣するのだ！

一八七八年二月三日
ジュリアとふたりで勘定したところ、二ポンド四シリング九ペンスあった。〈子羊と子ども亭〉の眼の肥えた客たちから投げられた一枚硬貨が、積り積ってそれだけになった。もっとあったはずだが、一部は盗まれ、一部は、亭主の堪忍袋の緒が切れ、外へ放りだされたときに無くなったのかもしれない。
だが、ぼくらは失敗しなかった！　それに数多くの教訓を学んだ。いかに準備すべきか、どのように自己紹介をすべきか、どのように注目を集めるか、そしてどのように亭主に気にいられるかについても考えねばならない。
今宵は、キルバーンからそこそこ離れているイズリントンにある〈水夫の腕亭〉を訪れ、もう一度やってみようと考えている。土曜の夜の経験に基づき、すでに演出をいくつか変更した。

一八七八年二月四日
十五シリング九ペンスしか稼げなかったが、金銭的報酬は少ないながらも、またしても経験を積むことができたのだ。

一八七八年二月二十八日
月末時点で、ジュリアとぼくは読心術ショーによって、合計十一ポンド十八シリング三ペンス稼ぎ、自分たちの奮闘にくたくたに疲れ、成功に高揚し、将来改善したやり方で進めるこつをつかんだと信じるに足るだけの失敗を犯し、南ロンドンの酒場で実演をしているライバル・ペアの噂をすでに聞いていた（成功の確かな印だ！）。
さらに、来月三日に、ポンダース・エンドにあるハスカーズ・ミュージックホールで、まともな奇術の舞台を演じる予定になっている――デントンは三人組の歌手のあと、プログラムの七番目に登場することになっている。ジュリアとぼくは、一時的に読心術ショーをやめ、この偉大なる機会にそなえて稽古を重ねることにした。安酒場で大道芸よろしく演じる、先の見えない昂奮に比べると、ずいぶん堅苦しい出演依頼に思えるのだが、なんといっても本物の劇場でおこなう本物の仕事であり、永年このために稽古しつづけてきたのだ。

一八七八年三月四日
受領——ハスカーさんから三ポンド三シリング。ハスカーさん曰く、四月にもう一度出演してほしい、と。色つきリボンのトリックがとても好評だった。

一八七八年七月十二日
新展開。妻は（しばらくこの日記を書かなかったが、ジュリアとぼくは五月十一日に結婚し、いまはアイドミストン・ヴィラにあるぼくの貸間でいっしょに仲良く暮らしている）、ふたたび手を広げるべきだと感じている。ぼくも同感だ。ぼくらの読心術ショーは、まだ見たことがない人間には印象的だけれども、おなじことの繰り返しで退屈な代物であるし、観客の反応も予想のつかないものだった。ぼくはショーの大半を目隠しされているため、かなりのあいだ酔っぱらいや乱暴な連中のなかに、ジュリアがひとりでいることがしばしばある。いちどなど、目隠しをされて椅子に座っているあいだに、ぼくは掏摸《すり》の被害にあった。
　ふたりともここは変化の局面だと感じていた。定期的に金を稼ぐようになっていたとはいえ。ぼくはまだ舞台からの収入で生計を立てることはできず、あと二カ月ちょいで月極の最後の手当を受けとるのだ。

劇場の出演依頼は、ちかごろかなり好調で、いまからクリスマスまでのあいだに六件の依頼がはいっていた。将来にそなえ、そしてまだぼくに支払い能力があるうちに、比較的大規模なイリュージョンに投資をしてきた。ぼくの工房（こいつを先月手にいれたのだ）に、奇術道具を保管しており、それを使えば、突然の連絡がはいっても、新しい、刺激的なトリックをこしらえられるかもしれない。

舞台出演の困るところは、出演料が高いのは良いのだが、継続性がないことだ。個々の出演はいつ打ち切られるかわからない。出番を務める、喝采を浴びる、出演料をもらう、だけど、それらは次の依頼を保証しない。新聞雑誌の批評も小さく、しみったれたものだ。たとえば、クラパム・エンパイア劇場での舞台は、これまでのところぼくの最高の出来だったと思うのだが、イヴニング・スター紙にはこう書かれた――「……ソプラノ歌手《スーブレット》のあとで、ダートフォードという名の手品師が出たが」と。だれがダートフォードだ！　そんなささやかな認知しか得られない現状で、どんな将来性がぼくにあるというのだ！

あらたな展開のアイデアがぼくに訪れたのは（正確を期すなら、ジュリアに訪れたのだが）、日刊紙に眼を通していたときだった。記事は、生命が、あるいはその一形態が、死後も継続するという、さらなる証拠が最近浮かびあがったことを伝えていた。ある超能力者が、死んだばかりの人間と交信し、死後の世界から近親者たちとの意思疎通をさせることができたという。ぼくは記事の一部をジュリアに読み聞かせた。ジュリアは一瞬、まじまじとぼくを見つめた。妻がなにを考えているのか、ぼくには見てとれた。

「あなた、まさかそれを信じているんじゃないでしょうね？」やがてジュリアは言った。

「真剣に受けとっているよ」ぼくは言い切った。「死者と交信した人間の数が増えているじゃないか。その数が増えている以上、確かな証拠だと思う。おおぜいの人間が言っていることを無視するわけにはいかないよ」

「ルパート、本気でそんなこと言ってるの！」ジュリアは声を大きくした。

ぼくはうすらばかのようにつづけた。「だって、こうした降霊会は、最高の学識を持った科学者によって調べられているんだよ」

「もしもし、あたしの耳は確かかしら？　よりにもよって、だますことが職業のあなたのセリフがそれだとは！」そこまで言われてはじめてぼくは妻が議論をふっかけてきているのに気づいたが、それでもまだ（たとえば）サー・アンガス・ジョーンズの証言を忘れることができずにいた。心霊世界の存在を肯定したサー・ジョーンズの記事を新聞でつい最近読んだばかりだった。「あなたはいつも言ってるでしょ」愛するジュリアはつづけた。「もっともだましやすい人というのは、高等教育を受けた人だって。知性が邪魔をして、奇術のタネの単純さに目がくらんでしまうんだって！」

ようやくわたしもわかった。

「ということは、きみはこうした降霊会は……ありふれたイリュージョンだと言っているのかい？」

「ほかにどんな可能性があるというの？」ジュリアは勝ち誇って言った。「これは新しい商売よ、あなた。あたしたちも加わらないと」

そして、そう、ぼくらの新展開は、降霊術の世界へはいることだ、と思った。ジュリアとの意見交換を記していると、自分が愚か者に思えてならない。ジュリアの言っていたことを了解するのがあまりにとろい。そこにこそぼくの永遠の欠点が如実に表れている。タネを具体的に指摘されるまで、なかなか奇術を理解できないのだ。

一八七八年七月十五日

昨年末に奇術専門誌に送った手紙のうち、二通が今週掲載されるという事態が起こった。それを読んで少々困惑しているのだ！　投稿当時からぼくの生活にはかなりの変化があった。たとえば、二通のうち一通をしたためたのは、ドルーシラ・マカヴォイの本性をつきとめた翌日だったと記憶している。自分の投稿を読んでいると、暖房の充分ではない貸部屋で、机に向かい、当該専門誌のなかで気まぐれにとりあげられていた、奇術のタネをたくわえ、保全するための一種の銀行の設立を望んでいる哀れな奇術師に対する気持ちを書きなぐっていたあの侘びしい十二月を思いだした。いまとなれば、それは冗談半分で書かれていた記事のひとつだとわかるのだが、投稿のなかでぼくは、冗長な真剣さを全開にして、そんなものを望んでいる相手をくそみそにけなしていた。

もう一通のほうは、いまとなればおなじように読むのが恥ずかしい代物だったが、そんなことを書いてしかるべき、当時の状況を思いだすことすらできなかった。
これらはすべて、愛しのジュリアに出会うまえに、ぼくが置かれていた厳しい精神状態を思いださせるものだった。

一八七八年八月三十一日
ぼくらは都合、四回の降霊会に参加し、それがどういうものなのかを把握した。総じて言うなら、だましの手口の水準は低かった。たぶん受け手側が極度の悲嘆に暮れていて、ほとんどどんなことでも受けいれてしまう状態だからだろう。まさにそうした不幸な場のひとつでは、あまりにも説得力を欠いた実演がおこなわれ、受け手がみずから進んでだまされているとしか説明がつかないほどだった。
ジュリアとぼくはどのようにおこなうかについて時間をかけて議論した結果、最良かつ唯一の方法は、自分たちの行動が、最高水準で実施されるプロの奇術であると考えることだという結論を下した。降霊術をあちこちでおこなっているペテン師たちがすでにおおぜいおり、ぼくは連中のたんなる一員になるのを潔しとしない。
この活動はぼくにとって目的に対する手段である。舞台で生計を立てられるようになるまで、多少の金を稼ぎ、貯めるための方法だ。

降霊会でのイリュージョンは本質的に単純なものだが、より超自然的な効果に見せようと、多少洗練させたやりかたをぼくらはすでに目にしている。読心術ショーで気づいたように、ぼくらは経験によって学ぶだろうし、ロンドンの新聞のひとつに載せる最初の広告の原稿をもう書き上げて、料金を払った。当初は控えめな料金にするつもりだ。ひとつには学んでいる間はその金額でまかなえるし、また、できるだけたくさんの依頼を確実にしたいためだ。

ぼくは先月の手当をすでに受けとり、使ってしまっている。いまから三週間は、好むと好まざるにかかわらず、まったく自給自足しなければならない。

一八七八年九月九日

ぼくらの広告に十四件の問い合わせがあった！　一回二ギニーの料金設定にしており、広告に三シリング六ペンスかかった（一ギニーは二十一シリング）ことから、もうすでに利益があがりはじめている！

これを書いているいま、ジュリアは返事の手紙をしたためているところで、間断のない仕事予定になるよう日程を調整しようとしている。

午前中ずっと、ぼくはジャコビー・ロープ結びとして知られているテクニックを練習していた。これは奇術師がありふれたロープで普通の椅子にくくりつけられながら、脱出することを可能にするテクニックである。イリュージョニストのアシスタント(ぼくの場合はジュリアだ)の最小限の監督のもと、協力者たちはロープを結わえ、きつく結び、封印すらしてもかまわないのだが、それでも脱出できる技術だった。演者は、いったんキャビネットのなかに隠されると、キャビネットのなかで一見すると奇跡に思えることをできるよう、縛めをほどけるだけでなく、そのあとで、自分を縛った協力者によって、調べられ、ほどいてもらえるよう、縛めを結びなおすこともできるのだ。

午前中に二度、ぼくは片方の腕を自由にすることができなかった。偶然に頼るわけにはいかないので、きょうの午後の残りと夜はさらなる稽古に専念するつもりだ。

一八七八年九月二十日

二ギニーを稼いだ。顧客は文字通り、感涙にむせ、死者との交信は——控えめに言うと——短期間成功した。

しかしながら、あす——たまさかぼくの二十一回目の誕生日であり、あらゆる意味でぼくの大人としての生活がはじまる日だ——デットフォードで降霊会をおこなわねばならず、用意しなければならないことがたくさんある!

きのうの場合、最初の失敗は、時間通りに先方におもむいたことだ。依頼人と友人たちは、ぼくらをすでに待っていた。ぼくらがその家にはいり、装置を設置しようとしたとき、彼らはその様子を見ていたのだ。こんなことは二度とふたたび起こさせてはならない。

ぼくらには力仕事担当の助手が要る。きのう、荷馬車を雇って、降霊会が予定されている住所へ荷物を運んだのだが、御者は装置を家に運びこむのにまったく手を貸そうとしなかった（おかげで、ジュリアとぼくとで荷運びをするはめになった。装置の一部はとても重く、大半がかさばるものなのだ）。依頼人の家をあとにするとき、いまいましい御者は、指示に反して、待っていなかった。おかげでぼくは家の外の通りで奇術の道具とともに立ちつくし、ジュリアが代わりの馬車を探しにいく羽目に陥ったのだ。

また、奇術の効果に利用するために、元々置いてある家具に頼ることも二度とやってはならない。きょうは、運が良かった。使えるテーブルがあったのだが、この次の機会には偶然に頼ってはならない！

これらの改善点の多くはすでに手配済みだ。ぼくはきょう馬と馬車を買った！（馬は適当な厩《うまや》を借りられるまで、工房裏の狭い庭に一時的に置いておかねばなるまい）それに馬車を操り、道具の搬出入を手伝ってくれる男性をひとり雇った。この男性、アップルビー氏は、長期的に見れば適任ではないかもしれないが（ぼくと同年代の男を見つけたいと思っていたのだ。肉体的に屈強であろうから）、当面は、きのうぼくらをがっかりさせた青白い顔のがさつな御者にくらべれば、大きな改善だった。

出費はかさみつづけている。読心術の場合、必要なのはぼくらふたりだけだった。ふたりの記憶力の良さと、目隠しだけですんだ。降霊術師になるには、ぼくらの最低額稼ぎを凌駕してしまうほどの経費をかける必要がある。昨晩、ぼくは長いこと眠れずに、このことを考え、いったいこの先どれくらい出費がかさむのだろうと思い悩んだ。

さて、これから次の顧客のところへ行くためにデットフォードへ旅だたねばならない！デットフォードはここからだとロンドンのなかで、もっとも行きにくい場所で、イーストエンドの向こうというだけでなく、テムズ川の対岸でもあるのだ。そこへ頃合いよくたどりつくには、夜明けに出発しなければならない。ジュリアとぼくは、今後は、ぼくらの住まいからさほど離れていない場所に住んでいる人の依頼しか受けないことにしようと決めた。さもないと、仕事がきつすぎて、一日の所要時間が長すぎ、自分たちのやらねばならないことに対する見返りが少なすぎる。

一八七八年十一月二日

ジュリアが身ごもった！　赤ん坊は来年六月に生まれる予定だ。昂奮のあまり、ぼくらは降霊会の予約を二、三断わってしまった。あした、ぼくらはサザンプトンへ出向き、ジュリアの母親にこの知らせを伝えにいく。

一八七八年十一月十五日

昨日と一昨日は降霊会に充てられた——どちらもなんの問題もなく、依頼人は満足した。しかしながら、ジュリアにかかる負担がもたらすやもしれぬ影響に不安がますます募っており、いっしょに働いてもらう女性アシスタントを早急に見つけ、雇わねばならないと考えている。

アップルビー氏は予想通り、二、三日後に辞職願いを申しでてきた。代わりにアーネスト・ニュージェントなる、去年まで英国陸軍の志願兵（伍長）をしていた二十代後半の屈強な男性を雇った。少々がさつなところはあるが、頭は悪くない。一日じゅう文句を言わずに働き、忠実な人間であることをすでに示した。二日まえの降霊会で（サザンプトンからもどって最初の降霊会だった）、故人の親戚だと思っていた人間のひとりが、じっさいには新聞記者であることに遅ればせながら気づいた。その男はぼくがペテン師であることを暴こうという使命を帯びていたようだが、いったん男の目的に気づくと、ニュージェントとぼくは男を家からすばやく（しかし丁重に）追い払った。

しかして、あらたな用心がこの仕事には加えられねばなるまい。ぼくは積極的な懐疑論者に対して守りを固める必要がある。

というのも、じっさいにぼくは、信用に値しないことを連中が示そうとしているペテン師のたぐいにまさに相違ないからだ。ぼくは自称しているような霊感の持ち主ではないけれど、ぼくの惑わしは無害なもので、親しい人を失った人々の役に立っている、と心から信じている。交わされる金に関して言うなら、金額は控えめなもので、いまのところ、依頼人のだれひとりとして、金額のわりにもたらされたものが少ないと苦情を言ってきてはいない。
今月の残りは予約でいっぱいになっているけれど、クリスマスのまえに空きの期間がある。降霊会を頼むというのは、突発的な苦渋の決断の結果であり、前もって予定されるものではないということをぼくらは学んでいる。だから、広告を打ち、宣伝をつづけなければならない。

一八七八年十一月二十日

本日、ジュリアとぼくは五人の若い女性と面談した。いずれもぼくのアシスタントとしてジュリアの代わりを務めたいと希望する女性だ。だれひとりふさわしい者はいなかった。

ジュリアはこの二週間、ずっと悪阻《つわり》で苦しんでいたが、そろそろ良くなりそうだと言っている。息子であれ娘であれ、赤ん坊がぼくらの人生に加わると思うと、日々の暮らしが輝いている。

一八七八年十一月二十三日

非常に不愉快な出来事が起こった。あまりの怒りの激しさに、冷静に記録する状態になったと思えるまで、いままでかかった（いまは午後十一時二十五分で、ようやくジュリアは眠った）。

ぼくらはイズリントンのエンジェル貸衣装店近くにある住所に出向いた。依頼人は、先頃妻を亡くした、まだ若い男性で、三人の幼い子どもたちを抱えており、ひとりはまだほんの赤ん坊だった。この紳士――仮にL氏と名付けよう――は、べつの顧客の推薦を受けて連絡してきたまさに最初の客だった。そのことから、ぼくらは細心の注意と気配りをもって、この依頼に臨んだ。というのも、これまでに、降霊術師として成功をおさめようとしたら、満足した顧客の大いなる推薦に支えられて、徐々に料金を上げていかねばならないと考えるようになっていたからだ。

降霊会をはじめようとした矢先、遅れてきた客がひとり現れた。ぼくはすぐにその客を怪しいと思った。後智慧ではなく、確かにそう思ったのだ。遺族のだれもその男のことを知らない様子だったし、男の到着で室内にそわそわした雰囲気が広がった。降霊会を何度か重ね、会の始まりにこんな印象を覚えるときにはぼくは用心していた。

口には出さない秘密の暗号で、ぼくはジュリアに合図した。新聞記者がやってきたようだ、と。妻の表情から、彼女もおなじ結論に達しているのがわかった。ニュージェントはカーテンを閉めた窓のまえに立っていたが、ジュリアとぼくがたがいに交わしている言葉によらぬ言語のことは知らなかった。どうすべきか、ぼくはすばやく判断しなければならなかった。降霊会が始まるまえにこの男の排除を強く主張すれば、何度か経験したことがあるたぐいの不愉快な騒ぎを引き起こす懸念があった。一方、もしなにも手を打たずにいると、会の最後に、ぼくはペテン師として暴きたてられるのはまちがいなく、ぼくは料金をもらえず、依頼人は求めている心の慰安を得られないだろう。

どうすべきか決めかねていると、男を以前に見かけたことに気づいた。少し前の降霊会に出席していた男で、なぜそのことを覚えていたかというと、会のあいだずっとにらみつけられて、ひどく心をかき乱されたからだ。その男がまたしても出席しているのは偶然だろうか？　もしそうなら、短期間のあいだに二度親しい人間を失うという確率はどれほどで、おなじ人間が出席する降霊会をとりおこなうようぼくが招かれる確率はどれほどのものだろう？

こちらが勘ぐっているとおり、もし偶然でないとしたら、男の目的はなんだろう？　おそらくは、ぼくに立ち向かうなんらかの動きをするために出席しているのだろうが、だとしたら、まえのときにもその機会はあったのに、そうしなかった。なぜやらなかったのだろう？

せっぱつまった状態で、ぼくはかくのごとく考えた。とても集中して考えることはできなかった。死者との交信に備えて、冷静さを装う必要があったためだ。だが、とっさの目算で可能性を天秤にかけると、降霊会を進めるべきだと判断し、実行に移した。これを書いているいま、この判断が間違っていたことを認めざるをえない。

たとえば、ぼくに指一本触れずとも、男はぼくの実演をほぼだいなしにしてしまった。ぼくは神経過敏になったあまり、当面の問題にほとんど集中できず、ジュリアと出席していた男性のひとりがぼくにジャコビー結びをしたとき、片手をこちらの希望よりも強く結ばせてしまった。キャビネットにはいり、物言わぬ敵の悪意に満ちた視線から逃れ、両手を自由にするまでかなり時間をかけて苦労するはめに陥った。

キャビネットのイリュージョンが終わったとたん、敵は罠を仕掛けてきた。男はテーブルを離れ、哀れなニュージェントを肩で押しやり、窓のブラインドの一枚をひきずりおろした。怒声が何度となくわきおこり、依頼人とその子どもたちに激しい、抑えのきかない嘆きをもたらせしめた。ニュージェントが男ともみあい、ジュリアがL氏の子どもたちをなだめようとしていたとき、災難がふりかかった。

男は狂気にかられ、ジュリアの肩をつかんでうしろへひっぱると反転させ、そのまま床に突き倒したのだ！　ジュリアは絨毯の敷かれていないむきだしの床にどさりと倒れた。ぼくは恐ろしいほどの不安にかられ、実演中のテーブルから立ち上がると、妻に手を伸ばそうとした。攻撃者がぼくらのあいだに立ちはだかった。

ふたたびニュージェントが男につかみかかり、今回は背後から押さえこみ、両腕をうしろにまわしてつかんだ。「こいつをどうしましょう？」ニュージェントが雄々しく訊ねた。「表へ連れだせ！」ぼくは声を張り上げた。「いや、待て！」

窓から注ぎこむ明かりが男の顔をまともにとらえた。男の背後にぼくがもっとも見たかった光景が目にはいった——最愛のジュリアが立ち上がろうとしている。どこも怪我をしていないとジュリアがすぐに合図をよこしたので、ぼくは男に関心をもどした。

「あなたは何者なんだ？」ぼくは男に訊いた。「いったいぼくの行いにどんな関心を抱いている？」

「このならずものに手を離させろ！」男はぜいぜいあえぎながら、文句を言った。「そうしたら、出ていく」

「出ていけるかどうかは、こちらで決めさせていただく！」そう言ってぼくは男にさらに近づいた。というのも、男の顔にぴんときたからだ。「あんたはボーデンという男じゃないか？　ボーデンだ！」

「そうじゃない！」

「まちがいなくアルフレッド・ボーデンだ！　あんたの舞台を見たことがある！　いったいここでなにをしてるんだ？」

「放してくれ！」

「ぼくになんの用があるんだ、ボーデン？」

相手は返事をしなかった。その代わり、ニュージェントの手を逃れようと、激しくあらがった。

「つまみだせ！」ぼくは命じた。「そいつに似合いの場所に、どぶに投げ捨てろ！」

そして、そのとおりに実行された。みごとにてきぱきとニュージェントは卑劣漢を部屋

からひきずりだし、しばらくしてひとりでもどってきた。しっかり抱きしめて、手荒く床に投げ
　それまでにぼくはジュリアを両腕に抱きかかえ、しっかり抱きしめて、手荒く床に投げだされても妻がまったく無傷であることを確認しようとした。

「あいつがきみや赤ん坊に怪我させようものなら」ぼくはジュリアに囁いた。

「怪我はしてないわ」ジュリアは答えた。「あいつは何者？」

「あとで説明するよ」ぼくは穏やかに答えた。だいなしになった降霊会という修羅場のなかに自分たちがまだいて、怒り心頭に発しているか、面目を失っている依頼人と、みじめな思いをしている子どもたち、見た目にもはっきりとショックを受けている四人の親戚と友人たちの視線を浴びていることを強く意識していた。

　ぼくは自分に発揮できる最大限の落ち着きと威厳をもって、彼らに言った。「続けることができないのはおわかりいただけますね？」

　彼らは同意を示した。

　子どもたちが連れだされ、L氏とぼくはふたりきりで相談した。氏は同情心に溢れる知的な人物であり、早速、ここはすべてを棚上げにすべきで、そのうえで、一両日中にもう一度顔を合わし、どうすべきか決めましょう、と提案してきた。ぼくはありがたく賛成し、ニュージェントとふたりで道具を荷馬車にもどすと、家へ向かって出発した。ニュージェントが馬車を操り、ジュリアとぼくはそのうしろにうずくまって、嘆きと内省に沈んだ。沈みゆく夕陽のなかをゆっくりと進みながら、ぼくは疑いを口にした。

「あれはアルフレッド・ボーデンだった！」ぼくは説明した。「あいつも奇術師であり、業界ではぱっとしないやつである以外には、あの男のことなどほとんど知らない。降霊会を中断させられてから、なぜあの男に見覚えがあるのか思いだそうとしていたんだ。舞台に立っていたのを見たにちがいない。だけど、あの男はこの分野でさほど目立った人間ではない。たぶん、あいつがだれかの代演を務めていたときに、ぼくは見かけたんだ」

ぼくはジュリアに話しかけると同時に自分にも話しかけており、あの暴漢を自分なりに理解しようとしていた。ぼくを攻撃したのは、同業者としての嫉妬という観点以外には考えられない。いったいほかにどんな動機がありうるだろう？　実質的にぼくらはまったく見ず知らずの人間で、ぼくの記憶に重大な欠落があるのでないかぎり、ぼくらの道が交錯したことは一度もなかった。それでも、あの男の態度は、復讐を誓った男のそれだった。

ジュリアは霧にけぶる夜の空気のなか、ぼくの隣でうずくまっていた。何度も体は大丈夫かと訊ね、転倒によって怪我をしていないことを確認して自分を安心させようとしたが、ジュリアは早く家に帰りたいと言うだけだった。

充分早くにぼくらはアイドミストン・ヴィラに到着し、ぼくはすぐにジュリアをベッドへ向かわせた。ジュリアは疲れ果て、不安がっているように見えたが、必要なのは休むことだけ、とずっと言いつづけた。ぼくは妻が眠るまでそばに座っており、手早く用意したスープを飲み干すと、裏通りをせかせかと素早く歩いて心を落ち着かそうとし、帰宅後、きょう一日の記録をはじめた。

二度中断して、ジュリアの様子を見にいった。妻は健やかに眠っている。

一八七八年十一月二十四日

人生最悪の日。

一八七八年十一月二十七日

ジュリアが病院から帰った。妻はいまはふたたび眠っており、ぼくはこの日記にもどった。いまのところ、これがかろうじて一時的に気をまぎらわせ、心を慰めるにたる手段だ。かいつまんで記そう。ジュリアは二十四日の深更に目を覚ました。ひどく出血し、苦痛を訴えた。その症状は波が打ち寄せるようにジュリアを襲い、悲鳴をあげさせ、苦痛に身もだえさせたかと思うと、一時的な休止があり、また始まるというものだった。

ぼくはすぐに着替え、隣の住民を起こし、寝ていたジャンスン夫人にご足労願い、助けを呼びにいくあいだジュリアに付き添ってくれるよう頼んだ。夫人は快諾してくれ、ぼくは夜のなかに飛びだしていった。幸運という言葉が適切なら、それが一瞬ぼくにもたらされた。夜のなかの仕事を終えて帰宅途中と思しき貸し馬車に出くわし、ぼくは御者に手を貸してくれるよう懇願した。御者は協力してくれた。一時間もしないうちに、ジュリアはパディントンのセントメアリ病院へ到着し、医師が必要な処置をほどこした。

ぼくらの子どもは死んだ——あやうくジュリアも失うところだった。

その日ずっと、また翌二日間、ようやく退院を許された朝まで、ジュリアは一般病棟にはいっていた。

ぼくの人生に思いがけず侵入してきたひとつの名前があり、その名をぼくは一生忘れないだろう。その名とは、アルフレッド・ボーデンである。

一八七八年十二月三日

ジュリアの体調はまだ恢復していないが、来週からの降霊会には手伝えるようになればいい、と口にしている。本人にはまだ話していないけれど、二度とふたたびジュリアを危険にさらすようなことはすまいと心に決めた。もう一度、女性アシスタントを募集する広告を出している。一方、今晩、務めなければならない舞台があり、アシスタントを必要としない出しものをレパートリーのなかから探しださねばならなかった。

一八七八年十二月十一日

きょう、ボーデンの名前にでくわした。ブレントフォードで催されるバラエティショーの招待奇術師として宣伝されていた。最近、代理人として契約したヘスキス・アンウィンに確認したところ、ボーデンは急病に罹ったべつのイリュージョニストの代役であり、結果として、プログラムの二番目からすべての奇術師の墓場——幕間の次の出番！——に移されていたことを知り、満足した。ぼくはそれをジュリアに見せてやった。

一八七八年十二月三十一日
一八七八年の奇術による総収入——三百二十六ポンド十九シリング三ペンス。そこから経費を引かねばならない——アップルビーとニュージェントへの給金、馬の購入維持費、衣装の購入費、多くの装置の購入費などを。

一八七九年一月十二日
新年最初の降霊会、そして、レティシア・スウィントンがアシスタントを務める最初の降霊会。レティシアは元アレキサンドリア劇場のコーラス隊員で、奇術という職業のことをよく心得ており、上達してくれればいいと心から願っている。降霊会が終わると、ぼくはニュージェントに頼んで、アイドミストン・ヴィラへ急いで連れもどしてくれるよう頼み、ジュリアのもとにもどると、きょう一日の首尾を伝えた。

一通の手紙が届いていた。L氏はもはや自宅で降霊会を必要としていないが、屋敷で起こったことを慎重に検討した結果、約束通り、料金を全額払うべきだと判断したという。代金は同封されていた。

一八七九年一月十三日

きょうジュリアは寝室に閉じこもり、ぼくがノックしようが懇願しようがいっさい無視して、お茶とパンを少し持っていったメイドしかなかにいれようとしなかった。きょうは仕事の日ではなく、工房で作業をする予定だったのだが、ジュリアのおかしな態度に鑑み、家にとどまるべきだと判断した。ジュリアが姿を現したのは午後八時で、自分がなにをしたのか、なぜそういうことをしたのか、いっさい語ろうとしなかった。ぼくはその態度にひどく困惑している。どこも痛くないとは言っているものの、それ以外にどうなのか、いっさい話そうとしないのだ。

一八七九年一月十五日

ニュージェントとレティシア・スウィントンとぼくは、きょうの午後、降霊会をおこなった。降霊会はぼくにとってありきたりの仕事になっていたので、目新しいことといえば、第一に、奇術に不慣れなアシスタントと仕事をせざるをえない緊張感、第二に、出むいた故人の家の個々の状況、第三に、降霊会をおこなう部屋の物理的な配置だった。最後のふたつは、一般的にはなんの問題でもないし、レティシアも、覚えが早いことを示していた。

会が終わったあと、帰路の途中、ウエストエンドで降ろしてくれるよう、ニュージェントに頼んだ。ハイホルボーンにあるエンプレス劇場まで歩いていき、入場券を買って、後部座席の深い闇のなかに腰を降ろした。

ボーデンの出番はプログラムの前半であり、ぼくは熱心にあの男の舞台を見つめた。ボーデンはさまざまなタイプの七つのトリックを披露し、そのうち三つは、どうやってやったものかぼくにはわからなかった（あすの夜までに、解き明かしてやる！）。ボーデンはなかなか説得力のある演者であり、トリックを円滑におこなっていたが、どういうわけか、嘘っぽいフランス語なまりで観客に呼びかけていた。この騙《かた》りめ、とからかってやりたい気にさせてくれた。

だが、時節を待たねばならない。復讐は甘きものにしなければ。

帰ってみると、ジュリアはぼくとろくに話そうとせず、ぼくがなにをやってきたのか話したあとでも、態度は冷ややかなままだった。

ああ、ジュリア！　あの日が来るまでは、きみはこんなじゃなかったのに！

一八七九年一月十九日

ぼくらはついぞ会うことのなかった子どもを失い、ともに嘆いている。ジュリアの悲しみはとても深く、内に向かっており、ときおり、おなじ部屋にいっしょにいるぼくにさえ気づいていないように思えるときもある。ぼくもおなじように嘆き哀しんでいるが、ぼくには気を紛らしてくれる仕事がある。そこが妻との唯一の相違点だ。

先週一週間、ぼくは奇術の練度を完璧なものにすることに没頭し、本来目指している職業へ再出発をはかるための印象的な技をものにしようとしていた。そのために――

ぼくは工房の片づけをおこない、たくさんのがらくたを捨て、イリュージョン道具の一部の修理や塗り直しをやり、きちんと準備し、練習をできるような能率的な場所に作り直した。

へスキス・アンウィン事務所に丁重に頼んだり、ほかの奇術関係のつてを通じて、ぼくと働いてくれる工作家《アンジエニュール》を捜しはじめた。ぼくには専門的な協力が必要だ――それについては、疑問の余地がない。

稽古のスケジュールを定めた――厳密に守るつもりだ。毎日午前中二時間、午後二時間、（もしジュリアと過ごす時間のからみで可能ならば）夜に一時間。自分に許す休みは、じっさいに働いている時間だけになる。

実演をプロらしい洗練されたものに見せるため、自分自身とレティシア用の新しいコスチュームを注文した。

最後に、経済的余裕ができ次第、降霊会を止めることを自分に誓った。その一方で、時間が許すかぎり数多くの降霊会を引き受けている。なぜなら、それがいまのところ生計を立てるための唯一の確実な手段であるからだ。ぼくの背負う経済的責任は途方もない。家賃を払わねばならぬ住居があり、工房と厩の借り賃もあり、ニュージェントとレティシアへの給金支払いもあるし、まもなく新しい工作《アンジェニュール》家にも払わねばならないだろう……かてくわえて、家計を維持し、ジュリアと自分自身を喰わせていかなければならない。これらすべては、だまされやすい遺族によって支払われているのだ！（とはいえ、今晩、あらたな舞台出演がある）

一八七九年十二月三十一日
一八七九年の奇術による総収入――六百三十七ポンド十二シリング六ペンス。経費込み。

一八八〇年十二月三十一日
一八八〇年の奇術による総収入――千百四十二ポンド七シリング九ペンス。経費込み。

一八八一年十二月三十一日

一八八一年の奇術による総収入――四千七百七十七ポンド十シリング。経費込み。一八八一年は、ここに稼ぎを記録する最後の年になる。この十二カ月は、それまでたんに部屋を借りていた家を買い上げることができるくらい稼ぎのあった年だった。いまや建物全部がぼくらのものであり、そこに家事専任の三人の使用人を住みこませている。若いころぼくにつきまとっていた不安が、みごとに舞台への活力に直結した結果、ぼくは英国でもっともひっぱりだこの舞台イリュージョニストである、と記してよかろう。来年のぼくの出演予定表は、もうすでにいっぱいだ。

一八九一年二月二日

十年まえ、わたしは日記をしまいこみ、二度と開けないつもりでいた。だが、リヴァプールのセフトン演芸場で今夕早くに起こった、屈辱的な出来事を記録せずにすませるわけにはいかない（リヴァプールから列車でロンドンにもどる車中で、いまこれを書いている）。日記に書きこんでいたときからずいぶん時間が経っているため、今晩は、このルーズリーフに書くことで満足しなければなるまい。いずれ手帳とファイルを手にいれるつもりだが。

　わたしは出番の後半にはいっており、わたしの舞台のいまのところクライマックスにしているものへ、ショーを進めているところだった。それは〈水中脱出〉であり、肉体の力と、ある程度折り込み済みの危険と、ささやかな奇術を合体させたものである。

　このイリュージョンは、まずわたしが頑丈な金属製の椅子に一見、脱出不可能なようにくくりつけられることからはじまる。それを実行するため、六人からなる協力者を募って舞台にあげた——彼らはみな純粋なる観客であり、サクラはいないが、アーネスト・ニュージェントとわが奇術道具工作家ハリー・カッターが目を光らせて選んだ人々だった。

　舞台にあがった六名と、わたしは軽口を叩く。ひとつには、彼らをリラックスさせるためだが、エレン・トレメイン（現在のアシスタントである——記録しなくなってからなんと長い歳月が流れたことか）がジャコビー・ロープ結びを始めるあいだ、観客の注意をそらせるためでもあった。

　ところが、今夜は、椅子に座ったとたん、六人のうちのひとりがアルフレッド・ボーデンであることに気づいた！　よりにもよって、あいつが第六の男だったのだ！　（ハリー・カッターとわたしは舞台にあがった協力者の識別をつけるための符号を用いている。第六の男というのは、前置きの段階でわたしからもっとも遠いところにおり、ロープの端を持つ役目を担わされる人間だった）今宵、ボーデンが第六の男であり、わたしのすぐそばに立っていた！　観客はみなわれわれを見ている！　トリックはすでに始まってしまっていた！

ボーデンは自分の役割を上手に演じていた。ぎこちない動きをして、舞台で与えられた自分の役目にふさわしいまごつきを示していた。この人物がわたしとおなじくらい巧みな芸人であることなど、観客には思いもよらぬことだろう。カッターは、相手が何者かわかっていない様子で、ボーデンを所定の位置に押しやった。その間、エレン・トレメインがわたしの両手をロープで結わえ、手首を椅子のひじかけにくりつけていた。注意をボーデンに向けていたため、そこでわたしの準備がおろそかになった。ふたりのべつの協力者へロープの端がそれぞれ渡され、できるだけしっかりわたしを椅子に縛りつけるよう指示されたときには、もう手遅れだった。スポットライトを煌々と浴びたなか、わたしはなすすべもなく縛りつけられた。

ドラムロールが鳴るなか、わたしは滑車で空中に吊るされ、ガラスの水槽の上へ運ばれた。あたかも拷問にかけられた無力な犠牲者のように、わたしは鎖の末端にぶらさげられ、ぐるぐると回転させられた。じっさい、今宵のわたしはまさに無力な犠牲者であったが、通常の舞台なら、わたしはこの段階までに手首を自由にしており、手を動かして、即座に縛めを解く位置に置いているはずだった（鎖で回転させられているのは、縛めを解くのに必要な手のすばやい動きをごまかすための効果的な演出である）。今夜、動かすことがかなわぬほど椅子に両腕を縛りつけられ、恐怖に戦慄《わなな》きながら、わが身を待ち受けている冷たい水を見下ろすことしかできなかった。

数瞬ののち、予定通り、溢れかえる水のなかに投げこまれた。水が頭に達する瞬間、自分の苦境を顔の表情でカッターに訴えかけようとしたのだが、相手は水槽を隠すカーテンを降ろす作業に移っていた。

薄暗がりのなか、椅子の上でなかば逆さまになり、両手両脚を縛られ、全身ずっぽりと冷たいに水に沈み、わたしは溺れかけていた――

唯一の希望は、水がロープを多少ゆるめてくれることだった（タイミング良く脱出するにはきつすぎるほど協力者が二つ目以降の結び目を結んだ場合にそなえて、ひそかに準備していたもののひとつだ）。とはいえ、それで可能になる多少の動きの余裕では、今晩わたしを救うには足りないことはわかっていた。

わたしは急いでロープをたぐりよせながら、すでに肺に空気の圧力を感じていた。必死にわたしから出ていこうとし、そのあとにどっと致命的な水が押し寄せてきて、わたしを死地へと導こうとしている空気の圧力――

とはいえ、いまこうやってわたしはこれを書いている。すなわち、わたしは脱出できたのだ。

皮肉なことに、ボーデンの介入がなかったら、生きてこれを書くことはできなかっただろう。あの男は自信過剰になり、ほくそ笑まずにはいられなかった。

カーテンによってわたしからは見えなかった舞台上で、その後起こったはずのことを再構成してみよう。

通常の実演の場合、舞台上で見えるのは、水槽を囲んでいるカーテンのまわりに六人の協力者たちが照れくさそうに立っている姿だけである。彼らはほかの観客同様、わたしがしていることを見られない。オーケストラは陽気なメドレーを演奏している。間を持たせるためでもあるが、脱出を図ろうとしてわたしが抑えることができない音を消すためでもある。だが、時間が過ぎていき、いったいどれほど時間が経過したのか、協力者たちも観客たちも不安になりはじめる。

オーケストラも注意が散漫になり、音楽が次第に消える。次第に沈黙が降りてくる。ハリー・カッターとエレン・トレメインが、緊急事態に反応したかのように不安げに舞台に駆けあがり、観客はがやがやと不安の声をあげはじめる。六人の協力者たちの手を借りて、カッターとエレンは掩蔽用のカーテンをひっぱがし、そこに現れたのは——

——まだ水に浸かっている椅子！　ロープは椅子にまだしっかり結わえつけられている！　だが、わたしはそこにいない！

観客が驚きにあえいでいると、わたしが劇的に登場する。普段は袖から登場するのだが、時間があれば、客席のどまんなかに現れてみせるほうがわたしの好みだ。わたしは舞台中央へ駆け寄り、一揖《いちゆう》し、わたしの衣服と髪が完璧に乾いていることを全員に確認させる——

今宵、ボーデンはそれらをだいなしにするために姿を現し、おそらくたまたま、わたしを水死から救ってしまった。イリュージョンが完了するかなりまえに、ありがたいことにかなりまえに、オーケストラがまだ演奏しているあいだに、ボーデンはカッターに定められた舞台上の所定の位置を離れ、つかつかとカーテンのそばへやってきて、さっと横へ払ったのだ！

そのことをわたしが最初に気づいたのは、突然まばゆい光が自分に降り注いだときだった。漠たる、突然の希望にわたしが顔を起こすのと、肺のなかの最後の空気が目のまえを泡になってのぼっていくのが同時だった！　祈りが届いたのを感じ、カッターがショーを中断して、わたしの命を救おうとしているのを感じた。あふれんばかりの希望のその瞬間にほかのことはどうでもよかった。渦巻く水と強化ガラスで恐ろしく歪んでいるものの、そこに見えたのは、忌むべき宿敵のあざけりを浮かべた顔だった！　あの男は身を乗りだし、勝ち誇ったように顔を水槽に押しつけた。

気を失いかけているのがわかり、自分が死の瀬戸際にあるのだと思った。

そのあと、空白がある。つぎに気がついたときには、薄暗がりのなかで堅い木の床に寝ており、凍りつくような寒さを覚えながら、こちらを見下ろしている顔を見上げていた。音楽がすぐそばで演奏されており、耳道から水がごぼごぼと流れだすにつれ、耳を聾した。床がリズミカルに上下に揺れているのが感じられた。わたしは舞台袖におり、舞台そばの細い引っこみの床の上に寝かされていた。顔を起こすと、焦点が定まらず、視界が揺れていたものの、わたしからほんの一メートル先にまばゆく照明の当たっている舞台が見え、コーラスが板の上で踊っており、主役ダンサーがオーケストラ・ピットの俗悪な調べに合わせて気取った舞いを演じていた。わたしは安堵のうめきを漏らすと、目をつむり、床に頭が下がるに任せた。カッターが無事わたしを引きあげ、どうにかして呼吸を恢復させ、この恥ずべき醜態に幕を引いてくれたのだ。

ほどなく、わたしは楽屋に運ばれ、きちんと恢復しはじめた。半時間ほど、これまで感じたことがないほど気分が悪かったが、元来、頑健なたちであり、肺にはいった水にむせぶことなく呼吸できるようになるとすぐ、たちまち元気をとりもどしはじめた。まだ夜も早かったので、ショーが終わるまえに、舞台にもどり、イリュージョンを再開する時間は充分にあると熱烈に思った（これを書いているいまもそう信じている）が、再開させてもらえなかった。

その代わり、失敗に終わった出し物について気分の沈む事後検討のため、楽屋でエレンとカッターとニュージェントと打合せを持った。ロンドンの工房で二日間集うよう手配し、命を危険にさらすような事態が二度と起こらないよう脱出方法を改善することにした。やがて、わが三人の不撓不屈《ふとうふくつ》の仲間がわたしを駅まで送ってくれ、こちらの精神的および肉体的息災に納得すると、予約していたホテルへともどっていった。

わたしはと言えば、少しでも早くロンドンにもどり、ジュリアと子どもたちに会おうとしていた。あの出来事、死にそうな目に遭ったことが、家族といっしょにいたいという渇望を生ぜしめた。この列車は夜明けまでユーストン駅には到着しないが、これより早く家族に会うことを可能にする手段はなかった。

皮肉なことに、この日記をつけられなかったのは、いま一刻も早くもどろうとしている家庭が充たされているからだ。家庭生活のことは、大量に書くか、まったくなにも書かないかのどちらかだった（じっさいには後者だった）。この十年間の大半、わたしは仕事面で成功を収めていただけでなく、家庭でもこれまでにないほど幸せだった。一八八四年初頭、ジュリアはついに再度子どもを宿し、やがて息子エドワードを無事出産した。二年後、長女リディアが生まれ、去年、遅ればせながら、だが、われわれ夫婦にとって嬉しいことに、次女フローレンスが生まれた。

こうした背景に対して、ボーデンとの諍いはとるにたりぬ割合しか占めなかった。たしかに、われわれは永年にわたって相手をからかってきた。たしかに、そのからかいの背後にある精神は、悪意のこもったものであることがしばしばだった。たしかに、わたしはボーデンとおなじような悪意を示してきたし、そのことはいささかも誇れるようなものではない。かかる成果で日記を再開することが価値のあるように思えないのは、けっして偶然ではない。

しかしながら、今夜まで、ボーデンとわたしが直接相手の生命を脅かすようなことはけっしてなかった。

何年もまえだが、ボーデンはわたしのはじめての子どもの流産に直接の責任を負うていた。当時、わたしの念頭にあったのは復讐の一言であったが、数カ月が過ぎるにつれ、怒りが徐々に静まり、ボーデンに恥をかかせてやったり、先方がもっとも望まない瞬間をとらえてイリュージョンを失敗させてやるといった数々の嫌がらせをすることで満足していた。

ボーデンのほうでは、何度か思いがけぬ仕返しをやってきたが、わたしが仕掛けたものほど巧みに計画されたものはひとつもなかった、と断じてよい。

今宵起こったことはわれわれの諍いをあらたな段階へ引きあげてしまった。ボーデンはわたしを殺そうとした――それは明々白々な事実だ。あの男は奇術師であり、すばやく安全にほどけるようにするにはどのようにロープを結べばよいか熟知している。

いま、わたしはかつてのように復讐心に燃えている。時がすばやく過ぎ去り、この気持ちをなだめ、道理と正気と冷静さをもたらしてくれることを願い、祈る。今晩の気持ちで行動したりしないように！

一八九二年二月四日

昨夜、とんでもないものを見た。ロンドン訪問中のニコラ・テスラという科学者がおり、その男のとっぴな主張が街の先週の話題を席巻していた。まぎれもない奇跡だと噂されており、情報を得たいくつもの新聞では、テスラの両手のなかにわれわれの世界の未来がある、と報じていた。テスラが応じたインタビューや、業績について書かれた記事を読んでも、それほどまで騒がれている理由は説明されていない。まずじっさいに実演されないことには、テスラの仕事の重要性は把握できないのではないか、と巷間言われていた。それで、好奇心にかられて、きのう、わたしと数百人のほかの見物人は、偉大な人物の実験を見たくて、電気技師協会の入り口に殺到した。

わたしが目撃したものは、電気の力の、わくわくさせられ、不安にさせられ、まったく理解できないようなすごさだった。テスラ氏は（流暢なアメリカ英語を話し、欧州の出自であることを毛ほども感じさせなかった）発明家トマス・エジソンの仕事仲間である。現代的なロンドンっ子にとって、照明用に電力を利用するのは、あたりまえになりつつあるが、テスラは電力にほかにもたくさんの用途があるのを示すことができた。

わたしはテスラ氏の衝撃的な実験を虚心坦懐に見つめ、面食らい、感じいった。テスラ氏が示した効果の多くは驚くべきもので、それ以上に、わたしのような素人には底知れぬ不思議を感じさせるものだった。テスラ氏が口を開くと、その口調は福音伝道者のそれだった。放電の、火花飛び散り、するどい音を立てるほとばしり以上に、氏の予見に充ちた言葉のほうが、これまでわたしが知っているなににも増して、この身をぞくぞくさせた。まさに氏は、来たる新世紀がわれわれにもたらすものの予言者である。世界じゅうに広がる電力発電所、富裕層だけではなく低所得層にももたらされる電力、世界のある場所から他の場所へエネルギーと物質を即時に送出すること、エーテルの実体によって振動する空気！

わたしはテスラ氏の実演から重大な真実をつかんだ。氏のショーは（ショー以外の何物でもない)、すぐれたイリュージョニストがおこなうショーと奇妙なぐらい似ているのだ――観客はもたらされる効果を楽しむのに、その方法を理解する必要はない。手短にテスラ氏は多くの科学理論を説明した。観客のほとんどだれも、いちばん基本的な概念以上のものを理解していないのに、われわれだれもが注目せずにはいられない未来の姿をかいま見ることができた。

わたしは、テスラ氏が公表していた住所を書き留め、解説文書の写しを送ってもらうよう頼んだ。

一八九二年四月十四日

欧州ツアーの準備をするのに忙しかった。ツアーはことしの夏の後半にはじまり、いまのところほかのことをする時間がほとんどない。しかしながら、右記の二月の書きこみを補うために、テスラ氏から解説文書をようやく受けとったことを記しておくが、中身はちんぷんかんぷんだった。

一八九二年九月十五日

パリにて

ウィーン、ローマ、パリ、イスタンブール、マルセイユ、マドリッド、モンテカルロで人々はわたしに喝采を浴びせた……だが、それらが済んでしまったいま、愛するジュリアに、エドワードとリディアに、そしてもちろん可愛いフローレンスに会いたくてたまらない。二カ月まえ、このパリでともに週末を過ごして以来、大切な家族の知らせでわたしを励ましてくれるのは手紙だけだった。いまから二日後、船旅が時間通りに進み、列車を信用できれば、自宅にもどり、やっと休むことができる。

われわれはみな、くたくたに疲れている。欧州という苛酷な条件によるよりも、旅とホテル住まいの終わりなき繰り返しからくるものが主だった。だが、総じて言えば、すばらしい成功を収めたツアーだった。七月中旬には帰国する予定だったが、とても好評を博したことから、十余りの劇場から追加公演をして、われわれの奇術で幸運をもたらしてくれるよう要請があった。関心の高さと、それに付随して、追加公演で請求できる出演料を鑑みると、これはまさに願ってもない申し出だった。すべての経費を計算し、アシスタントたちに約束したボーナスを支払うまで、稼ぎの額を記すのは賢明とは言えないだろうが、生まれてはじめて、自分が金持ちになった気がしたと書いてもかまわないだろう。

一八九二年九月二十一日

ロンドンにて

欧州ツアーの余韻に浸ることができると期待していたのに、わたしがいないあいだに、ボーデンが非常に注目を浴びているのを知る羽目になった。永年演じていたイリュージョンのひとつがついに大衆の関心をとらえたようで、ボーデンはいまひっぱりだこになっている。

あの男の舞台を何度か見たが、とくべつ変わったものを試みたのを見たことは一度もない。もちろん、それはさまざまな理由から、わたしがあの男の舞台の最後までとどまっていることが滅多になかったからでもあろう。

カッターもわたし同様、くだんの賞賛されているトリックのことをほとんど知らなかった。というのも、わたしといっしょに欧州を旅していたという明白な理由からだ。お門違いの過大評価として無視しようとしたところで、開封を待っていた手紙類に目を通した。子飼いの奇術偵察員のひとり、ドミニク・ブロウトンが、簡潔なメモを送ってきていた。

演者――アルフレッド・ボーデン（ル・プロフェッスール・ド・ラ・マジ）
イリュージョン――〈新・瞬間移動人間〉。
効果――すばらしい、一見の価値あり。
改作可能性――困難ですが、ボーデンがやってのけている以上、あなたならできるのでは。

わたしはそのメモをジュリアに見せた。

そののち、べつの手紙を妻に見せた。わが奇術ショーを新世界に上陸させるよう招かれたのだ！　もし招待に応じれば、来年二月にシカゴで一週間滞在したのち、全米ツアーが始まる！　十余のアメリカの大都市を巡業してまわるのだ！

それを思うと、わくわくすると同時にわたしをへとへとにさせた。

ジュリアがわたしに言った。「ボーデンのことは忘れなさい。ショーを合衆国へ連れていかないと」

わたしもそうしないといけないと思っている。

一八九二年十月十四日

ボーデンの新しいイリュージョンを見た。良い出来だった。忌まわしいくらいに良かった。単純なだけにいっそう優れていた。そう言わざるをえないのは腹立たしいことだが、公正な判断をしなければならない。

ボーデンは舞台に木製のキャビネットを転がしてくることから始めた。キャビネットは奇術師ならだれもが見慣れているたぐいのものだ。男であろうと女であろうとなかにはいれるくらい高く、（後ろと側面の）三枚の堅い壁があり、正面についている扉は大きく開いて、内部をそっくり見られるようになっていた。キャビネットの底にはキャスターがついており、観客に気づかれずに底から脱出したりはいりこんだりするのが不可能なことを示すほど、高くキャビネットを持ちあげていた。

いまのところ中身が空っぽであることを示す、通常のデモンストレーションが終わると、ボーデンはキャビネットの扉を閉め、装置を舞台の左手へ移動させた。

フットライトを浴びて、ボーデンはみごとなまでに嘘っぽいフランス語なまりで、これからやろうとすることにはたいへんな危険を伴う、と短いごたくを述べた。

ボーデンの背後では、すばらしく美しい若い女性が、最初のキャビネットと瓜二つの第二のキャビネットを舞台へ転がしだしてきた。女性は扉を開け、観客にそのキャビネットのなかも空っぽであることを見えるようにした。黒いケープをひらめかせ、ボーデンは踵《きびす》を返すと、そのキャビネットのなかにすたすたと足を踏みいれた。

それをきっかけに、ドラムロールがはじまった。

つぎに起こったことは、一瞬だった。まさに、演じられるのを見る時間よりも、そのことを書き記すほうが長くかかる。

ドラムロールの音が高くなると、ボーデンはシルクハットを外し、キャビネットの奥へ引っこむと、帽子を宙高く投げあげた。アシスタントがキャビネットの扉をばたんと閉める。その瞬間、最初のキャビネットの扉が勢いよく開き、あろうべきことか、ボーデンがそこにいるのだ！　一瞬まえにボーデンがはいっていたキャビネットは崩れ落ち、舞台の床の上に空っぽのまま畳まれた。ボーデンは天井を見上げ、シルクハットが自分のほうへ落ちてくるのを目にすると、つかみ、頭に載せ、きちんとかぶり直し……そして晴れやかな笑みを浮かべると、フットライトのなかへ進みでて、一揖した！
喝采は割れんばかりで、わたしもそこに加わったことを認めざるをえない。
ボーデンがどうやってそのトリックをやったのか、知りたくてたまらない！

一八九二年十月十六日
昨晩、わたしはカッターをワトフォード・リーガル劇場へ連れていった。そこにボーデンが出演していたのだ。二個のキャビネットを使ったイリュージョンはボーデンのショーに含まれていなかった。
ロンドンへもどる長い移動の途中で、わたしはカッターに自分の見たものを再度説明した。カッターの意見は、二日まえにそのイリュージョンについて初めて話したときとおなじものだった。ボーデンは、替え玉を使っているのだ、とカッターは言う。同様の舞台を二十年まえに見たことがある、とカッターは語った。若い女性が出ていたという。
はたしてそうなのか、わたしには確信がない。わたしの目には、替え玉に見えなかった。ひとつのキャビネットにはいった男と、べつのキャビネットから出てきた男はひとりで、同一人物に思えた。わたしはその場におり、そのように見えたのだ。

一八九二年十月二十五日

わたし自身仕事の契約があるため、ボーデンの舞台を毎晩見ることは不可能だったが、カッターとわたしは今週二回、ボーデンを見にいった。あの男はふたつのキャビネットのイリュージョンをまたしてもおこなわなかった。カッターは自分の目で見るまで、いっさいの考察を拒んでいるが、わたしがわれわれの時間を無駄にしている、と言い切った。そのことがカッターとの摩擦となりはじめている。

一八九二年十一月十三日

ようやくボーデンが二個のキャビネットのイリュージョンをもう一度おこなうのを見た。今回はカッターも同行していた。場所はルイシャム・ワールド劇場で、その出し物以外はごく普通のバラエティ・ショーだった。

ボーデンが二個のキャビネットの最初のほうを舞台に上げ、いつもどおりに中身が空であることを示しはじめると、わたしは期待に胸がときめいた。隣に座っているカッターは、事務的にオペラグラスを掲げた。（どこを見ているのか確かめようとカッターのほうを見やると、奇術師本人をまったく見ていないのがわかって、興味をそそられた。オペラグラスをすばやく動かし、カッターは舞台のほかの部分を調べているようだった——袖、舞台天井、背景幕。それを考えつかなかった自分をなじり、調査をそのままカッターにつづけ

させた)
わたしはボーデンから目を離さずにいた。わかるかぎりでは、トリックは前回わたしが見たときとまったくおなじようにおこなわれた。危険に関するフランス語なまりのスピーチですら、一言一句おなじだった。だが、ふたつ目のキャビネットにボーデンがはいったとき、前回とは若干のちがいがふたつあるのに気づいた。ふたつのうち、ささやかなほうのちがいは、最初のキャビネットを前回よりも舞台奥に置いており、ろくな照明が当たっていなかったことだ。(もう一度すばやくカッターを見やったところ、相変わらず奇術師本人には関心を払っていないものの、舞台後方のキャビネットにはしっかりオペラグラスを向けているのがわかった)
もうひとつの相違点にわたしは興味を惹かれ、いや、おもしろいと思った。ボーデンがシルクハットを脱ぎ、宙へ投じたとき、わたしはまえに身を乗りだし、次の一番の見どころに身構えた。だが、帽子は舞台天井へすっとはいっていったまま、もどってこなかった！(明らかに天井にいる裏方が小遣いをもらって、帽子を受けとったのだ)ボーデンは苦笑し、観客のほうを向いて笑いを誘った。まだ笑い声がつづいているうちに、ボーデンは左手を冷静に伸ばし……シルクハットが、舞台天井から滑るように降りてきた。それをボーデンは自然な、むりのない動きでつかんだ。みごとな舞台演出であり、二度目の笑い声があがるにふさわしかった。
と、そのとき、第二の笑い声が消えるのを待たず、すばやい動きで――

シルクハットを再び投げ上げた！　キャビネットの扉がばたんと閉まった！　舞台奥のキャビネットの扉が勢いよく開いた！　ボーデンが飛びだし、帽子はかぶっていない！　第二のキャビネットがばらばらになった！　ボーデンはすばやく舞台のまえに進みで、シルクハットをとらえると、ぎゅっと頭にかぶせた！

ほほえみ、礼をし、手を振りながら、充分に値する喝采をボーデンは浴びた。カッターとわたしも喝采に加わった。

がたごとと北ロンドンへ向かってもどっていく馬車のなかで、わたしはカッターの意見を求めた。「さて、あれをどう思う！」

「みごとなものです、エンジャさん！」カッターは言った。「まったくもってみごとだ！　まったく新しいイリュージョンを目にする機会など、そう頻繁にあるものではありません」

その賛辞はあまり嬉しいものでないことに気づいた、と言わざるをえない。

「どうやっているのかわかるかね？」さらに訊ねる。

「ええ、わかります」カッターは答えた。「あなたもおわかりだと思いますが」

「わたしは前回とおなじく面食らっている。いったいどうやってあの男は同時に二箇所にいられるんだろう？　そんなことが可能だとは思えないんだ！」

「ときどきあなたには驚かされますな、エンジャさん」カッターは辛辣な口調で言った。

「論理的なトリックであり、われわれ自身の論理を適用することでのみ解くことができるものです。目のまえで見たのはなんでした？」

「舞台の一箇所から別の箇所へ自分を瞬間移動させた男だ」

「それはわれわれが見たと思ったものです。見るように仕向けられたものです。現実にはどうでした？」

「替え玉を使っていると相変わらず言うのか？」

「それ以外にどうやって可能ですか？」

「だが、きみもわたしとおなじものを見ただろ。あれは替え玉なんかじゃない！　移動の前後であの男の姿をはっきり見ている。あれはおなじ男だった！　まったく同一人物だ！」

カッターはわたしにウィンクし、身体の向きを変えると、通りかかっているウォータールーの、うすぼんやりと明かりの灯る家並みが過ぎていくのを眺めやった。

「なんだ？」わたしは問いかけた。「なにが言いたい？」

「まえに言ったことを言うだけです、エンジャさん」

「わたしは説明のできないものを説明するためにきみに金を払っているんだ、カッター。この件でからかわないでくれ！　プロとしてきわめて重要な問題なのだ！」

そこまで言うと、カッターは遅ればせながらわたしの本気のほどを悟った。ボーデンの舞台に引きだされたしゃくに障る賞賛の思いは、欲求不満と怒りに形を変えていた。

「それでは」カッターはおもむろに言った。「一卵性双生児のことはご存じのはず。それがあなたの求めている答えです！」

「まさか！」わたしは声を張り上げた。

「それ以外にどうやってできます？」

「だが、最初のキャビネットは空だった」

「そのように見えているだけでしょう」

「それに二番目のキャビネットはあいつがいなくなった瞬間に崩れたんだ」

「じつに効果的である、とわたしも思いました」

カッターが言わんとしていることはわかった——人が隠れている装置を空っぽに見せかけるのはよくある舞台効果だ。わたし自身のイリュージョンのいくつかでも、同様の惑わしを利用している。わたしのやっかいなところは、これまでさんざん被ってきたものとおなじだった——客席から他人のイリュージョンを見ると、ほかの観客とおなじように簡単にミスディレクトされてしまうのだ。だが、一卵性双生児とは！　その可能性は考えもしていなかった！

カッターはわたしにたっぷり考える材料を与えてくれた。カッターを彼の住まいで降ろしたのち、わたしはここにもどってきて、しばらく考えを巡らした。今晩の出来事をこうして書き終えたいま、カッターの意見に同意しなくてはならないと思っている。謎は解けた。

いまいましいボーデンめ！　ひとりではなく、ふたりいるとは！　あの野郎！

一八九二年十一月十四日

昨晩カッターが示唆したことをジュリアに言ってみたところ、驚いたことに、妻はからからと笑った。

「すばらしい！」ジュリアは声を張り上げた。「そのことを思いつかなかったのね？」

「では、きみもその可能性があると思っているのか？」

「たんに可能性というだけじゃないわ……あなたが見たものを開けた舞台で実現できるのは、その方法しかないでしょう」

「きみの言うとおりだろうな」

さて、理不尽なことだが、わがジュリアに腹が立った。妻はあのイリュージョンが実演されるところを見てもいないのに。

一八九二年十一月三十日

昨日、ボーデンに関するきわめて興味深い見解と、加えて、あの男に関する注目すべき事実を入手した。

まず、今週ずっとこの日記に記入できなかったことを述べておくべきであろう。ロンドン・ヒッポドローム劇場の看板を務めていたからだ。これはとても名誉なことであり、どの舞台も（昼公演一度を除いて）満席だっただけでなく、観客の反応にも、わたしが主役であることがはっきり現れていた。その結果のひとつとして、報道機関の人間がわたしにかなりの関心を寄せているという事実が挙げられ、昨日、イヴニング・スター紙の若い記者がインタビューに訪れた。記者は、アーサー・ケニーグ君と言い、インタビュアーであるだけでなく、情報提供者でもあることが判明した！

質疑応答のなかで、ケニーグは同世代の奇術師について記録にとどめたい意見はあるかどうか、とわたしに訊ねた。従容《しょうよう》とわたしはもっとも優れた同業者たちについて、好意的な意見をかいつまんで話しだした。

「ル・プロフェッスールのことはおっしゃいませんでしたね」わたしが口を閉ざすと、わが対話相手は言った。「あの人の芸にご意見はないのですか？」

「残念ながら、当人の舞台を見たことがないのだよ」わたしは言葉を濁した。

「では、ぜひ見にいくべきです！」ケニーグは勢いこんで言った。「ロンドン最高のショーですよ！」

「そうかね」

「なんどかショーを見ていますが」記者は先をつづけた。「あの御仁がおこなうひとつのトリックがあり、本人曰く、ひどく消耗するので毎晩はできないそうなんですが、そのトリックこそ見物《みもの》なんです」

「噂には聞いたことがある」わたしは尊大を装って言った。「キャビネットをふたつ使ってやるそうだが」

「それですよ、デントンさん！　一瞬で姿を消して、また現れるんです！　だれもどうやってやっているのかわからないんです」

「だれも、というのは、同業者を除いてという意味だね」わたしは相手の言葉を訂正した。「標準的な奇術の手法を用いているんだよ」

「では、あなたはその方法をご存じで？」

「むろん、知っているよ」わたしは言った。「だが、当然ながら、わたしがその正確な方法をきみにうっかり漏らすと期待してもらっては困る」

じつを言うと、わたしは迷っていた。この二週間というもの、カッターの双子説を考えに考え抜き、カッターの意見は正しいと確信するにいたっていた。そしていま、その秘密を明らかにするチャンスを得たのだ。熱心な聞き手が目のまえにいる。わが街の有力紙のひとつに記事を載せることができるジャーナリストが。すでに奇術ショーの神秘に刺激を受けている男が。ふだんは抑えている復讐の欲望が鎌首をもたげるのを感じた。何度となくけっして屈してはならぬと自分に言い聞かせてきた弱点である欲望が。当然、ケニーグはボーデンとわたしのあいだの敵意をなにも知らない。

良識がふたたび勝った。奇術師はほかの奇術師の秘密を明らかにはしないものだ。ようやく、わたしは口を開いた。「方法や手段はたくさんある。ひとつのイリュージョンは、見た目とは異なるものだよ。何度も稽古とリハーサルを繰り返して――」

すると、若い記者は文字通り座席から飛びあがった。「双子の替え玉を使っていると思っておられるんですね！　ロンドンじゅうの奇術師がおなじことを考えている！　ぼくも最初にあれを見たときはそう思いました」

「ああ、それがあの男の方法だ」相手が単刀直入な人間であることを知って、ほっとした。

「ところがちがうんです！」若者は声を大きくした。「あなたもほかの人たちとおなじくまちがっておられます！　替え玉はいないんです。そこがじつに驚くべきことなんです！」

「双子の兄弟がいるんだよ」わたしは言った。「ほかに方法はない」

「それはちがいます。アルフレッド・ボーデンには双子の兄弟も、自分と瓜二つの替え玉もいません。ぼくは個人的にボーデンの暮らしを調べてみたので、本当のところをわかっています。ボーデンは舞台上で共演している女性アシスタント以外には、ひとりでショーをおこなっているんです。いっしょに奇術道具をこしらえている技術者はひとりいます。その点において、ボーデンはあなたのご職業のほかの人たちとなんら変わるところはありません。あなたと同様に」

「わたしには工作家《アンジェニュール》がひとりいる」わたしはすぐに認めた。「だが、もう少し教えてもらいたい。きみには大いに興味をそそられたよ。その情報は確かなのかね？」

「確かです」

「それを証明できるかね？」

「ご存じのように」ケニーグは答えた。「存在しないものを証明するのは不可能です。ぼくに言えるのは、この数週間、記者流に調査にあたってきた結果、あなたが想定していることを確かなものにする証拠は一片たりとも見つからなかったということです」

その時点で、ケニーグは薄い紙束を取りだし、わたしに見せた。そこにはボーデンに関する情報が書かれており、わたしは即座に興味を惹かれ、記者にそれを渡してほしいと頼んだ。

そのあと、おたがいの職業のあいだの、論争めいたものがつづいた。ケニーグはジャーナリストとして、第三者に自分の調査の果実をわけ与えることはできない、と主張した。それに対して、わたしは、もしボーデンに関する最終的な、絶対の事実をケニーグがつかんだとしても、対象者が存命中はそれを公にすることはできないだろう、と言って反駁した。

一方、もしわたしが独自の調査をはじめるとしたら、将来のどこかの時点で、ケニーグにじつに数奇な記事のネタを提供できるかもしれない、とつけ加えた。

結局、ケニーグは自分のメモから構成した手書きの記事の一部をわたしに伝えることに同意し、わたしは相手の読み上げた内容をその場で書きつけた。ケニーグは自分の下した結論をわたしには伝えなかったが、正直言って、わたしはそこにはあまり関心がなかった。最後にわたしはケニーグに五ソヴリン金貨（五ポンド）を渡した。

わたしが書き終えると、ケニーグがわたしに言った。「それからなにを学べるのかお訊きしてもいいですか？」

「自分の奇術の技を向上したいとひたすら願っているだけだよ」わたしは断言した。

「なるほど」ケニーグは辞去しようと立ちあがり、帽子と杖を手にした。「では、みごとに向上がなった暁には、あなたもル・プロフェッスールのイリュージョンを実演できるのでしょうか？」

「できるとも、ケニーグ君」わたしは尊大さを発揮して冷たく言い切ると、扉を指し示した。「必要があらば、あの男の取るに足りぬトリックを、今晩にでもわがものにできると断言しよう！」

そしてケニーグは立ち去った。

今宵、仕事の予定がはいっていなかったので、わたしはこの面談の内容をここに書き記した。その間ずっと、ケニーグの最後の皮肉なセリフが頭のなかで繰り返されていた。是が非でもボーデンのイリュージョンのタネをつかんでやる。あの男自身のトリックで、あの男以上のできばえを示し、あらゆる意味であの男を超えてみせ、あやつの顔色なからしめてやることほど甘美な復讐は思いつかない。

ケニーグ君のおかげでボーデンについて手にいれた事実は、はかりしれない価値を持つものになろう。とはいえ、まず自分で確認してみなくてはなるまい。

一八九二年十二月九日
いまのところボーデンについてなんの調べもしていない。全米ツアーが正式に決定し、カッターとわたしには山のように用意しなければならないことがある。丸々二カ月以上巡業する予定で、ジュリアと子どもたちとそんなに長いあいだ離ればなれになるのは想像を絶するほどだ。
しかしながら、今回のツアーを逃すわけにはいかない。気前の良い出演料もさることながら、たぶんわたしは英国あるいは欧州から招かれる最年少の奇術師であり、偉大なる奇術師たちの系列に連なることになる。新世界は、現在舞台に立つもっとも優れた奇術師たちの供給源であり、公演の地であり、今回のツアーをおこなうよう招待されたのはまさに光栄の至りなのだ。
そして、ボーデンはまだ合衆国を訪れたことがない！

一八九二年十二月十日
自宅での静かなクリスマスを期待していた。奇術公演はなし、リハーサルもなし、旅もなし。家族のなかに埋もれ、ほかのことはすべてうっちゃっておきたかった。しかし、ほかの奇術師のキャンセルがあって、出演料をはずまれ、しかもリゾート地イーストボーンに二週間滞在できるという抵抗しがたい出演依頼を受けた。家族全員をいっしょに連れていけるかもしれないのだ。わが家は海に臨むグランド・ホテルでクリスマスを過ごすのだ！

一八九二年十二月十一日

幸運な発見があった。きょうの午後、ガイドブックを眺めていると、イーストボーンがヘースティングズとほんの数キロしか離れていないことに否応なく気づいた。ふたつの街は一本の鉄道で直接つながっていた。一日か二日ヘースティングズで過ごすことを考えてみるべきだろう。なかなかすてきな観光名所と聞いている。

一八九三年一月十七日

突然、目前の旅行の途方もなさがわが暮らしに影を投げかけてきた。二日後、わたしはサザンプトンへ向けて旅立ち、ニューヨーク・シティ行きの船に乗りこみ、そののちボストンへ、さらにその先、アメリカの中心部へ進んでいく。先週は、悪夢さながらに荷造りと諸準備、ならびに巡業に持っていかねばならない装置の取り外し、梱包、事前の輸送の手配に追われた。なにひとつ偶然に任せることはできない。装置がなければ舞台のショーはできないからだ。多くのことが今回の大西洋横断にかかっている！

だが、いま現在、一日か二日の暇な時間ができており、この間に、精神的な用意を整え、自宅でしばらくくつろぐつもりだ。きょう、ジュリアと子どもたちといっしょにロンドン動物園へ行ってきた。家族と長いこと離ればなれになるのがわかっているので、もうすでに寂しくなっている。いま、子どもたちは眠っており、ジュリアは居間で読書をしており、この暗い一月の夜の静けさのなか、書斎に静かに腰を降ろし、勤勉なケニーグ君の働きが契機になって、アルフレッド・ボーデンに関して自分で調べた成果をようやく書き記すとしよう。

以下に記すのは、わたしが個人的に確認した事実である。

アルフレッド・ボーデンは、一八五六年五月八日に、ヘースティングズ市のボヘミア・ロードにあるロイヤル・サセックス医院で生まれた。アルフレッド出産の三日後、母親ベッツィー・メアリ・ボーデンは、夫が大工として働いているマナー・ロード一〇五番地の自宅へもどった。子どものフルネームは、フレデリック・アンドルー・ボーデンであり、医院職員の記録によれば、生まれたのはひとりだけだった。フレデリック・アンドルー・ボーデンは、一卵性双生児のひとりとして生まれたのではなく、それゆえ、現在、一卵性双生児の片割れでありうるはずがない。

次にフレデリック・ボーデンに年齢が近く、家族として似かよった特徴を持つ兄弟がいる可能性を調べた。フレデリックは第六子だった。姉が三人おり、兄がふたりいたが、兄のうちひとりは八歳年上であり、もうひとりは生後二週間で死亡していた。

ヘースティングズ＆ベクスヒル・アナウンサー紙のファイルを利用して、フレデリックの兄ジュリアスの人相風体を手にいれた（同紙によれば、ジュリアスは学校で優等賞を受賞していた）。十五歳でジュリアスは、直毛のブロンドをしている、と書かれていた。フレデリック・ボーデンは黒髪であるが、髪の色を染めて、ジュリアスが舞台上の替え玉である可能性はある。その線で調べてみたところ、フレデリックが十四歳のとき、ジュリアスは肺病で一八七〇年に亡くなっているのを突き止め、無駄に終わった。

弟もひとりいた。アルバート・ジョウゼフ・ボーデンは、一家の第七子で、一八五八年五月十八日に生まれている。（アルバート＋フレデリック＝アルフレッド？　フレデリックが最初の舞台名をアルフレッドにしたのは、それゆえか？）

またしても、フレデリックと充分年齢の近い弟の存在が替え玉の可能性を高めた。わたしはアルバートの出生記録を病院で調べ、吟味してみたが、この人物に関する確たる情報をつかむのはむずかしかった。しかしながら、進取の気性に富んだケニーグは、チャールズ・シンプキンズなる肖像写真家を訪ねてみることを勧めてくれていた。シンプキンズはヘースティングズ・ハイストリートにスタジオを有していた。

シンプキンズ氏は快く迎えてくれ、えり抜きのダゲレオタイプ写真を喜んで見せてくれた。写真のなかに、ケニーグが教えてくれたように、スタジオで撮影した、フレデリック・ボーデンと弟の写真があった。その写真は一八七四年に撮影され、フレデリック十八歳、弟十六歳のときのものだった。

ふたりははっきりと外見が異なっている。フレデリックは背が高く、「高貴な」としばしば表現される顔つきをしており、尊大な雰囲気を発していた（おなじようなことをしょっちゅうわたしも言われている）。一方、アルバートはあまり感じの良い様子ではない。弛緩した表情であり、丸顔で、頬がぷっくりふくらんでいた。髪の毛は兄よりも癖毛で、色は黒とはいえ、かなり薄い色だった。立った姿勢から判断するに、兄より少なくとも十センチから十三センチは低いと言えるだろう。

そのポートレート写真は、ケニーグの言うことが正しいことをわたしに確信させた――フレデリック・ボーデンは、替え玉として使える近親者がいないのだ。

舞台メーキャップの力を借りれば自分の替え玉として通用する男を、ロンドンの街なかで探しまわったのだという可能性は残っている。だが、カッターがなんと言おうと、わたしは自分の目でボーデンの舞台を見ている。イリュージョニストが用いる替え玉の大半は、ほんの一瞬しか舞台に姿を現さないものである。あるいは、まったくおなじ衣装を身につけることで観客の認知力を誤らせ、替え玉が本人であるようにほんの数秒間思わせる。

ボーデンは瞬間移動のあと、自分自身の姿を見せつけている。はっきりと見せている。フットライトのなかに歩を進め、頭を下げ、ほほ笑みを浮かべ、女性アシスタントの手を取り、ふたたび頭を下げ、舞台広しと歩きまわっていた。第二のキャビネットから現れた男が最初のキャビネットにはいった男であることに疑問の余地はない。

ゆえに、新世界への長旅の心構えをするには、ある程度、不満の残る諦めが必要である。

いまだにボーデンが、あのいまいましいイリュージョンをどうやって実現させているのかわからないが、少なくともひとりでやっていることはわかった。

わたしは奇術の世界の中心に急速になろうとしているところへ赴き、二カ月間、アメリカ合衆国のもっとも優れたイリュージョニストたちと会い、おそらくはいっしょに舞台に立つことになるだろう。ボーデンのイリュージョンがどうやっておこなわれているのか突き止めることができるイリュージョニストがおおぜいいよう。わたしは自分の名声を築きに、そして少なからぬ財産になるはずの出演料を稼ぎに、アメリカへいくのだが、さらに探索すべき事柄が加わった。

二カ月後にもどってきたときには、ボーデンの秘密を携えていることをここに誓う。また、帰国してから一カ月以内に、ロンドンの舞台でおなじトリックのもっと優れた改作を実演してみせると誓おう。

一八九三年一月二十一日

蒸気船サートゥルニア号船上

サザンプトンを出発して一日、悪天候のイギリス海峡を横断し、シェルブールで短い停泊をしたのち、いま、船はウェスタンアプローチズにはいり、一路アメリカを目指して順調に進んでいるところだ。この船は壮麗な船舶であり、石炭蒸気を動力とし、三本煙突で、欧州と米国のもっとも優れた人士を乗せ、楽しませる設備をそろえている。わたしの船室は第二甲板にあり、チチェスターからやってきた建築家と同室だ。建築家は礼儀正しく、控えめな問いかけをしてきたが、わたしは自分の職業を相手に話さなかった。家族から離れていることにもう苦しみを覚えている。

脳裏には、雨に煙る波止場で、さかんに手を振っている家族の姿がまだ浮かんでいる。こんなときには、わが職業のおかげでなにもないところから呼びだしているかに見える奇術が、現実のものであればいいのにと思う。ほら、杖を振り、アブラカダブラと呪文を唱え、家族をいまここに出現させることができれば！

一八九三年一月二十四日

依然、蒸気船サートゥルニア号船上

ずっと船酔いに苦しんでいるが、チチェスターからやってきたわが友ほどひどくはない。この同室者は、昨晩、船室の床にうんざりするほど吐きまくってくれた。哀れな御仁は悔恨と謝罪に押しつぶされているが、やったことは取り返しようがない。この楽しからざる経験の結果もあり、わたしはこの二日、食事を取っていない。

一八九三年一月二十七日

これを書いているいま、ニューヨークの街が前方の水平線上にはっきり見えている。荷物の陸揚げの手配がすべてちゃんとなっているのか確認するため、カッターと半時間の打合せを持つよう手配した。もう日記を書いている暇はない！

さあ、冒険がはじまるのだ！

一八九三年九月十三日

この日記に生活の記録を最後に書いてから八カ月近くが経過したのに気づいても驚きはしなかった。日記にもどるに際して、以前にも何度かその気になったときのように、今までの分をそっくりそのまま破棄してしまいたくなった。

そのような行為によって、わたし自身の行動は要約されるだろう。すなわち、わたしは最後にここに記したときに存在していた自分の生活のあらゆる側面を破壊し、取り除き、捨て去ってしまったのだ。

しかしながら、ほんのひとかけらだけ残っている。日記をつけるようになったのは、たとえどんなものになろうと、自分の人生をそっくり書き残そうという子どもじみた情熱からだった。三十六年間生きてきた自分がどんな人間になっていると思っていたのかもはや思いだせないが、いまのこんな状態を想像したのでないことは確かだ。

ジュリアと子どもたちは去ってしまった。カッターも去った。わたしの財産の大半も無くなった。わがキャリアは、やる気のなさから、しぼみ、零落してしまった。

わたしはすべてを失った。

だが、オリヴィア・スヴェンスンを得たのだ。

ここにオリヴィアのことはあまり書かずにおくつもりだ。過去のページにちらっと目を走らせると、いまとなっては恥ずかしさのあまり身を縮こまらせるしかない情熱で、ジュリアへの愛を縷々つづっているのがわかるだけに。わたしももういい歳だし、自分の心がかかる事柄であてにならないことはさんざわかっているので、こういう件で自分の感情を信頼することはできない。

ことしはじめのアメリカ巡業でオリヴィアと出会い、恋に落ちたのち、彼女といっしょにいるために、ジュリアと別れた、と言うだけで充分だろう。マサチューセッツ州のボストンというすばらしい都市で、わたしのために催された歓迎会にオリヴィアがいた。その会で、オリヴィアはわたしに接近してきて、わたしを尊敬していることを示した。過去にわたしに接近してきた数多くの女性のように(自慢でもなんでもなく事実として記す)。たぶん、故郷から遠く離れ、皮肉にも家族がいないことで寂しさのあまり、あからさまな相手の意図に抵抗できなかったのだろう。当時、オリヴィアは踊り子をしていたが、わたしの一座に加わった。わたしがボストンを離れると、オリヴィアも同行し、それ以降、ともに旅をした。それだけではなく、一、二週間もすると、オリヴィアはわたしのアシスタントとして舞台に立つようになり、わたしとともにロンドンまでついてきた。

カッターはこれを気にいらず、巡業が終わるのを見届けたものの、帰国するとすぐにわれわれは袂《たもと》をわかった。

否応なく、ジュリアとわたしが別れたように。いまでもときどき、自分がなんと多大な犠牲を払ったのか、その狂気に愕然として、眠れない夜を過ごすことがある。かつてジュリアはわたしにとって世界そのものだった。子どもたち、わたしの今日住まう世界を築くのに手を貸してくれたのだ。子どもたち、まさにジュリアが、わたしの今日住まう世界くおなじ犠牲の被害者である。わたしに言えることは、わが狂気は愛の狂気であるということだけだ――オリヴィアは、わたしを盲目にし、彼女を好きだという気持ち以外の感情をわたしに抱かせないでいる。

それゆえ、日記という秘匿性があるにせよ、当時、発言されたこと、なされたこと、被ったことはとても書き記せない。発言と行為の多くはわたしがおこなったもので、害を被ったのはすべてジュリアのほうだ。

現在、ひとりで世帯を営み、未亡人としての生活を装っているジュリアの生活をわたしは援助している。子どもたちはジュリアが引きとり、彼女には気にかけねばならぬ数々の要件があり、ジュリアの望みなのだろうか、わたしは別れてから一度も彼女の家で会っていない。じっさい、もしわたしがジュリアの家に姿を見せれば、未亡人でないことがばれてしまうので、わたしは否応なく死人でいざるをえない。子どもたちに会うのに彼らの家を訪ねるわけにもいかず、ときたま、外へ連れだして会わざるをえない。むろん、かかる窮境に追いこまれたのは、ひとえに自分のせいだ。

ジュリアとわたしは子どもたちを連れだすおりに一瞬顔を会わせているが、彼女の生来の愛らしさがわたしの心をさいなむ。だが、もうあともどりはできない。己れの責任は己れが取るのだ。捨てた家族を、なんとか心から閉めだすことができたなら、それだけでわたしは幸せだ。自分に対する好意的な見方を期待できないのはわかっている。妻を不当な目に遭わせたのだと自覚している。

むかしからずっと、まわりにいる人々をけっして傷つけまいとしてきた。ボーデンとのかかわりあいですら、あの男に苦痛を与えたり、危険にさらすような真似は避け、相手をいらつかせたり、辱めて復讐をすることのほうを好んだ。だが、自分にとってもっとも大切な四人の人間に、最大限の苦しみを与えてしまったのだ。欺瞞のそしりを受ける覚悟であえて断言するのだが、かかる事態は二度と引き起こすまい。

一八九三年九月十四日
わがキャリアはあらたな安定を築こうと、もがいているところだ。合衆国から帰国してからの数週間に起こったかかる激変のなかで、わたしが巡業中にアンウィンが受諾してくれた出演依頼の大半をみすみす流してしまった。巡業でかなりの大金を得てもどってきたので、しばらくは、働かずとも暮らしていけると感じていた。

しかしながら、この日記への記録を再開したのは、自分が陥っていた惨めさと無力感の陥穽《かんせい》から這いあがることができると思っているからであり、舞台にもどる用意ができたと思っている。アンウィンに出演依頼を募るよう指示した。わが職業に復帰するのである。

この決意を祝うべく、オリヴィアとわたしは今日の午後、彼女の選んだ舞台衣装を扱う店へ出かけ、新しい舞台衣装のための採寸をしてもらった。

一八九三年十二月一日

予定表には、三十分のクリスマス・ショーがはいっており、孤児のための学校で奇術を演じることになっている。それ以外に予定表は空だ。仕事のない状態で、一八九四年がすぐそこに迫っている。九月末以来、わたしの稼ぎは、たった十八ポンド十八シリングだ。

ヘスキス・アンウィンに聞いた話によると、わたしに対する中傷が流れているそうだ。気にしないように、とアンウィンに言われた。アメリカでの巡業成功はよく知られており、容易に嫉妬を抱かれやすいのだと言う。

その知らせにわたしは動揺した。背後にボーデンがいるのでは？

オリヴィアとわたしは生計を維持するために降霊術へ手を染め直すことを話し合ったが、いまのところ、最後の手段としてしか考えていない。

一方、日々、稽古とリハーサルに明け暮れている。奇術師はいくら稽古してもしすぎることはない。というのも、すればするほど手際がよくなるからだ。それゆえ、わたしは工房で汗をかいている。たいていはひとりで、ときにはオリヴィアとともに、演習のあまり気分が悪くなるまで繰り返す。わたしの手品の技能は向上しているものの、ときおり気分が沈んでいるときには、どうしてこんなに練習をつづけているのだろう、と不思議な気がするのも確かだ。

少なくとも、孤児たちは驚くべき娯楽を目にすることだろう！

一八九三年十二月十四日

一月から二月にかけて出演依頼が舞いこんでいる。大きな舞台での出番はないが、それでもわれわれの意気があがっている。

一八九三年十二月二十日

さらに一月の出演依頼がはいった。そのうちの一件は、プロフェッスール・ド・ラ・マジなる人物が空けた穴を埋めるためのものなのである、と強調しておきたい。喜んであの男の稼ぎを横取りしてやる。

一八九三年十二月二十三日

ハッピー・クリスマス！　面白い考えが浮かんだので、気が変わらないうちに、急いで書き留めておこう。（ペンと紙に記録をゆだねれば、あとは行動あるのみだ！）アンウィンがストリーサムにあるプリンセス・ロイヤル劇場での一月十九日の出番の契約書を送ってきた。たまたまボーデンが穴を空けたことによる、出演依頼である。契約書に目を通すと（最近の契約書は、署名したいと思うような内容とはかけ離れたものになりつつあった！）、おしまいのほうに書かれている条項に目が留まった。それは代演の場合によく書かれているありふれた条件を記しているものだった――曰く、わたしの舞台は、元々おこなわれるはずだった舞台とおなじ水準のすぐれたものでなくてはならない、と。

わたしの最初の反応はせせら笑いだった。ボーデンの水準に達すべきだという考えは、まさに皮肉でしかない。が、そこでべつの考えが浮かんだ。ボーデンの代演を務めるとするなら、観客が見るはずだったイリュージョンの代替品を、わたしが演じて悪いわけがあろうか？　つまり、ボーデンのイリュージョンをわたしが代わりに演じて悪いだろうか？

その考えにとりつかれて、わたしは終日ロンドンを駆けずりまわり、自分の替え玉を演じる人間を探しだそうとした。一年のうち、探すにはまずい時期だった――ウエストエンドのどこのパブでもたいてい見つかる役にあぶれた役者たちはみな、この時期、街じゅうのクリスマス向けのパントマイムやクリスマス・ショーに出ていた。
用意するのに三週間強しかない。あす、キャビネットを作りださなければ！

一八九四年一月四日

あと二週間に迫り、ついに見つけた！　男の名前は、ジェラルド・ウィリアム・ルート。役者であり、美辞麗句を連ねた詩の朗読者であり、独演者であり……だれに聞いても、常習的酔っぱらいであり、喧嘩好きだった。しかしながら、ルートは金に困っており、わたしのために働いているあいだは、舞台のあとでしか酒をたしなまないという言質を取った。ルートは懸命に機嫌取りをしており、わたしが提供できる程度の金ですら、ルートがふだん手にいれている金額の水準からすると、ずいぶん気前の良いものであり、それゆえルートを信頼できるものと信じる。

この男はわたしとおなじ背丈であり、立ち居や姿形は、だいたいわたしと似ていると言って過言ではない。少しばかり太り気味だが、贅肉を多少減らしてもらうか、わたしが詰め物をした服装をすれば足りるだろう。懸念材料ではない。肌の色はわたしより薄いものの、これとて、ドーランを塗ればすむ、ささいな問題でしかない。ルートの目はくすんだ青で、わたしの目は一般的に榛《はしばみ》色と表現される薄い茶色だったが、その違いははっきりわかるものではなく、注意をそらせるための舞台メーキャップを利用すればよい。

こうした細部はいずれも問題ではない。もっと深刻な問題は、ルートの歩き方だった。わたしよりもきびきびしたところがなく、歩幅も長く、歩いているときに足がわずかに外へひらく。オリヴィアがその問題に対処することになり、間に合うよう矯正してくれるものと信じている。役者ならだれでも知っているように、顔の特徴やアクセントや身振りよりも、歩き方や物腰に性格が出るものなのだ。もし替え玉がわたしと異なる歩き方をするなら、舞台上でわたしと見間違えられることはないだろう。じつに単純なことだ。ルートは、ひそかにおこなう惑わしについて十全に説明を受けると、その問題についてわかったと言った。本職の役者としての評判をあれこれ挙げてわたしの歓心を買うことでその問題に関するわたしの心配を払拭させようとしているが、そんなことはどうでもいい。当日の夜、わたしと見間違えられさえすれば、ルートは約束された金を手にいれるのだ。

リハーサルの時間は二週間残っている。

一八九四年一月六日

ルートはわたしが振り付けた動きを練習しているが、本人がこのイリュージョンを楽しんでいないという感じがしてしかたがない。役者は役を演じているのだが、観客はその間ずっとだまされているのだ——彼らはハムレット王子の扮装の背後に、たんにセリフを口にしている男がいることを知っている。わたしの観客は、目にしたものにだまされて劇場をあとにしてもらわねばならない！　彼らは自分の目が見た証拠を信じると同時に信じないままでいなくてはならないのだ！

一八九四年一月十日
わたしはルートに一日の休みを与えた。わたし自身が再考するために。あの男はだめだ、ぜんぜんだめだ！　オリヴィアも万事失敗だと考えており、さっさとボーデンのイリュージョンをわたしの舞台から外すようにとせっついている。
それにしても、ルートはひどいものだ。

一八九四年一月十二日
ルートは見事なものだ！　われわれには、よく考え抜く時間が必要だったのだ。ルートは友人たちと休日を過ごしたと言ったが、臭いから察するに、酒壜を口元に運んでその時間をつぶしたのだろう。
かまうことはない！　ルートの動きはちゃんとしており、タイミングもほとんどぴったり合っており、瓜二つの衣装を身につけてみると、惑わしは充分合格と言えるものになろう。

あす、わたしはルートとオリヴィアとともにストリーサムへ赴き、舞台を点検し、最後の準備をおこなう。

一八九四年一月十八日

あしたの舞台のことで、どういうわけか神経質になっている。ルートとわたしは、反吐《へど》つきそうなくらいリハーサルを重ねてきたというのに。完璧な実演には危険がつきものだ——もしあした、わたしがボーデンのイリュージョンを実演し、改良し、もちろんするつもりだが、わたしがそのようにやってのけたという噂は、数日以内にボーデンのもとに届くだろう。

真夜中の静かなこの数時間、オリヴィアは就寝しており、家のなかは静まりかえり、とりとめのない思いにとらわれていると、自分がこれまで目を向けてこなかった恐るべき事実がまだあることを痛いほど意識する。すなわち、ボーデンはわたしがどういう方法でイリュージョンを実演したのか即座にわかるはずだが、わたしにはあの男の方法がまだわかっていないのだ。

一八九四年一月二十日

大成功だった！　喝采が天井の垂木まで轟きわたった！　本日発行の最終版で、モーニング・ポスト紙はわたしのことを「おそらく現存する英国最高のイリュージョニスト」と評している。（二点ささいな留保をつけられたが、気にするものではない。ボーデン氏のご満悦を揺るがすには充分だろう！）

成功は甘い。だが、予想していなかった酸っぱい側面もあった！　いったいどうして思いつかなかったのか？　イリュージョンの最後、わが舞台のクライマックスに、わたしはたくみに崩れたキャビネットの壁のなかに屈辱的にも、うずくまっているしかなかった。喝采が会場を満たしているあいだ、スポットライトのなかを闊歩しているのは、あの酔いどれルートなのだ。拍手を受けているのはあの男であり、オリヴィアの手を取り、お辞儀をし、手を振り、投げキスをし、指揮者に謝意を示し、桟敷席の貴顕に挨拶し、帽子を持ちあげ、何度も何度も会釈しているのは、あいつのほうなのだ——

一方、わたしはカーテンが降りて、脱出できるまで、舞台の暗闇のなかで待っているほかない。

ここは変更しなければなるまい。第二のキャビネットから姿を現すのは、わたしのほうに変えねばならない。つまり、ルートとの入れ替わりは、このイリュージョンが始まるまえにおこなわねば。その方法を考えねばなるまい。

一八九四年一月二十一日

昨日のポスト紙での評は影響力があり、きょう、すでに代理人にたくさんの問い合わせがあり、確実な出演依頼が三件はいった。わが奇跡的な瞬間移動イリュージョンをいずれの舞台でも要求されている。

ルートには、ささやかな現金をボーナスとして与えた。

一八九五年六月三十日

二年まえの出来事はもうすでに色あせた悪夢のように思える。本年上半期が経過した時点でこの日記にもどってきたのは、たんにわたしがふたたび落ち着いた状態にあることを記さんがためである。オリヴィアとわたしは仲良く暮らしており、かつてのジュリアがそうだったような、心をかりたてる刺激の対象になりえなくとも、オリヴィアの穏やかな支えは、わたしの人生と仕事のよりどころとなっている。

もう一度、ルートと話し合うつもりでいる。前回の話し合いはほとんどなんの効果もなかったようなので。舞台上の演技のすばらしさとは裏腹に、ルートはわたしにとって厄介の種であり、この日記を再開したもうひとつの理由は、ルートとわたしがついに口論をするようになっているという事実を記すためでもある。

一八九五年七月七日
奇術の世界にはきわめて重要な決まりがある（かりにないとしたら、わたしにその決まりを創案させてもらいたい）。すなわち、アシスタントを敵にまわすなかれ、という決まりだ。連中は奇術師の秘密の多くを知っており、それゆえに奇術師に対して特別な力を有しているからだ。

もしわたしがルートを馘首《くび》にすれば、あの男の好き勝手に秘密をばらされてしまうだろう。

あの男が抱える問題のひとつはアルコール依存であり、もうひとつはあの傲慢さである。ルートはわたしの舞台の上で酩酊していることがよくある。本人も否定していない事実だ。支障ない、と本人は主張している。厄介なのは、大酒飲みの行動を抑制する術がないことで、いつか酔っぱらいすぎて自分の仕事を果たせなくなるのではないか、と恐れている。奇術師は自分の舞台を偶然に頼るような事態にしてはならないのに、わたしはあの男と入れ替わりをするたびに、一か八かのバクチを試みているのだ。

むしろ、ルートの傲慢さのほうがもっとひどい問題である。自分抜きではわたしがうまく舞台をおこなえないとルートは確信しており、わたしのそばにいるときにはいつも、それがリハーサルのときであれ、舞台裏であれ、あるいはわたし自身の工房のなかでさえも、永年の悲劇役者としての経験に基づく、ルートのひっきりなしの助言にわたしは苛まれている。

昨晩、われわれはずいぶんまえから予定されていた「打合せ」をしたが、話したのは大方ルートのほうだった。あの男の口にしたことの多くは、胸の悪くなるようなもので、脅迫めいていたことをここに書き記さねばなるまい。ルートは、わたしがもっとも聞きたくない言葉を口にした。わたしのタネをばらし、わたしのキャリアをだいなしにしてやる、というのだ。

さらに悪いことがあった。どういうわけか、シーラ・マクファースンとわたしの関係をルートは突き止めたのだ。厳重に守っていた秘密なのに。むろん、わたしは脅迫された。わたしにはルートが必要であり、やつはそのことを充分わかっている。やつはわたしに影響力をおよぼしており、わたしはそのことを痛いほどわかっている。

出演料を上げてやる申し出をせざるをえなかった。もちろん、ルートは即座に賃上げを受諾した。

一八九五年八月十九日

今宵、わたしは工房から早くに帰宅した。自宅に忘れてきたものがあったからだ（なにを忘れたのか、もう忘れてしまった）。最初、オリヴィアの部屋へ行ったところ、控えめに言うとしても、驚いたことに、ルートがオリヴィアといっしょに居間にいたのを目にした。

アイドミストン・ヴィラ四十五番地の家を買ったあとで、わたしはそこを二戸のそれぞれ必要設備の整ったフラットのままにしておいたことを、まず説明しておかねばなるまい。結婚しているあいだ、ジュリアとわたしはそこを自由に行き来していたが、オリヴィアといっしょになって以来、おなじ屋根の下で別々に暮らしてきた。ひとつには、礼節を守るためであったが、また、われわれの付き合い方のずいぶんざっかけない性格を反映しているためでもあった。別々の世帯を維持していながら、気が向けば遠慮なく相手を訪ねるようにしていた。

階段をのぼっていく途中で笑い声が聞こえた。オリヴィアのフラットの扉を開けると、そこは直接居間に通じており、オリヴィアとルートが陽気に笑いあっているのが目にはいった。わたしが戸口に立っているのを目にすると、ふたりの笑い声はたちまちやんだ。オリヴィアは怒っているようだった。ルートは立ち上がろうとしたが、ふらついて、また座り直した。じつに腹立たしいことに、半分空になったジンの壜がテーブルの上に載っており、もう一本、完全に空になった壜がその隣にあるのに気づいた。オリヴィアとルートは、酒のはいったグラスを手にしていた。

「これはどういうことだね？」わたしはふたりに問い迫った。

「あんたに会いにきたんだよ、エンジャさん」ルートが答えた。

「今晩は工房でリハーサルをしているのを知っているだろ」わたしは反駁した。「なぜあそこに探しにこない？」

「あなた、ジェリーは一杯ひっかけに来ただけなの」オリヴィアが言った。

「では、お帰りの頃合いだ！」

わたしは扉を片手で開け支え、ルートに出ていくよう示し、酩酊しているにもかかわらず、すばやく、ふらつきながらも、ルートは出ていった。通りすぎしな、ジン臭い息が一瞬、わたしにまとわりついた。

そのあと、緊迫した会話がオリヴィアとわたしのあいだで交わされたが、あえて詳細は記さない。喧嘩別れをしたあとわたしは自室へ引き下がって、これを書いている。ここには記していないさまざまな気持ちが心のなかで渦巻いている。

一八九五年八月二十四日
ボーデンが欧州とレバント地方の巡業に出る予定で、年末にはイングランドをあとにすることを、きょう知った。面白いことに、二つのキャビネットのイリュージョンはやらないという。
きょう、早くに会ったヘスキス・アンウィンからこのことを知らされた。パリにたどりつくまでに、ボーデンのフランス語がこないだ聞いたときより向上していることを願うよ、とわたしは冗談めかして言った。

一八九五年八月二十五日

理解するのに二十四時間かかったが、ボーデンがわたしに恩恵をほどこしてくれたのだ！　ボーデンが国外に出れば、もう瞬間移動イリュージョンをしつづける必要がないことをようやく悟り、わたしはすぐさま、なんのためらいもなくルートを馘首《くび》にした！　ボーデンが海外公演からもどってくるまでに、ルートの代わりを見つけるか、あるいはあのイリュージョンを二度とおこなわないかのどちらかに決める。

一八九五年十一月十四日

オリヴィアとわたしは、昨晩、最後の共演をチャリングクロス・ロードにあるフェニックス劇場での舞台で果たした。そののち、馬車の後部座席で満足そうに手を握りあいながら、いっしょに家へもどった。ルートが去って以来、われわれは以前よりも明らかに心安らかに暮らしてきた（ミス・マクファースンに会う頻度もどんどん落ちている）。

来週、レディングのロイヤル・カウンティ劇場での短い公演の幕開けでは、わたしのアシスタントはこの二週間訓練してきたご若い婦人に代わる。名前は、ガートルード。しなやかで、美しい身体に恵まれており、可愛らしさと、陶器の装飾品めいた透徹した落ち着きを兼ね備え、しかももうひとりの新しい使用人、アダム・ウィルスンなる大道具係兼装置職人の婚約者でもある。わたしは両名にたっぷり給金をはずんでおり、わたしの舞台に対するふたりの貢献にいまのところ満足している。

アダムは、体軀の面でほぼわたしと瓜二つであることを書き添えておかねばなるまい。まだアダムに話を切りだしていないものの、ルートの代わりとして心に留めておこう。

一八九六年二月十二日

今晩、〝血も凍る〟という言葉遣いの真の意味を学んだ。

ショーの前半で、トランプを用いたいつものトリックをしていたときのこと。観客のひとりにカードを一枚選んでもらい、全員によく見えるように自分の名前を書くよう頼む。それが済むと、わたしは相手からそのカードを受けとり、目のまえで破り、ばらばらになった紙片を放り捨てる。そののち、金属製の檻にはいっている生きたカナリアを取りだす。協力者はわたしから檻を受けとると、檻は相手の手のなかで不思議なことに潰れ（小鳥は一瞬で見えなくなる）、その手には檻の残骸が残り、そこに一枚のトランプのカードとおぼしきものが見える。協力者がカードを取りだすと、それがまさに自分の名前を書いたカードであることに気づく。トリックは終了し、協力者は自分の席にもどる。

今宵、トリックの締めくくりにきて、わたしは喝采を期待して観客にほほ笑んだところ、相手がこう言うのを耳にした――「おい、これはおれのカードじゃないぞ！」

わたしは男のほうを振り向いた。その馬鹿者は、片手に檻の残骸を、反対の手にカードをもって、そこに突っ立っていた。男はカードに書かれている文字を読もうとしていた。「ちょっと見せてください！」わたしは大仰に声を張り上げ、カードの強《フォーシング》制がうまくいかなかったことを予感し、このような事態のためにいつも用意している大量の多色飾りリボンをいきなり取りだすことで、失敗をごまかそうとした。

わたしは男からカードをひったくろうとしたが、災難はつもりつもって災害にまでなった。

男はわたしから身をひるがえすと、勝ち誇った声で叫んだ。「見ろよ、なにかべつのことが書かれているぜ！」

男は観客を相手にしようとしており、自分がつかんだ事実を最大限に利用して、奇術師をへこまそうとしていた。この瞬間を救うには、カードを取り返さなくてはならず、わたしは相手の手から文字通り、もぎとった。相手に飾りリボンを大量に浴びせ、指揮者に合図をし、観客に拍手を求め、この肝を冷やさせる相手を席へ押しもどした。

高まる音楽と、ぱらぱらという拍手のなかで、わたしはそこに書かれていた文字を読んで、凍りついて立ちつくした。

そこにはこう書かれていた――「シーラ・マクファースンと出かけている場所を知っているぞ――アブラカダブラ！――アルフレッド・ボーデン」

カードはクラブの3だった。わたしがあの協力者に強《フォーシング》制によって引かせたものだ。

そのあと残りの舞台をどうやってこなしたのか、わからないが、どうにかしてやっててのけたにちがいない。

一八九六年二月十八日

昨晩、わたしはひとりでケンブリッジのエンパイア劇場にでかけた。ボーデンが舞台に立っているのだ。ボーデンがキャビネットを用いた伝統的なイリュージョンの用意を周到に整えている最中にわたしは客席で立ち上がり、声を張り上げた。できるかぎり大きな声で、キャビネットのなかにアシスタントがすでに隠れているのだ、と観客に告げた。すぐに劇場を立ち去ったが、客席を出しなにちらっと振り返ると、垂れ幕が早々に降りてこようとしているのを目にして、満足した。

だが、思いがけず、自分がしたことの代償を払わねばならないことに気づいた。ロンドンへもどる長く、冷たい、孤独な列車の旅のなかで、良心の呵責に襲われたのだ。その暗い夜、みずからの行動を思い返す時間がたっぷりとあった。自分のしたことを苦々しく後悔した。相手の奇術をだいなしにしてしまった安直さに震えあがった。奇術はうたかたの夢だ。観客の娯楽のため、一時的に現実を停止させる行為である。その夢を破壊する権利がわたしに（あるいは、ボーデンの番のときには、ボーデンに）あるだろうか？

かつて、ずいぶん昔にジュリアが最初の子どもを失ったとき、ボーデンはわたしに手紙を寄越し、自分のしでかしたことを詫びた。愚かなことに、ああ、なんと愚かだったのだろう！　わたしはボーデンの謝罪をはねつけた。だが、本気でわれわれのあいだの諍いに終止符を打ちたいと思うときがいま訪れた。いったいいつまで、大のおとなが公の場で相手を攻撃しつづけなければならないのだろう？　われわれ以外のだれも知りもしない恨みを、ふたりですらはっきりとは理解していない恨みを晴らそうとして。確かに、かつて、ジュリアがあのくだらない男の介入によって傷ついたとき、わたしには正当な理由があった。だが、それからずいぶんたくさんのことが起こった。

リヴァプール通り駅へもどる寒々とした旅のあいだずっと、どうしたらうまくいくのかと考えていた。それから二十四時間経ったいまもまだ考えている。気力をふるいおこし、あの男に手紙を書き、かかる諍いに終止符を打とうと提案し、先方が晴らさねばならぬと思っている残りの恨みを一掃するための個人的な対面を提案してみよう。

一八九六年二月二十日

きょう、届いた郵便物を開封したのち、オリヴィアはわたしのところに来て、言った。

「じゃあ、ジェリー・ルートに教わったことは本当だったのね！」

いったいなんのことだね、とわたしは問い返した。

「あなたはまだシーラ・マクファースンと会っているんでしょ？」

そののち、オリヴィアは受けとったメモをわたしに示した。封筒の宛名は、「アイドミストン・ヴィラ四十五番地、Bフラットの住民さま」になっていた。ボーデンから来た手紙だった！

一八九六年二月二十七日

自分自身に折り合いをつけ、オリヴィアと、そしてボーデンとさえも仲直りしたぞ！

二度とミス・マクファースンと会わないこと、きみへの愛は不滅であると、オリヴィアに約束したことを記させてもらいたい。

また、アルフレッド・ボーデンとの確執を二度と繰り返さないと決心した。たとえどんなに腹が立ってもだ。ケンブリッジでの軽率な行動に対する公の場での報復があるものと予想はしているが、無視するつもりだ。

一八九六年三月五日

予想していたよりも早く、ボーデンは、脚線美を誇る小説の主人公にちなんで〈トリルビー〉と名付けられた、よく知られた、人気の高いイリュージョンをわたしがおこなっているときに、うまうまとわたしを辱めてくれた。（二脚の椅子の背にバランスよく渡された板の上でアシスタントが寝るもので、椅子を外したあと、アシスタントがなんのささえもなく宙に浮かんでいるように見える）ボーデンはどうにかして、舞台裏に忍びこんだらしい。

わたしがガートルードの寝ている板の下にある二番目の椅子を取り去ると、掩蔽《えんぺい》用の背景幕がすばやく引き上げられ、板の下でうずくまり、装置を操っているアダム・ウィルスンの姿があらわになった。

わたしはメイン・カーテンを降ろさせ、ショーを中断した。

仕返しをするつもりはない。

一八九六年三月三十一日
またしてもボーデンの引き起こした出来事が。前回からこんなにも早く！

一八九六年五月十七日
またしてもボーデンがらみの事件。
不思議なのは、おなじ日の夜に、ボーデンも舞台に出ていることを確認しているのだ。だが、どうにかして、ロンドンを横断し、グレート・ウェスタン・ホテルにやってきて、わたしの舞台の邪魔をしたのだ。

あいかわらず仕返しをするつもりはない。

一八九六年七月十六日

ここにボーデンがらみの事件をこれ以上記すつもりはない。それがあの男に対する軽蔑の印だ（今晩またしても起こったが、むろん、仕返しをする予定はない）。

一八九六年八月四日

昨晩、わたしのショーにとって比較的新しいイリュージョンを演じていた。回転式の黒板を用いるもので、そこに観客から言われた単純なメッセージをわたしが白墨で書く。ある程度の数のメッセージが客に見えるように書かれると、わたしはいきなり黒板をひっくり返す……すると、どういう奇跡なのか、おなじメッセージがすでに裏に書かれているのだ！

今晩、わたしが黒板をひっくり返すと、事前に用意していたメッセージが消されていた。その代わりに、そこにあったのは――

どうやら自分を瞬間移動させるのを

あきらめたようだな
といういことは、貴様はまだ
秘密を知らないのだな？
真の達人を見に来るがいい！

それでもわたしは仕返しをすまい。われわれの確執に関係するすべての事実を必要に迫られて知っているオリヴィアも、堂々たる軽蔑こそ、わたしがなすべき唯一の反応であることに賛成している。

一八九七年二月三日
またしてもボーデンがらみの事件。そのことを記すためだけにこの日記のページを開くのはなんとも退屈なことだ。
やつはますます大胆になってきている。アダムとわたしはショーの前後に入念に装置を点検し、ショーを始める直前に劇場の舞台裏を調べまわるようにしているものの、今晩、ボーデンはどうにかして、舞台下の奈落に忍びこんだらしい。
わたしは〈消える貴婦人〉という単純な名前で知られているトリックをおこなっているところだった。これは演じるのも、見るのも楽しい魅力的なイリュージョンで、仕掛けもきわめて真っ正直なものだ。アシスタントが舞台中央のごくありふれた木製の椅子に座っており、わたしが大きな木綿の布を彼女にかぶせる。アシスタントのまわりに布をぴんと張る。布に薄く覆われて、椅子に依然として座っているその姿ははっきり見えている。とりわけ、頭と肩の形がはっきり浮かびあがっており、彼女がまだそこにいる証拠として容易に判断できる。

いきなりわたしは一連の動きで布をさっと取り除く……すると、椅子は空っぽなのだ！むきだしの舞台に残っているのは、椅子と布とわたしだけ。

今宵、わたしが布を引きはがすと、驚いたことに、ガートルードはまだ椅子の上にいた。その顔は困惑と恐怖にゆがんでいた。わたしは唖然としてそこに立ちつくした。すると、タイミングを合わせたように、舞台上の落とし戸がすばやく開き、下からひとりの男がすっと持ちあげられてきた。男はイヴニング姿で、シルクハットをかぶり、スカーフとマントを身につけていた。悪魔のように落ち着いて、ボーデンは（そんなことをするのはやつだけだ）、帽子を持ちあげて観客に向かって会釈すると、舞台袖に向かって悠然と歩いていった。そのあとに煙草の煙がゆっくりたなびいた。わたしはボーデンに向かって猛然と突進した。いまこそ、やつと対峙するときだと心に決めて。だが、そのとき頭の上で、まばゆい光が煌々と照らされたのに注意を逸らされた！

電気仕掛けの看板が舞台天井から降ろされてきたのだ！　明るい青い文字が、なんらかの電気仕掛けによってくっきり浮かびあがっていた。そこに記されていたのは——

ル・プロフェッスール・ド・ラ・マジ

来週一週間、当劇場に来演！

ぞっとする青い光が舞台を染めた。わたしは袖にいた舞台監督に合図した。ようやくカーテンが降りてきて、わたしの絶望を、わたしの不面目を、わたしの怒りを隠した。

自宅に帰り、起こったことを伝えると、オリヴィアは言った。「仕返しをしないと、ロビー。あなたならもっとうまくできるわ！」

ついにわたしはオリヴィアに同意した。

一八九七年四月十八日

今晩、公の場でははじめて、アダムとわたしは瞬間移動のイリュージョンをおこなった。一週間以上かけて、リハーサルを重ねてきており、技術的には、その舞台は申し分ないものだった。

だが、最後に起こった喝采は、情熱的というより、儀礼的なものだった。

一八九七年五月十三日

何時間も作業とリハーサルを重ねたすえ、アダムとわたしはこれ以上改善する余地のない水準にまで、キャビネット移動の技を高めた。アダムは、十八カ月間、わたしのそばで熱心に働いてきたおかげで、わたしの動きや身振りを、おそるべき正確さで真似ることができるようになっている。瓜二つの衣装と、ドーランを少々、（じつに高価な）カツラがあれば、アダムはどこまでもそっくりなわたしの分身であると言ってよい。

それでも、われわれがこのイリュージョンをおこなうたび、圧倒的なクライマックスを迎えるだろうと思っているのに、ぱらぱらという頼りない拍手から判断するに、わが観客たちは感銘を受けていないことを明らかにしていた。

このイリュージョンをこれ以上改善するためになにをすればいいのかわからない。二年まえ、話によっては、ショーのなかにこのイリュージョンを含めても良いとほのめかすだけでも、出演料が倍になったというのに。近頃では、まるで見当違いの提案と思われるようになっている。この件をずっと考えこんでいる。

一八九七年六月一日

ここのところ、ボーデンが瞬間移動のイリュージョンを「改良」したという噂を耳にしていたが、さらなる情報がなかったので、気にも留めていなかった。ボーデンがあのイリュージョンをおこなっているのを見てからずいぶん歳月が経っていたこともあり、昨晩アダム・ウィルスンを連れて、ボーデンがこの一週間滞在しているノッティンガムの劇場に出向いた。（今晩、シェフィールドで自分のショーがあったのだが、舞台に出ているボーデンを途中で見られるよう、一日早くロンドンを発った）

髪を白髪に染め、頰に詰めものをし、だらしない服装と、伊達眼鏡で変装したうえで、舞台から二列目のかぶりつきに座った。ボーデンがトリックを実演しているあいだ、あの男からほんの数メートルのところにいたのだ。

すべてが突然の出来事だった！　ボーデンは例のイリュージョンにかなりの改良をほどこしていた。もはやキャビネットに身を隠したりはしていなかった。舞台になにか物を投じるようなくだらない真似はしていなかった（今週までわたしはそんな真似をつづけていた）。それに替え玉を使っていないのだ。

はっきり断言できる――ボーデンは替え玉を使っていない。わたしは替え玉についておよそ知りうるかぎりのことを知っている。空に浮かぶ雲を見つけるくらい簡単に替え玉を見つけることができる。ボーデンがひとりでイリュージョンをおこなっているのは、確実だ。

ボーデンのショーの前半は、割緞帳のまえで演じられていた。舞台全景が見られるのは、最後のクライマックスのイリュージョンのときだけになっていた。クライマックスに達すると、割緞帳が引きあげられ、化学物質に反応して煙を立てている広口壜の列や、コイル状のケーブルが飾られているキャビネット、ガラスの管や小さなパイプ、そしてとりわけ、ぴかぴか光る電線のかたまりが観客の目のまえに現れる。科学マニアの実験室をかいま見たような様子だ。

ボーデンは、フランス人の学者という恥ずかしい役柄を演じながら、装置のまわりを闊歩し、観客に電力を用いて作業する危険性を得々と弁じた。ところどころで、電線と電線を触れさせたり、ガスの入ったフラスコに触れると、驚くような閃光があがったり、大きな破裂音がした。放電がボーデンのまわりで起こり、青い霧状の煙が頭上付近にただよいはじめた。

用意が整うと、ボーデンは合図をした。オーケストラピットからドラムロールが鳴りひびいた。ボーデンは二本の重たい電線をつかみ、大仰に近づけていき、電気的接触をさせた。

そのあと起こったまばゆい閃光のなかで、瞬間移動はおこなわれた。われわれのまさに目のまえで、ボーデンは立っているところから消失し（二本の太い電線はのたくりながら舞台の上に落ち、音を立てて危険な閃光を発していた）、それまでいたところから少なくとも六メートルは離れた舞台の反対側に即座に姿を現したのだ！

通常の手段では、ボーデンがそれだけの距離を横断するのは不可能だった。瞬間移動はあまりにすばやく、あまりに完璧だった。まだ電線を握っているかのような手の格好をしたまま、姿を現し、電線のほうはまだその瞬間、舞台の上をジグザグに縫うように派手にのたくっていた。

ボーデンは嵐のような喝采を浴びて、まえに進み出、一揖した。その背後で、科学装置はまだ泡立ちと煙を吐いていた。逆説的にボーデンの普通らしさを強調しているかに見える恐ろしい背景幕となっていた。

喝采がつづいているあいだに、ボーデンはなにかを取りだそうとするように胸ポケットに手を伸ばした。おだやかな笑みを浮かべ、奇術による最後の取りだし芸を観客に期待させた。しだいに歓声が高まり、ほほ笑みを晴れやかな笑みにまで大きくすると、ボーデンはポケットに手を突っこみ、取りだしたのは……明るいピンク色の紙でできた薔薇だった。

この取りだしは、少しまえのトリックに関連しているものだった。その演目中、ボーデンは観客のなかのひとりの女性に、花束のなかから一本の花を選ばせ、その一本を見事に消してみせた。選ばれた薔薇がいままた現れたことを見て、観客はすっかり魅了された。ボーデンは小さな花を自分の選んだ女性のほうにはっきり示して、掲げた。充分花を示してから、指のなかでくるりと回転させると、黒く炭化した部分を示した。なんらかの劫火に焼かれたかのようだった！　背後の装置を意味ありげに一瞥したのち、ボーデンはもう一度、大きく一礼し、舞台を去った。

そのあと長いあいだ喝采がつづき、わたしの両手もほかの観客同様、大きな音を立てて叩き合わされていたことをここに記しておこう。

こんなにも才能に恵まれ、こんなにも技術と高い職業意識のそなわっているこの同業者である奇術師が、どうしてわたしに対するくだらない確執に執着するのだろう?

一八九八年三月五日

働きづめだったので、日記を書く時間がほとんどなかった。最後に書いてからまたしても数カ月が過ぎてしまった。きょうは(週末であり)、出演依頼がはいっていないため、簡単に記しておこう。

アダムとわたしは瞬間移動イリュージョンをノッティンガムのあの夜以来、ショーに含めていないことを記録しておくために。

このおだやかな挑発がなくとも、自称現代最高の奇術師は、わたしの公演中さらに二度、いわれのない攻撃でわたしに敬意を表してくれた。二回とも、わたしの舞台に対する潜在的に危険な介入だった。そのうち一回は、冗談として退けることができたが、もう一回のときは、数分間、ごまかしようのない悲惨な状態になった。

ことここにいたり、わたしは軽蔑でよしとする建前を捨てた。

わたしにはふたつ、まだどうしても達成できていない熱望がある。ひとつは、ジュリアと子どもたちとなんらかのおだやかな和解を果たすことだ。ジュリアを永遠に失ったのはわかっているが、先方がわたしとのあいだに空けた距離はたえがたいものがある。ふたつ目のものは、最初のと比較すればたいしたものではない。ボーデンとの一方的な休戦が終わりを告げたいま、なんとしても、あの男のイリュージョンの秘密を探りだし、ふたたびあの男にまさる舞台を務めたいというものだ。

一八九八年七月三十一日

オリヴィアがある思いつきを提案した！

それを書くまえに、ここ最近数カ月、オリヴィアとわたしのあいだでは情熱が、かなり冷えこんでいることを語らねばならない。ふたりのあいだに憎しみも嫉妬もないのだが、家に暗い影がさしているかのように、漠然とした無関心がただよっているのだ。われわれはおだやかな共同生活をつづけている。オリヴィアは自分のフラットに、わたしは自分のフラットにいて、ときには夫婦のようにふるまっているが、概して言えば、われわれはもはや相手を愛していたり、好いているような態度は示していない。とはいえ、離れずにいる。

最初のきっかけは、夕食のあとに訪れた。わたしのフラットでいっしょに食事を取っていたのだが、終わり際に少々急いだ様子で、ジンの酒壜を手に、オリヴィアは席を立った。わたしはオリヴィアの独り酒に慣れてしまっていたので、とくになにも言わなかった。

だが、数分後、オリヴィアのメイドのルーシーがやってきて、少しのあいだ、下の階へおこしくださいと言った。

オリヴィアは緑のラシャを張ったカードテーブルのまえに腰を降ろしており、テーブルの上には二、三本の酒壜と二個のグラスが載っており、向かいにはだれも座っていない椅子があった。オリヴィアはわたしに座るよう手招きすると、酒を注いでくれた。わたしはジンにオレンジ・シロップを加え、ジン特有の味を消そうとした。

「ロビー」オリヴィアはいつものように率直に言った。「あなたの許を去ろうと思うの」

わたしはもぐもぐとはっきりとしない答えをした。ここ数カ月そのような展開があるものと予期していた。現にいま起こっているように、もしそんなことが起きても、どう折り合いをつければいいのかさっぱりわからなかったものの。

「あなたの許を去ろうと思うの」オリヴィアは繰り返した。「そして、しばらくしたら、もどってくるつもり。なぜだか知りたい?」

知りたい、と答えた。

「なぜなら、あなたにはあたしを必要としている以上にほしがっているべつのものがあるからよ。もしあたしが向こうへいって、あなたのためにそれを見つけてあげれば、もう一度心からあたしを必要だとあなたに思われる機会がある、と判断したの」

わたしは以前同様きみのことが必要だ、と断言したが、オリヴィアはこちらの言葉をさえぎって、つづけた。

「なにが起こっているのか、あたしにはお見通し」オリヴィアは声を大にした。「あなたとあのアルフレッド・ボーデンは、仲良くやっていけないふたりの恋人同士のようなものよ。まちがっているかしら？」

わたしは言い逃れようとしたが、オリヴィアの目に浮かぶ決意を見てとると、すぐに同意した。

「これを見て！」オリヴィアはステージ紙の今週号をふりかざした。「ここよ」オリヴィアは新聞を半分にたたみ、わたしのほうへ放った。一面の求人広告のひとつを円で囲んでいた。

「それってあなたのお友だちのボーデンでしょ」オリヴィアは言った。「なんと書いてあるかしら？」

魅力的な若い女性舞台アシスタントを専任で募集。踊りに熟練し、丈夫で、健康、長距離の移動と、舞台上および舞台外での長時間の労働を苦にしないことが必要。器量良しであることが不可欠であり、大観衆のまえでの、刺激的かつ集中を要する作業に従事することを厭わぬ必要あり。**しかるべき経歴書を添えて、下記に応募されたし**

――

アルフレッド・ボーデンの稽古場の住所が記されていた。

「この二週間、アシスタント募集の広告を打ちつづけているところからみると、なかなかふさわしい人間が見つからないようね。あたしなら、手を貸せると思うの」

「きみがアシスタントになるということか」

「きみはいままでで最高のアシスタントだとしょっちゅう言ってくれてるじゃない」

「だけど、きみが？　あんなやつのために働くというのか？」わたしは悲しくて頭を振った。「どうしてそんな仕打ちができるんだ、オリヴィア？」

「あのトリックをどうやってやっているのか知りたくないの？」

オリヴィアがなにを言っているのかぴんと来ると、わたしは彼女のまえにおとなしく腰を降ろし、相手をまじまじと見つめ、驚きに目をむいた。もしオリヴィアがボーデンの信頼を勝ち得、リハーサルや舞台でいっしょに作業をし、工房を自由に動きまわれば、ボーデンの秘密がわがものになるのは時間の問題だろう。

われわれはすぐに細部の詰めにはいった。

ボーデンにオリヴィアの正体を見破られた場合を心配したのだが、彼女は心配していなかった。「ボーデンがあたしの名前を知っていると思っていたら、こんなことを思いついたと思う？」気取ったふうに問い返す。ボーデンがオリヴィアに手紙を書いてきたとき「住民さま」としか記していなかったことを指摘した。経歴書を持参する要求が、いまのところ、克服しがたい問題に思えた。オリヴィアはわたしの許でしか働いたことがないからだ。だが、手紙を偽造するのはお手の物でしょう、とオリヴィアに指摘された。

しかし、わたしは疑念を抱いており、それをここに認めるのにやぶさかではない。この美しい若い女性——わたしにこれほどの刺激的な感情の乱れをもたらし、わたしといっしょになるためにそれまでの人生を投げ打ち、五年間ほとんどすべてをわたしと分かち合ってきた人物——が、わが最大の敵のふところにはいる用意をしているという考えは、とても支持できるものではなかった。

オリヴィアの思いつきについて打合せし、計画を練っているあいだに、二時間あるいはそれ以上がたちまち過ぎていった。ふたりでジンの酒壜を空にし、オリヴィアはなおも言いつのった。「あなたのために秘密を手にいれてみせるわ、ロビー。あたしにそうさせたいでしょう?」わたしは、ああ、と答えたが、きみを失いたくないとも言った。

冷酷無比なボーデンの亡霊がわたしのまえに大きく迫ってきた。あの男に決定的な打撃を与えるといういい知れない多幸感と、オリヴィアがわたしのものであると知ったあいつが、それを上回る復讐をしてくるのではないかという懸念とのあいだで、わたしの心は千千に乱れた。そして、そうした恐れを口にした。オリヴィアは答えた。「あなたの許にもどってくるわよ、ロビー、ボーデンの秘密を持ってきてあげるわ」それからしばらくして、われわれは酔っぱらい、ふたりとも陽気になり、愛情がこみあげてきて、わたしはけさの朝食を食べるまで、自分のフラットにもどらなかった!

いまのところ、オリヴィアは自分の部屋にいて、アルフレッド・ボーデンへの就職願書を書いているところで、わたしは彼女のために推薦状を一、二通、偽造しなければならない。住所は、オリヴィアのメイドの住まいを利用して、局留め扱いにするつもりだ。さらなるごまかしのため、オリヴィアは母方の旧姓を使うことにしている。

一八九八年八月七日
オリヴィアがボーデンに就職願書を送ってから一週間が経ったが、まだ返事はない。ある意味では、まったく無関係なことなのだが、かの思いつきが浮かんで以来、オリヴィアとわたしは、アメリカ巡業のあの濃厚な日々のあいだそうだったように、優しく、相手を愛するようになっていた。オリヴィアは過去数カ月よりもずっと美しく見え、また、ジンからすっぱり手を切っている。

一八九八年八月十四日
ボーデンが返事を寄越した（少なくとも、T・エルボーンなるアシスタントが、ボーデンの代理で返事を寄越した）。来週早々に面接をするという。
わたしはその知らせに不意に心が乱れた——ここ数日、オリヴィアとともにいる幸せを見直していただけに、彼女がボーデンの手中に落ちるのを見なければならないのがなおさらいやな気分だった……たとえ、それがわれわれみずからがたくらんだ計略であったとしても。
それでもオリヴィアはやってのけたいと思っている。わたしは彼女と言い争った。ボーデンのトリックの重要性を取るに足りないものとし、われわれの確執の本気度を軽視し、すべてを笑って無視しようとした。

しかしながら、すでに、ひとりで考えさせる時間をオリヴィアに与えすぎていたようだ。

一八九八年八月十八日

オリヴィアは面接にでかけ、もどってきて、仕事はあたしのものよ、と言った。

彼女がでかけているあいだ、わたしは恐怖と後悔にさいなまれた。ボーデンを疑るあまり、オリヴィアがでかけた瞬間から、あの広告は彼女を誘惑するために出されたのだという気がして、つれもどしにいきたい自分を必死で抑えざるをえなかった。工房へでかけ、鏡をまえにした練習で気をまぎらわせようとしたが、やがて家へもどり、またしても部屋のなかをうろうろと歩きまわった。

オリヴィアの外出は、打合わせで予想していたよりもずっと長かったので、不意に彼女が帰ってきたときには、わたしはどうふるまえばよいのかわからなくなっていたほどだった。オリヴィアは無事であり、元気であり、高揚し、昂奮していた。

そう、仕事はオリヴィアのものになった。そう、ボーデンはわたしが書いた経歴書を読んで、それを本物として受け取ったのだ。そう、わたしがからんでいるという疑いは抱かなかったようであり、オリヴィアとわたしにつながりがあると疑っている様子もなかったという。

オリヴィアはボーデンの工房で見かけた装置のことを話してくれたが、あいにく、ありふれた装置だった。

「瞬間移動のイリュージョンのことでなにか言っていたかい?」わたしはオリヴィアに訊ねた。

「一言も。でも、自分ひとりでやり、舞台アシスタントは必要としないトリックがいくつかあると言っていたわ」

やがて、疲れたと言って、オリヴィアは自分のフラットに寝にいき、わたしはまたしてもひとりきりになった。理解せねばならない——たとえどんな事情であっても、オーディションを受けるのは疲れることなのだ、と。

一八九八年八月十九日

オリヴィアがすぐにボーデンのところで働きはじめたのが明らかになった。けさ、彼女のフラットの戸口へ行くと、オリヴィアは早起きし、午後になるまでもどってこられません、とメイドに告げられた。

一八九八年八月二十日

昨日オリヴィアは午後五時に帰ってきて、まっすぐ自分のフラットへ行き、わたしが戸口へ向かうと、なかにいれてくれた。またしても疲れているようだった。わたしはあらたな知らせをせっついたが、その日一日は、ボーデンから自分が必要とされるイリュージョンを見せられ、熱心に稽古を重ねたのだ、とオリヴィアは言うばかりだった。

そののち、いっしょに夕食をとったが、オリヴィアは疲れきっており、自分のフラットへもどって、ひとりで寝ることにした。けさ、彼女は早くにでかけた。

一八九八年八月二十一日

日曜日。ボーデンと言えどもきょうは働きはしない。自宅でわたしと終日いっしょにいながら、オリヴィアはボーデンの工房で見たもの、おこなったことについて堅く唇を閉ざしており、わたしを困惑させた。職業倫理に縛られているのか、と訊ねた。ボーデンの奇術の仕組みをわたしに明かしてはならないと感じているのか、と。だが、オリヴィアはそれを否定した。ほんの一瞬、二週間まえの気分でいる彼女をかいま見た。オリヴィアは笑いだし、もちろん、どこに忠誠の義務があるかちゃんとわかっているわ、と答えた。

証明することがどれほどむずかしくとも、オリヴィアを信頼できるのはわかっており、この件を終日うっちゃっておくことにした。結果として、われわれはきょう、なにげない、ありふれた一日を楽しみ、暖かい日ざしのなか、ハムステッド・ヒースへ長い散策にでかけた。

一八九八年八月二十七日
また一週間が過ぎ、あいかわらずオリヴィアからはなんの情報ももたらされていない。その件でわたしと話すのをいやがっているようだ。
今晩、ボーデンの次の興行の無料パスをオリヴィアからもらった。豪華ショー《エクストラヴァガンザ》と謳われているボーデンのショーは、レスター・スクエア劇場で二週間の公演が予定されている。オリヴィアはすべての公演でボーデンとともに舞台に立つことになっている。

一八九八年九月三日
今夜オリヴィアは、帰ってこなかった。わたしは当惑し、警戒し、いやな予感に包まれている。

一八九八年九月四日

ボーデンの工房へオリヴィアへの伝言を届けるよう遣いの子どもをやったが、その子が帰ってきて言うには、その場所は締め切られ、なかにだれもいない様子だったそうだ。

一八九八年九月六日

みずからへのごまかしをやめて、わたしはオリヴィアを探しにでかけた。まず、ボーデンの工房へ赴いたが、聞いていたとおり無人であり、ついでセントジョンズ・ウッドにあるボーデンの家に出むいたところ、好都合なことに、建物の正面を見張ることができるコーヒーショップを見つけた。できるかぎり長くそこに座っていたものの、なにか重要な事柄をちらりとでも目にすることなく終わった。けれども、ボーデン本人は見かけた。妻とおぼしき女性といっしょに家を出るところだった。午後二時に馬車が家の外にやってきて、しばらくすると、ボーデンとその女性が姿を現し、馬車に乗りこんだ。すぐに馬車はウエストエンドの方角へ走り去った。

ボーデンが家から離れたことを確認するために、丸々十分待ってから、わたしは道を渡って、恐る恐る玄関へ行き、ベルを鳴らした。男性の使用人が応対に出てきた。

わたしは直截に訊いた。「ミス・オリヴィア・スヴェンスンはご在宅かな?」

使用人は驚いた表情を浮かべた。

「家をまちがえておられると存じますが」男はそう言った。「当家にはそのような名前の方はおられません」

「これは失敬」そう言いながらも、オリヴィアの母の旧姓を使っていたことをからくも思いだした。「ミス・ウェンスコムのつもりで訊ねたんだよ。その人はご在宅か？」

またしても、使用人は丁重に首を横に振った。

「ミス・ウェンスコムなる方はおられません。ハイストリートの郵便局で訊ねてみてはいかがでしょうか」

「なるほど、そうしよう」これ以上関心を惹きたくなかったので、わたしは引き下がった。コーヒーショップでの監視にもどり、さらに一時間待っていたところ、ボーデンとその妻が家に帰ってきた。

一八九八年九月十二日
オリヴィアが家にもどってくる様子がないので、彼女からもらった無料パスを使い、レスター・スクエア劇場の切符売り場へ出向いた。そこでボーデンのショーの入場券と引き換えてもらった。正面後方の席を慎重に選び、舞台から気づかれないようにした。
〈チャイニーズ・リンキング・リング〉を用いたいつものオープニングのあとで、ボーデンはキャビネットからすばやく、効果的にアシスタントを登場させた。むろん、わがオリヴィアであり、電気仕掛けの照明を浴び、スパンコールのついたガウンをきらめかせて、きらびやかな姿だった。優雅な足取りで袖に引っこむと、ややあって、レオタードふうの魅惑的な衣装に着替えて再登場した。その姿の露骨なまでの官能性に胸がどきどきした。激しくも絶望的な喪失の思いを覚えながらもだ。

ボーデンは、例の電気を用いた瞬間移動イリュージョンでショーのクライマックスを迎え、そのセンスの良い舞台で、わたしをさらに憂鬱な気分にさせた。ボーデンとともに最後のあいさつにオリヴィアが舞台にもどってくると、わたしの気分はどん底に沈んだ。オリヴィアは美しく、幸せそうで、昂奮しているようだった。わたしの嫉妬に歪んだ目には、ボーデンが喝采に応えて彼女の手を掲げたとき、必要以上に愛情をこめているように映った。

かかる状況を理解する決意をかためて、わたしは足早に客席を離れ、楽屋口へ急いだ。ほかの芸人たちが出てきて、夜のなかへ去っていくあいだじっと待ちつづけたものの、門番が扉に鍵をかけ、照明を消すまで、ボーデンもオリヴィアも劇場を離れるところを見かけなかった。

一八九八年九月十八日

きょう、オリヴィアがもどってきたときのために家に泊まらせていた彼女のメイドが、元の女主人から受けとったという一通の手紙を持ってきた。

なにが起こったのか、その手がかりが含まれているかもしれないという望みを抱いて、不安にかられながらも手紙を読んだが、そこに書かれていたのはたんに——

ルーシーへ

あたしの荷物をみんな荷造りして、まとめ、ストランド劇場の楽屋へできるだけ早く届けてちょうだい。

全部にあたしのものであるとはっきり記しておくように。受け取りはこちらで手配します。

送料を同封します。余った分はあなたが取っておいて。つぎの勤め先の紹介状が必要なら、エンジャさんがもちろん書いてくださるはずよ。

感謝をこめて。

オリヴィア・スヴェンスン

わたしはその手紙を哀れな少女に読みあげ、オリヴィアが同封していた五ポンドでなにをしなければならないか説明しなければならなかった。

一八九八年十二月四日

わたしは目下、テムズ川に臨むリッチモンドのプラザ劇場で一シーズン、ショーをおこなっている。今夕、初回と二回目の舞台のあいまに楽屋でくつろいでいて、アダムとガートルードといっしょにサンドイッチでも食べにいこうとした矢先、何者かが扉をノックした。

オリヴィアだった。無意識に、彼女を部屋に招きいれた。オリヴィアは美しかったが、疲れている様子で、わたしの居場所を突き止めるのに一日がかりだった、と言った。

「ロビー、あなたが望んでいる情報を手にいれたわ」そう言って、オリヴィアは封をした封筒をわたしの目のまえに掲げた。「これを持ってきたの。だけど、あたしがあなたの許にもどれないのは、わかってもらわないと。アルフレッドとの確執は、いますぐおしまいにすると約束してちょうだい。もし約束してくれるなら、この封筒を渡すわ」

自分に関する限り、その確執はすでに終わりを告げているのだ、とわたしはオリヴィアに話した。

「では、どうしてまだあの人の秘密が要るの？」

「理由はわかっているだろう」

「諍いをつづけるためなのね！」

オリヴィアが真実の一端に触れているのはわかっていたが、わたしは「好奇心があるんだ」と答えるにとどめた。

長く留守にすると、ボーデンが変に思うかもしれない、と言ってオリヴィアは一刻も早く立ち去ろうとした。この計略がはじまったときに同じような状況を余儀なくされたことは、あえてオリヴィアに伝えなかった。

書いて伝えることができるのなら、伝言を書けば良かったのではないか、とわたしはオリヴィアに言った。彼女は、あまりに複雑で、あまりに精妙な工夫なので、と言い、ボーデン自身の備忘録からこの情報を写したのだ、と答えた。やがて、オリヴィアはわたしに封筒を渡してくれた。

封筒を手にしながら、わたしは訊いた。「ほんとにこれで謎が解けるのかい？」

「ええ、そう信じているわ」

オリヴィアは背を向け、扉を開けた。

「もうひとつ訊いていいだろうか、オリヴィア？」

「なにかしら？」

「ボーデンは、ひとりなのか、ふたりなのか？」

オリヴィアは笑みを浮かべた。腹立たしいことに、愛する男のことを考えている女性の浮かべるほほ笑みを、かいま見てしまった。「あの人はひとりの人間よ、それは保証するわ」

わたしはオリヴィアにつづいて廊下に出たが、裏方が声の届く範囲にうろついていた。

「いま幸せなのかい？」わたしはオリヴィアに訊いた。

「ええ、幸せよ。あなたを傷つけたとしたら、ごめんなさい、ロビー」

そう言うと、抱擁も、ほほ笑みすらなく、手を触れることもなく、オリヴィアは立ち去った。わたしはこの数週間、オリヴィアに対して心を動かさないようにしてきたが、それでも、そんな形で彼女と別れるのはつらくてたまらなかった。

わたしは楽屋へもどり、扉を閉め、扉へ寄りかかった。すぐに封筒の封を切った。なかには一枚の紙がはいっており、オリヴィアはそこにたった一言記していた。

テスラ。

一九〇〇年七月三日
イリノイ州のどこか

シカゴ・ユニオン・ストリート駅を午前九時に早々と出発し、じつに魅惑的な諸都市を囲む、荒廃した工業地帯をゆっくり通り抜けると、列車はかなりのスピードで農業地帯を西に向かって移動しつづけた。

わたしはすばらしい寝台車に恵まれ、一等客車にわたし専用の席があった。アメリカの列車は旅行用に贅沢にしつらえられ、あっぱれなほど快適である。食事は、一両まるごと食堂車にあてられた場所で出され、量が多く、滋養に富み、上手に給仕された。五週間アメリカの鉄道で旅をつづけているが、こんなに快適で、良い食事に恵まれたことはめったになかった。恐ろしくて、体重をはかる気になれない！　便利さと、豊富さと、気持ち良いサービスという偉大なるアメリカ世界にしっかり腰を落ち着けて、恐るべきアメリカの国土が窓の向こうで通りすぎていくのを眺めた。

乗り合わせた旅行者たちはいずれもアメリカ人で、多様な外見をしていたが、みな一様にわたしに気安く接し、穿鑿《せんさく》好きだった。およそ三分の一が、出張に出ている幹部クラスのビジネスマンであり、さらに大勢がいろいろな企業に勤めている人間だと、適当に判断した。加えて、プロのギャンブラーがふたりおり、長老派の聖職者がひとり、シカゴの大学からデンヴァーへ帰省する四人の若者、裕福な農民と地主が数名、そしていまだに正確には突きとめることのできない職業の人間が、ふたりほどいた。アメリカ流に会ったときから、われわれはファーストネームで呼びあっていた。ルパートという名前が好奇心を刺激する風変わりなものであることをずいぶんまえに知っていたので、合衆国にいるあいだは、たいていロブないしロビーで通している。

一九〇〇年七月四日

列車は昨晩イリノイ州ゲイルズバークに停まった。きょうはアメリカの独立記念日であるため、鉄道会社は一等車の乗客全員に、車内にとどまるか、今晩を街最大のホテルで過ごすかどちらかを選ぶよう申しでた。この数週間、何回も車中泊をしてきたことから、わたしはホテルのほうを選んだ。

ホテルにはいるまえに、街を短時間見てまわることができた。魅力的な場所であり、大きな劇場を有していた。今週は芝居がかかっていたが、ヴァラエティ・ショー（こちらでは「ヴォードヴィル」と称する）が頻繁におこなわれ、人気も高い、と言われた。奇術公演もしょっちゅうおこなわれているそうだ。わたしは劇場の支配人に名刺を残し、いつの日か出演依頼があることを願った。

その劇場と、ホテル、ゲイルズバークの街の往来が電気で照らされていることを記録しておかねばなるまい。ホテルで、アメリカの大都市やなんらかの重要性のある都市の大半は、電気照明を備えていることがわかった。ホテルの部屋のなかでひとり、天井のまんなかにある白熱灯のスイッチを点けては消すことを繰り返す経験をした。物珍しさにはすぐに飽きがきて、ありふれたものになるだろうが、電気による明かりが投げかける光は明るく、安定しており、心を高揚させるものだと言ってよい。照明にくわえて、さまざまな電化製品が売られているのを見た――換気扇、アイロン、室内暖房機、電気駆動のヘアブラシさえあった！　ロンドンにもどったらさっそく、自宅に電気を配することができるかどうか問い合わせてみよう。

一九〇〇年七月五日

アイオワ州横断中

長いこと車窓から外を見つめ、単調な景色のなかに変わったものがないかと期待したものの、農地は四方八方に平らでどこまでも果てしなく広がっていた。空は明るく淡いブルーだったが、二、三秒も見ていると目が痛くなった。雲が南の方角に層を重ねていたが、どこまでいっても位置や形を変えないように見えた。

ボブ・タンハウス氏なる同乗者は、たまたま、わたしの目に留まった電化製品を製造している会社の販売部長だった。二十世紀に向かうにつれ、電気が生活にもたらす貢献には限界も境界もいっさいない、と氏は請け合った。人々は電気の船で航海し、電動ベッドに寝て、空気より重い電気装置で空を飛び、電気で調理した食事を取り……電動カミソリでひげを剃ることすらするようになるだろう、と予言した！　ボブは夢想家兼セールスマンであるが、わたしに大きな希望を抱かせた。この魅力的な国では、新世紀が始まれば、どんなことも可能である、あるいは可能にできるとわたしは信じている。この国の未知の中心部へはいっていく現在の探索の旅は、わたしが欲しくてたまらぬ秘密を明らかにしてくれるはずだ。

一九〇〇年七月七日

コロラド州デンヴァー

鉄道旅行の贅沢さにもかかわらず、旅をしないですむに越したことがないのはまちがいない。一日か二日この街で休息してから、旅をつづけるつもりだ。こんなにも長く奇術から遠ざかっていた休みはない——舞台もなければ、練習もなく、工作家との打合せもなく、オーディションもリハーサルもない。

一九〇〇年七月八日　コロラド州デンヴァー

デンヴァーの東には大平原が広がっており、シカゴからの旅の途中で、わたしはその一部を横断した。ネブラスカ州は生涯二度と忘れられないくらいたっぷり見た——その鬱陶しい景色の記憶はいまもわたしの気力をくじいている。きのうは終日、南東から風が吹いており、暑く、乾燥して、明らかに砂塵を含んでいた。ホテルの職員は、オクラホマのような乾いた近隣州から吹いてくるものだとこぼしていたが、出所はどこであれ、おかげで街の探索は暑くて不快なものになった。早々に切り上げ、ホテルにもどった。しかしながら、そうするまえに、靄がやっと晴れ、デンヴァーのすぐ西になにが横たわっているか、この目で見た——ロッキー山脈の巨大な切り立った壁である。この日遅く、涼しくなってきてから、部屋のバルコニーに出て、茫然とさせられるほどすばらしい峰々の向こうに沈む太陽を眺めた。ここでは、ほかのどこよりも薄暮が三十分は長くつづくにちがいない。ロッキー山脈が投げかける巨大な影のせいで。

一九〇〇年七月十日

コロラド州コロラドスプリングズ

この町はデンヴァーの南およそ百十キロほどのところにあるが、乗合馬車で一日がかりの旅だった。頻繁に停まって、乗客を降ろし、馬を替え、御者を替えるのでそれだけの時間がかかるのだ。わたしは不快で、目立ち、旅にくたびれていた。わたしの外見は、馬車に同乗している農民の顔に浮かんだ表情から判断するに、かなり変わったものなのだろう。しかしながら、無事息災に到着し、自分がやってきた場所にすぐさま魅了された。デンヴァーには遠くおよばぬ大きさだったが、アメリカ人がこういった小さな町々にふんだんに注いでいる配慮と愛情にあふれていた。

地味だが、魅力的なホテルを見つけた。こちらの求めるものには充分だった。一目見て部屋を気にいったので、必要に応じて延長する約束で一週間分の宿泊費を支払った。

部屋の窓から、わたしをここへ引き寄せたコロラドスプリングズの三つの理由のうち、ふたつが見えた。

陽が沈むと、町全体が電気の明かりに踊ったのだ――通りには背の高い電柱照明が並び、どの家も窓が明るく輝いており、わたしの部屋から見える「ダウンタウン」地区では、商店や事務所やレストランの多くが、まばゆい看板広告を飾り、暖かい夜に明滅を繰り返していた。
その向こうに、夜空に大きなシルエットを浮かびあがらせているのは、町の隣に佇立する有名な山の黒い体軀だった――パイクス・ピーク、標高およそ四千五百メートル。あす、パイクス・ピークの麓を初めてのぼり、わたしをこの町に連れてきた三番目の唯一無二の理由を探すつもりだ。

一九〇〇年七月十二日
きのうの夜は疲れていて、とても日記を書くことができなかった。きょうはこの町でひとりで過ごさざるをえないので、きのう起こったことをきままに再現する機会がたっぷりある。
わたしは朝はやくに目覚め、ホテルで朝食を取ると、足早に町の中央広場へ赴いた。そこに手配した馬車が待っているはずだった。これはロンドンを発つまえに手紙で手配したもので、そのとき万事確認されていたものの、雇った男がそこで待っているとの確証を得る術《すべ》はなかった。驚いたことに、男は待っていた。
気安いアメリカ人流儀で、われわれはすぐさま大親友になった。男の名前はランドール・D・ギルピンで、生まれも育ちもコロラドだという。わたしは男をランディと呼び、向こうはわたしをロビーと呼んだ。背が低く、丸々と肥え、陽気な顔を灰色のあごひげがぐるっととりまいていた。目は青く、顔は陽に灼けて赤茶色になっており、髪の毛もあごひげのように鉄灰色だった。革製の帽子をかぶり、わたしが生涯見たことのないような薄汚れたズボンをはいていた。左手の指が一本欠けている。馬を操る御者台の下にライフルを置いており、弾はこめたままだよ、と言った。

礼儀正しく、溢れんばかりに友好的だが、ランディは、合衆国でかくも長いあいだ過ごしたことでようやくわたしにもわかるようになった、遠慮を示してきた。パイクス・ピークを登る道中も終わりかけたころ、その遠慮に相応の理由があることがわかった。

いくつもの事柄が重ねあった結果のようだった。わたしの手紙から、ランディは、わたしがこの地域にやってくるおおぜいの人間同様、金鉱掘りだと推定したのだ（この山には多くの豊富な金脈があるそうだ）。だが、口数が増えてくるにつれ、ランディは、わたしが広場を横切ってくるのを見たとき、服装や全体的な物腰から、わたしが教会の聖職者だと思ったそうだ。黄金という動機はランディには理解できる。当然、聖職者のひとりというのも合点がいくのだが、そのふたつの組み合わせというのは理解できなかった。そして、この風変わりな英国人が山のなかの悪名高き研究所まで馬車を走らせるよう命じたのは、謎をますます深めさせただけだった。

かくして、ランディはわたしを強く警戒していた。その警戒心を緩和するためにわたしができることはほとんどなかった。わたしの正体や目的を明かしても、おなじように理解不能になるだけだろうから！

ニコラ・テスラの研究所への道筋は、巨峰の東側のさまざまな勾配を乗り越えていく険しい上りであり、町から抜けて最初の二キロほどは、植生が濃かったものの、すぐにまばらになったごつごつした地面は、途方もなく背が高く、広く間を空けて生えているモミの木を支えるだけになっていった。東の景観は広大だったが、このあたりの景色はのっぺりと一様であり、驚くようなみごとな景観は事実上なかった。

一時間半が経過し、われわれは山の北東面に位置する台地に到着した。ここではいっさい木が生えていなかった。たくさんの新しい切り株があることに気づき、一時期ここに生えていた若干の木も最近切り倒されたことを示していた。

この狭い台地の中央に、わたしが思いこんでいたほど大きくはない、テスラの研究所があった。

「ここに仕事で来たのかい、ロビー？」ランディが言った。「足元に気をつけたほうがいいぞ。町の噂じゃ、ここはひどく危なっかしいそうだから」

「リスクは承知のうえさ」わたしはきっぱりと言った。ランディと手短かに交渉し、テスラ自身が町へ降りていくのにどんな手段を使っているのか――かりにそんな手段があるとしての話だが――不確かなので、苦労せずにあとでホテルにもどれるよう、確実にしておきたかった。ランディは、自分の用事があることはあるのだが、午後になったら研究所にもどってきて、わたしが姿を現すまで待とう、と約束してくれた。

ランディが馬車を建物にあまり近寄らせせようとしないのに気づき、わたしは最後の四、五百メートルを自分で歩いていかねばならなかった。

研究所は傾斜屋根のついた四角い建物で、綺麗な、あるいは塗装されていない木材で建てられており、にわかの思いつきで決められた意匠が多々見受けられた。中心となる建物が建ったあとで、さまざまな小規模な増築がなされたように見えた。というのも、屋根の勾配がてんでばらばらであり、いたるところで、妙な角度でつながっていたからだ。主屋根の上に（あるいは屋根を貫いて）大きな木製の起重機が設置されており、それよりも小さなべつの起重機が、横側の傾斜屋根のひとつに設置されていた。

建物の中心に、金属製の背の高い柱がまっすぐ立っており、徐々に先細りになって、先端は尖っているのだろうが、その部分には大きな金属製の球がとりつけられているせいで見えなかった。金属の球は明るい朝の日光を浴びて輝き、山腹を吹き抜ける新鮮な微風を受け、前後におだやかに揺れていた。

道の両側には、目的不明の数多くの科学装置が地面に設置されている。石ころの多い土壌にたくさんの金属柱が差しこまれ、その大半が絶縁電線でたがいにつながっていた。主建物の側面のそばには、ガラスのはまった木枠があり、そのなかに、数多くの測定目盛や表示器が見えた。

不意になにかの爆《は》ぜる激しい音が聞こえ、建物のなかから、まばゆい、ぞっとする閃光が立てつづけにあがった——白、ブルーホワイト、ピンクホワイトの閃光が断続的にすばやく繰り返された。光の爆発はあまりにも激しく、こちらから見える一、二枚の窓からだけでなく、建物の壁面にあいた小さな裂け目や穴からもくっきり見えた。
その瞬間、決意が一瞬鈍ったことを正直に告白せねばなるまい。ランディと馬車がまだ声の届く範囲にいるかどうか確かめようと振り返ったほどだ。（ランディの気配もなかった！）わがか弱き心は、二、三歩進まぬうちに、玄関の扉のかたわらの壁に吊るされた手書きの標識に出くわして、さらに弱まった。標識にはこう書かれていた――

きわめて危険

立入禁止！

それを読んでいるうちに、始まったときとおなじように建物内部からの放電がいきなり止んだのだが、それが良い前兆のように思えた。わたしは扉をこぶしで叩いた。しばらくして、ニコラ・テスラ本人が扉を開けた。テスラの顔に浮かんでいたのは、忙しい男が腹立たしいことに仕事を中断させられた場合の、上の空の表情だった。良いでだしとはいえないが、わたしは最善を尽くした。

「テスラさん？」わたしは言った。「ルパート・エンジャと申します。手紙のやりとりを覚えておられるでしょうか？　イングランドからあなたに手紙を書き送った者です」

「イングランドに知り合いはおらん！」どれだけおおぜいの英国人をいっしょに連れてきたのかと思っているかのように、テスラはわたしの背後に視線を投げかけた。「名前をもう一度言ってくれたまえ、きみ?」

「ルパート・エンジャです。ロンドンでのあなたの実演に居合わせて、おおいに興味をそそられました」

「あのときの奇術師か! アリー君が良く知っていた人かな?」

「わたしがその奇術師です」二つ目の質問の意味が一瞬わからなかったが、わたしは認めた。

「はいりたまえ!」

最初のやりとりのあと、テスラに関して、いちどきにそれはたくさんの——数時間をともに過ごしたことで、もちろんさらにたくさんの——印象を受けた。そのとき、まず、相手の顔に注意がいった。肉がこそげ落ちていて、知的で、目鼻立ちが整い、スラブ系の特徴が顕著に出ている頬骨をしていた。薄く口ひげをたくわえ、ひょろ長い髪の毛をまんなかでわけている。身なりにはあまりかまっておらず、長時間働き、疲労の余りほかに選択肢がなくなったときにだけ眠っている人間特有のそれだった。

テスラは非凡な記憶力の持ち主だった。わたしが自分の身を明かすとたちまち、われわれがごく短く交わしたやりとりのことを思いだしただけでなく、およそ八年まえに手紙を出して、テスラのメモの写しを求めたことも思いだしてくれた。

研究所のなかにはいると、テスラはわたしに助手のアリー君なる人物を紹介した。この興味深い人物はテスラの生活においてさまざまな役割を演じているように見えた。科学研究の助手であり共同研究者であり、家うちの使用人兼話し相手も務めていた。アリー君自身、わたしの仕事の賞賛者であることを明らかにした！　一八九三年にカンザス・シティでおこなったわたしのショーを見にきたそうで、短い話しかしなかったが、同君が奇術に関して知見を有していることを示した。

どう見てもふたりの男は研究所でふたりだけで働いており、あるのは、驚異的な研究装置だけだった。その装置は人間に近い存在と見なされている。というのも、装置に自前の思考と本能があるかのように、そのことを口にする癖がテスラにはあったからだ。昨日、一度、テスラがアリーにこういうのを耳にした――「嵐がやってくるのをこいつはわかっている」べつのときには、「また始めるのをこいつは待ってるようだ」とも言っていた。テスラはわたしがいることにも平気なようで、戸口で体験したつかのまの敵意は、わたしが滞在中、一度もあらわになることはなかった。テスラは、まもなく早めの昼食をアリーといっしょにとるつもりだと言い、わたしたち三人は腰を降ろして、隣接するほかの部屋のひとつからアリーが手早く運んできた、簡素だが、滋養に富んだ食事をともにした。テスラはわれわれふたりとは離れたところに座った。食事に関して、テスラが神経質な人間であるのが、わかった。口にいれるまえに一口ごとに目のまえに掲げて点検し、食べるのとおなじくらいの分量を捨てるのだ。物をほおばると、いちいち小さな布で両手を拭い、唇を軽く押さえた。われわれふたりのところにもどるまえに、手をつけなかった食事を建物の外にあるゴミ箱に捨て、食器を念入りに洗って、布巾で拭いてから、ひきだしのなかへもどすと、鍵をかけた。

アリーとわたしのところにもどると、テスラは英国での電気の利用についてわたしに質問を始めた。どれほど普及しはじめているのか、長期スパンで見た発電および送電に関する英国政府の方針はどのようなものか、構想されている送電方法およびその利用法。幸いなことに、テスラとのこの面談を計画するに際して、イングランドを発つまえに下調べを済ませていたので、充分内容を伴った水準で、テスラと話をすることができた。テスラは感謝している様子だった。とりわけ、英国の発電所の多くが自分の多相発電システムのほうを好んでいることを知って、喜んでいた。当地合衆国ではそうなってはいなかった。「たいていの都市はいまだにエジソンのシステムのほうを好むのだ」テスラは不満を漏らし、ライバルの方法の技術的な欠点をあげつらいはじめた。過去に何度も、わたしよりもずっと理解力のある聴衆相手のこうした意見の開陳を練習してきたのだな、と感じた。テスラの不満の要旨は、最後には人々は自分の交流システムを採用することになるのだから、いまのところ、彼らは多大なる時間と機会をむだにしているのだ、というものだった。その件に関して、また自分の仕事に関係するいくつかの件について、テスラの口調はユーモアを欠き、剣呑なものだったが、それ以外のときは、陽気で、楽しい話し相手だとわかった。

やがて、質問の焦点はわたし自身に、わたしの仕事に、電気に関する関心に、電気をどんな形で利用したいかに向けられた。

わたしはイングランドを発つまえに、もしテスラがわたしのイリュージョンの秘密を訊ねようとしたら、テスラを唯一の例外とし、先方が興味を示すあらゆることを包み隠さず明かそうと決心していた。そうするのが唯一正しいことに思えた。ロンドンでテスラの実演を見たとき、テスラはわたしの同業者とまったくおなじ様子で、聴衆を驚かせ、煙にまくのをおなじように喜んでいたが、それでも奇術師と異なり、嬉々としてというよりも、積極的に、自分の秘密を明らかにし、わかちあおうとしていた。

だが、テスラは興味を覚えなかったようだ。この件でいくら訊いてもなにも得られそうにないことを感じた。そこで会話の矛先を変えてみたところ、それから一時間か二時間、テスラはエジソンとの軋轢《あつれき》や、官僚や科学者の主流派との戦いや、自身の成功の大半をおもしろおかしく話した。現在の研究所の資金は、実質的にここ数年の仕事の成果で手にいれたものだそうだ。テスラは世界初の、都市規模に電力を供給できる水力発電機を設置したのだった——発電所はナイアガラ瀑布にあり、その便益を受けている都市はバッファローだった。テスラが財産を築いたのはこのナイアガラであるというのは事実であるが、突然巨万の富を得た大勢の人間同様、現在の財産をどのぐらいながく保っていられるだろうかと疑問に思っていた。

できるだけさりげなく、わたしは会話の話題を金に持っていった。われわれ相互の利益が真に一致する数少ない話題のひとつがそれだったからだ。もちろん、テスラは自分の財力の詳細をわたしのような、実質的には赤の他人に伝えようとはしないだろうが、資金確保は明らかになによりも重要な事柄だった。テスラは、現在のスポンサーである、J・ピアポント・モーガンの名前を何度か口にした。

わたしの訪問理由に直接触れる話題はいっさい出なかったが、この先何日ものあいだ、時間はたっぷりあるだろう。昨日、われわれはたがいを知りはじめ、おたがいの関心の拠り所を知りはじめたところなのだ。

ここまで、研究所のきわだった特徴のことをなにも記していない。食事のあいだ、またそのあとの長い会話のあいだ、われわれには、テスラの巨大な実験用変圧器《コイル》の影が落ちていた。研究所全体が言わば、コイルそのものであると言っても過言ではなく、記録装置と計測装置を除くと、ほかにはほとんどなにもなかった。

コイルは巨大だった。テスラが言うには、直径十五メートルを超えているそうで、わたしには充分それが信じられた。研究所の内部の照明が明るくないため、コイルは陰鬱で謎めいた存在感を示していた。少なくとも使用されていないときには。中心核(屋根から突きでているのを見かけたあの背の高い金属柱の基礎部分)のまわりに築かれ、コイルは無数の木や金属の目板のまわりに巻かれており、核に近づいていくにつれ、巻かれかたの複雑さが増していた。素人の目からすると、コイルの巻き方の違いはさっぱりわからなかった。体裁は、総じて言うなら、不気味な檻と言ったところだった。コイルのそばやまわりは、とっちらかっているように見えた。たとえば、研究所のなかには、ありふれた木製の椅子が何脚もあり、その多くがコイルのすぐそばにあった。ほかのこまごまとしたものも同様だった——書類や工具、下に落ちたり、忘れられた食べ物のかけら、汚れたハンカチさえあった。テスラの案内でコイルのぐるりをまわりながら、すなおにコイルに驚いたものの、そのときコイルのことを少しでも理解するのはむりだった。わたしにわかったのは、それが途方もない量の電気を使い、変圧することができるということだけだった。そのための電力は、下方のコロラドスプリングズから山に送られてくるという——テスラはその代金のため、町の発電機を自分で設置したという！

「ほしいだけの電気をわたしは使えるのだよ！」話のつぎめに、テスラは言った。「たぶん夜になるとわかるだろうがね」

それはどういう意味かと、テスラに訊ねた。

「ときどき、町の照明が一時的に薄暗くなることに気づくだろう。ときには、数秒間まったく消えてしまうこともある。それはつまり、われわれがここで作業をしていることのためなのだ！　お見せしよう」

テスラはわたしをこのあばら家の研究所から外へ連れだし、でこぼこの地面を歩かせた。ややあって、山の斜面が急な勾配となっているところにやってくると、そこからはるか下に、コロラドスプリングズの全景が夏の熱気にゆらめいているのが見えた。

「夜にここへやってきたら、お見せしよう」テスラは約束した。「レバーを一本引くことで、あの町全体を真っ暗にすることができるのだ」

もどりしなに、テスラは言った。「ほんとうに夜来るべきだよ。夜間はこの山のなかで一番すばらしい時間だ。たぶん自分で見てわかっているだろうが、ここの景色は壮大だが、本質的に面白さを欠いている。一方を見れば、ごつごつした山の峰があるばかりで、他方を見れば、テーブルトップのような平らな土地があるばかり。見下ろしたり、見回したりするのはまちがいだ。真の興味の対象はわれわれの頭上にあるのだ！　こんなに空気が澄み切り、月明かりが綺麗なところはほかにない。わたしがこの場所を選んだのは、頻繁に嵐があるからだよ。たまたま、いまもひとつやってこようとしている」

わたしは周囲を見回し、層雲が遠くに積み重なっていたり、あるいはもっと近くに、嵐がやってくる直前の雨をたたえた黒雲が空を暗くしているという見慣れた景色を探したが、どちらを向いても空は一様に青かった。空気もまた、からっと乾いていて、さわやかであり、土砂降りの前兆である不気味な蒸し暑さはかけらもなかった。

「嵐は、今晩七時過ぎにやってくる。検波器《コヒーラー》を調べれば、正確な時間を定めることができる」

われわれは歩いて研究所にもどった。その途中で、ランディ・ギルピンと馬車が到着しており、われわれのいるところからかなり離れたところに停車しているのに気づいた。ランディが手を振ったので、わたしは振り返した。

テスラは、わたしがだいぶまえに目に留めていた装置のひとつを指し示した。

「これによると、嵐は現在、われわれの北、およそ百三十キロのところにあるセントラル・シティにいる。見たまえ！」

拡大レンズを通して見ることができる、その装置の一箇所を示し、何度か指を突き立てた。しばらくそこを見ているると、テスラが示そうとしているのが、二個の金属鋲のあいだのかすかな隙間に走る、小さな電気火花だとわかった。

「この火花が散るたびに、稲妻が光っていることを示しているのだよ」テスラは説明した。「ここに放電があることに気づくと、一時間以上したら、遠くで雷が鳴っているのが聞こえるのだ」

信じられないという思いを口にしようとした瞬間、わたしはこの男の苛烈なまでの真剣さを思いだした。テスラは検波器《コヒーラー》の隣にあるべつの装置に移動しており、そこから二、三の数値を書きとった。わたしはあとにつづいて装置のそばに近寄った。「ほら、エンジャ君、今晩、時計を見て、最初に稲光を目にするときに注意されるとよかろう。わたしの計算では、午後七時十五分から二十分のあいだに起こるはずだ」

「そんな正確に予測できるんですか？」

「五分以内の精度でな」

「では、それだけで一財産作れますよ！」わたしは声を大きくした。

テスラは興味がないという顔つきをした。

「些末なことだ」テスラは言った。「わたしの仕事は純粋に実験に基づくもので、主たる関心は、嵐が起こる時期を知ることができれば、それを最大限に利用できるというものだ」テスラはランディ・ギルピンが待っている場所にちらっと目をやった。「きみの馬車がもどってきたな、エンジャ君。また会いにくるかね？」

「わたしがコロラドスプリングズに来た理由はたったひとつです」わたしは言った。「それは、あなたに事業の提案をすることです」

「わたしの経験からすると、それは最上の提案だろうな」テスラは重々しく答えた。「あさっておこし願いたい」

あしたは、鉄道の終点まででかけて、装置をいくつか引きとることで潰れてしまうのだ、とテスラは説明した。

それを機に、わたしは研究所を辞去し、やがてギルピンとともに、町にもどった。まさしく七時十九分に、町で稲妻が光り、すぐに雷鳴が轟いたことを記録しておかねばなるまい。そのあと、これまで見たことのないようなすさまじい嵐がはじまり、わたしにとってたいした体験になった。嵐のさなかに、ホテルの部屋のバルコニーにあえて出て、テスラの研究所をかいま見ようとして、パイクス・ピークの高みを見上げた。あらゆるものが闇に沈んでいた。

一九〇〇年七月十三日
きょう、テスラは稼働中のコイルを見せてくれた。
最初に、テスラはわたしが神経質な質《たち》かどうか訊ね、そんなことはない、とわたしは答えた。すると、テスラは金属の棒を持つようにと、わたしに寄越した。長い鎖で床につながっている棒だ。つづいて、煙かガスで充たされているとおぼしき大きなガラス製の半球を持ってきて、目のまえのテーブルに置いた。左手で鉄の棒を握ったまま、指示に従い、わたしは右手のてのひらをガラスの半球に押しあてた。即座にまばゆい光が半球のなかで発生し、腕の毛がすべて逆立つのを感じた。驚いて手を引くと、光はすぐに消えた。テスラが愉快そうにほほ笑んでいるのに気づき、わたしは手をガラスへもどして、ふたたびすさまじい光輝があがるあいだも、動かさずにいた。

同様の実験がさらにいくつかつづき、なかには、テスラ自身がロンドンで実演していたものもあった。臆病さをあらわにすまいと心に決め、個々の装置が発する放電を冷静に耐えた。最後にテスラは、二十万ボルトまであげるが、実験コイルの主フィールド内に座っていられるかと訊いてきた。

「まったく安全なんですか？」訊き返したものの、リスクを負うことに慣れたとでも言うように、わたしはあごを心持ち突きだしていた。

「わたしを信用したまえ。わたしに会いにやってきた理由はこれではないのかね？」

「まさにそうです」わたしはうなずいた。

テスラに木の椅子の一つに座るよう指示され、それに従った。アリー君もまえにやってきた。べつの椅子をひきずり、わたしのかたわらに置いて、腰を降ろす。アリー君から新聞を渡された。

「この世ならぬ光であなたが新聞を読めるかどうか確かめてみましょう！」アリーはそう言い、テスラとふたりで喉を鳴らして笑った。

わたしがふたりといっしょに笑みを浮かべていると、テスラは金属のレバーを下へ引き降ろし、耳をつんざくような割れんばかりの騒音とともに、突然、放電が起こった。放電は、頭上にある電線を巻いたコイルから発生し、なにか巨大で、破壊的な菊の花弁のように放射状に広がった。すっかり仰天して見ていると、断続的に吐きだされる電光が、まずコイルの中心の上方や周囲で弧を描き、やがて獲物としてこちらを狙っているかのようにアリーとわたしに向かって降りてきた。アリーはわたしの隣でじっとしていたので、わたしも動くまいとした。不意に電光の一本がわたしに触れ、こちらの身体の線をなぞるかのように、上から下まで駆け巡った。またしても、肌が粟立ち、目が光にくらんだが、それ以外はなんの痛みもなく、焼けるような感覚もなく、電気ショックも感じなかった。

まだつかんでいる新聞をアリーに指し示され、わたしはそれを目のまえに持ってきたところ、なるほどたしかに、電気の光輝は新聞を読める以上に明るかった。目のまえに新聞を掲げると、ふたつのスパークが紙の上を走り、まるで新聞に火をつけようとしているかのようだった。驚くことに、奇跡のように、紙は燃えなかった。

そののち、また少し歩こうとテスラに誘われ、表に出るとすぐに、言われた。「祝福させてくれたまえ。きみは勇敢だ」

「本当の感情を表に出すまいと心していたんですよ」わたしはためらいがちに答えた。

研究所にやってきた大勢の来訪者に、わたしがいま見たばかりのとおなじ実演をして見せたのだが、想像される放電の猛威に身をゆだねようとした人間はほとんどいない、とテスラは言った。

「たぶん、その人たちはあなたの実演を見たことがないのでしょう」わたしは考えを述べた。「あなたがご自分の命を危険にさらすはずがないとわかっていますし、はるばる大英帝国から仕事の申し出をしに旅してきた人間の命も、むろん危険にさらすはずもありません」

「まさしくそのとおりだな」テスラは言った。「さて、落ち着いて仕事の打合せをするべきときが来たようだ。きみがなにを念頭に置いているのか詳しく聞かせてくれまいか？」

「じつはそれがどういうものなのか、いまひとつはっきりしていないのです」そう切りだし、いったん言葉を切って、言葉をつむごうとした。

「わたしの研究に投資をしようというのかね？」

「いいえ、そうじゃありません」やっと返事ができるようになった。「投資家とはたくさんご経験がおありでしょう」

「いかにも。投資家の一部からは、いっしょに仕事をするのがむずかしい人間だと思われているし、投資家のために短期の利益をあげてやろうとは、これっぽっちも思っていない。おかげで過去には困った関係が生じたものだ」

「あえて言わせていただければ、現在においてもでは？　先日、お話ししたときに、あなたの頭のなかにモーガン氏のことがこびりついていたのでは？」

「Ｊ・Ｐ・モーガン氏は、まさに現下の関心事である」

「では、腹蔵なく言わせていただきますが、わたしは裕福な人間です、テスラさん。あなたに力を貸すことができればいいと願っているのです」

「だが、投資によってではないのだな」

「売買によって」わたしは答えた。「わたしにある電気装置をこしらえていただきたい。金額に折り合いがつけば、喜んで払わせていただくつもりです」

われわれは研究所が建っているひらけた台地のまわりを散策していたが、テスラが突然足を停めた。気取った姿勢を取り、目のまえに高くなっていく山の斜面を覆う木々のほうを、しげしげと見つめた。

「どんな装置が必要なのかね？」テスラは訊いた。「見てのとおり、わたしの仕事は理論的で実験的なものだ。いずれも販売のためのものではなく、わたしが現在使っている装置はみな、わたしにとって貴重なものなのだよ」

「イングランドを発つまえに、タイムズ紙であなたの仕事に関する新しい記事を読みました。その記事のなかで、あなたは電気を空気中に流す基本原理を発見し、近い将来その原理を実演で示すことを計画している、と書かれていました」わたしがしゃべっているあいだ、テスラはわたしを険しい目つきで見ていたが、そこまで自分の関心のほどを言ってしまった以上、わたしは先をつづけざるをえなかった。「科学者仲間の多くは、そんなことは不可能であるとはっきり断言していますが、あなたは自分がやろうとしていることに自信をお持ちだ。そうではないですか？」

わたしはテスラの目をまっすぐ見つめながら、この最後の質問を発し、相手の表情にあらたに大きな変化が現れたのを見てとった。いまやテスラの表情や物腰は、活気を帯び、表現豊かになっていた。

「いかにもそのとおりだ！」テスラは声を張り上げ、ただちに自身の計画について、おおざっぱな、（わたしには）ちんぷんかんぷんの説明をはじめた。

こうなると、テスラの話を止めるのは不可能だった！　口角泡を飛ばして話しながら、歩いている方向へ大きな歩幅で歩きだし、わたしは追いつこうとして小走りしなければならなかった。われわれは研究所のまわりを少し距離をおいてぐるぐるまわっていた。巨大な球がついている尖塔がたびたび視野にはいってくる。話しながら、テスラはそちらのほうを何度か手で示した。

テスラの話は、要するに、ずいぶんまえに多相電流のもっとも効率的な送電方法は、電圧を上げて、高圧線に流すことであると立証したというものだった。現在、もし電流をもっと高い電圧に上昇させれば、きわめて高周波の電流となり、電線自体まったく必要としていないことを証明できるという。電流は流されるのでは<ruby>な<rt></rt></ruby>い、放射され、広くエーテルへ投げだされ、検波器や受容器を並べることで、電気をふたたびとらえ、利用できるのだという。

「その可能性を想像してみたまえ、エンジャ君！」テスラは高らかに言った。「あらゆる電化製品、あらゆる公共設備、人に知られている、あるいは想像できるあらゆる文明の利器が空中から発せられる電気によって動くようになるのだ！」

そして、ある意味では、かつて列車で乗り合わせたボブ・タンハウスの言ったことに面白いほど似ているのだが、テスラはその可能性を列挙しはじめた——照明、暖房、温水風呂、食糧、家、娯楽、自動車……あらゆるものが、謎めいた、説明不能な方法で電気によって動力を得るだろう、という。

「うまくいっているのですか？」わたしは訊ねた。

「疑問の余地なく！　きみもご存じのとおり、まだ実験段階ではあるがね。しかし、実験はほかの人間によっても再現可能なものだ。もしほかの人間がやろうとすればな。制御可能な技術でもある。これは絵空事ではない！　数年と経たぬうちに、現在バッファロー市に電力を配給しているように、わたしは全世界に電力をもたらすだろう！」

テスラの口からかかる説明がなされるまでに、われわれは広い敷地を二周していたが、わたしはテスラと歩調を合わせ、相手の科学に寄せる恍惚感が自然に消えるのに任せようと決めていた。最終的に、偉大なる知性の持ち主であるテスラは、わたしが最初に話したことに話をもどすだろう、とわかっていた。

やがて、テスラはそのとおりのことをした。「わたしからそのための装置を買いたいと言っているると理解していいのだろうか、エンジャ君？」

「いいえ」わたしは答えた。「ここにきたのは、べつの品物を買うためです」

「わたしはいま話した研究で手一杯なのだ！」

「それは尊重します、テスラさん。わたしは新奇なものを探しているんです。つまり、こういうことです――もし電気エネルギーが送れるものだとすれば、物質もまた、一箇所からべつの箇所へ送れるのではないでしょうか？」

テスラのゆるぎない答えにわたしは驚いた。「エネルギーと物質はおなじ力のふたつの現れ方だよ。もちろん、それはわかっているね？」

「はい」

「では、きみはすでに答えを手にいれている。ただし、物質を電送したいとだれかが願う理由がわからないことをつけくわえておこう」

「ですが、そんなことを可能にする装置をわたしにこしらえてくださることはできるのですね？」

「どれだけの質量が関係するのかね？　重さはどれくらい？　どんな大きさの物体だね？」

「九十キロより重くなることはありません」わたしは言った。「それに大きさは……高さ一・八メートルと言ったところでしょうか、せいぜいのところ」

テスラはどうでもいいと言うように手を振った。「いったい、いくらわたしに払うつもりかね？」

「いくら必要でしょう？」

「八千ドルがどうしても必要なのだよ、エンジャ君」

わたしは思わず笑い声をあげずにはいられなかった。その金額は予定していたより大きかったが、わたしの資産の範囲内だった。テスラは心配そうにこちらを見て、どうやらわたしがおかしくなったと思っているようで、少しわたしからあとじさった……だが、すぐにわれわれは風の強い台地の上で抱きあい、たがいの肩をぱんぱん叩きあっていた。ふたつのニーズが出会い、ふたつのニーズが合致したのだ。

われわれが離れ、約束の握手をしたところ、背後の山のどこかで大きな雷鳴が鳴り響き、われわれのまわりでごろごろと音を立て、狭い山道に反響していった。

一九〇〇年七月十四日

テスラはわたしが考えていたより厳しい取引を提案してきた。わたしはテスラに八千ドルではなく、一万ドルを支払うことになった。どう考えても一財産だ。テスラは普通の人間とまったくおなじように、一晩じっくり考えてみて、今朝目覚めたときに、八千ドルではわたしがやってくるまえに抱えていた資金不足を解消するだけだと悟ったようだ。わたしの装置を作るのにさらに金が必要だった。それだけではなく、現金で代金の半分以上を支払うよう求めてきた。現金で三千ドル持ってきており、さらに持参した無記名債で三千ドルを加えることができたが、残りはイングランドから送金せねばならないだろう。
　きょう、テスラはその手順にすぐさま同意した。
きょう、テスラはさらに詳しく、わたしがどんなものを求めているのか質問した。わたしが実現しようと計画している奇術の効果には無頓着で、実務的な事柄に関心を示してい
た。装置の大きさ、電力源、必要とされる重さ、可動性の必要度合い。
　気がつけば、テスラの分析能力に富む精神を賞賛していた。可動性はわたしがまったく
考慮していなかった事柄であり、もちろん、それは公演に渡り歩く奇術師にとって決定的
な要素である。
　テスラはすでにおおざっぱな計画を立てており、必要な部品を手にいれにデンヴァーへ
でかけているあいだ、コロラドスプリングズで二日ほど気晴らしをするように、とわたし
を追い払った。
　わたしの計画に対するテスラの反応から、これまでは推測するだけだったあることにつ
いて、ついに確信を抱くにいたった。ボーデンはテスラのところへきていない！
　わが仇敵の計略がわかってきた。オリヴィアを通じて、あの男はわたしをあらぬ方向へ
向けさせようとしたのだ。ボーデンのイリュージョンは、光輝く効果を利用して電気の力
を用いていると余人ならば考えるが、じっさいには光がはでに灯っているだけなのだ。ボ
ーデンはわたしがあてのない探求に出るだろうと思っていたのだろうが、テスラとわたし
は秘められたエネルギーの本丸に現実に挑んでいるところなのだ。

だが、テスラの仕事は遅い！　時の経過が気になってしかたない。テスラに任せたら必要な機械を製造してくれるのは時間の問題だと、素朴にも思いこんでいた。彼がひとりごとを言うときのぼんやりとした表情を見て、現実的な終着点がわからないものを発明するという過程をたどらせてしまったことをわたしは悟った。（内密にアリー君から教えてもらったのだが、テスラはときどきひとつの問題を何カ月も悩み抜くという）

イングランドで十月と十一月に変更できない出演依頼がはいっており、最初の出番のかなりまえに帰国しておかねばならない。テスラがもどってくるまで、二日間のむだな時間があるので、その時間を利用して、列車と船の運行予定を調べておいたほうがいいだろう。アメリカという国は、いろんなことで優れた国だが、この手の情報を提供するのは得意ではない。

一九〇〇年七月二十一日

テスラの作業は相当進んだようだ。わたしは二日おきに研究所を訪問するのを許されており、装置の一端は目にしているものの、実演はまだ論外だった。きょう、テスラが自分の研究実験にあくせくしているのに気づいた。それにすっかり気をとられており、わたしを目にしていらだち、困惑しているように見えた。

一九〇〇年八月四日
激しい雷雨が三日間パイクス・ピークのまわりで吹き荒れており、わたしを陰鬱に、欲求不満にさせた。テスラが自分自身の実験に追われているのはまちがいない。わたしのための実験ではなく。
日々が無為に過ぎていく。今月末までにはデンヴァーを発つ列車に乗らねばならない。

一九〇〇年八月八日
けさ、研究所へ行くと、わたしの装置をいつでも実験できる、とテスラに言われた。非常に昂奮して、わたしはそれを見ようと身構えた。だが、実験しようとすると、装置は機能せず、三時間以上配線の一部をいじくっているテスラを見たのち、わたしはこのホテルへもどった。
ファースト・コロラド銀行から、わたしの金が一両日中に手にはいる、と伝えられた。たぶんその金がテスラにさらなる努力をさせる推進力になるだろう！

一九〇〇年八月十二日
本日、またしても実験は失敗に終わった。その結果にがっかりだ。テスラは当惑している様子で、計算ミスはありえない、と主張していた。

その失敗について簡単に記録しておこう。プロトタイプの装置は、テスラのコイルの小型版で、ことなる形で配線が施されている。原理について長々と講釈したのち（そのどれもわたしには理解できず、テスラは、声に出してものを考えるやり方なのだと、まもなくわかった）、テスラ本人、あるいはアリーが目立つオレンジ色に彩色した金属棒を取りだした。テスラは金属棒を、逆さになった円錐状の電線の束のようなものの真下にある、台座に載せた――円錐の先端はまっすぐ金属棒に向けられていた。

テスラの指示に従い、アリーがオリジナルのコイルのそばにある、大きなレバーを動かしたところ、やかましいが、いまでは見慣れた弧を描く放電がはじまった。ほぼすぐにオレンジ色の棒は青白い炎に包まれ、ひどく脅しつけるような形で棒のまわりを炎がのたくった。（舞台上で実現させたいと思っているイリュージョンのことを考え、わたしは内心、その様子に満足していた）騒音と白熱光が急速に強さを増していき、まもなくすると、金属棒自体の溶けた分子が床に飛び散るかのように思えた――だが、まったく変化なく、傷ひとつない棒の外見によってそれを否定していた。

数秒後、テスラは大仰に両手を振りまわし、アリーは制御用のレバーをもとにもどし、放電はたちまち止んで、金属棒はあいかわらずおなじところにあった。

テスラはすぐにその謎に没頭し、これまで同様、それ以降、わたしの存在は無視された。二、三日、研究所に来ないほうがいいですよ、とアリーに言われたのだが、時間がどんどんなくなっているのが気になってしかたない。そのことを充分テスラ氏にわかってもらえているのだろうか？

一九〇〇年八月十八日

本日は、二度目の実演の失敗よりも、テスラとわたしが辛辣に口論したという事実によって特筆すべき日であろう。この言い争いは、機械が作動しなかった直後に起こり、われわれふたりとも昂奮していた。わたしは失望から、テスラは欲求不満から。

オレンジ色に塗られた金属棒が移動にふたたび失敗すると、テスラはそれを手に取り、わたしに持つように寄越した。数秒前、それは放射される光を浴びて、四方八方に光を反射していた。わたしは恐る恐るテスラから金属棒を受けとり、なかば指が火傷しそうになるのを予期していた。だが、金属棒は冷たかった。これは奇妙なことだった——熱せられていなかったという意味で、たんにひんやりしているのではない。まるで氷につつまれていたかのように、ひどく冷たかったのだ。手に持って金属棒の重さを測ってみた。

「こんな失敗がこれ以上つづけばだが、エンジャ君」テスラはかなり気安げな声で言った。「それをおみやげとしてきみに渡して、お引き取り願わねばならなくなるだろうな」

「いただきますが、どちらかと言えば、ここに買いにきたものを持ち帰りたいものです」

「充分な時間をもらえれば、地球ですら動かしてみせよう」

「わたしには充分な時間などないんだ」金属棒を床に投げ捨てて、わたしはきつい言葉遣いをした。「それに動かしたいのは地球じゃない。この金属棒でもない」

「では、望んでいる物体の名前を挙げたまえ」テスラは皮肉っぽく応じた。「そちらに集中したほうがよかろう」

その瞬間、自分のなかでここ何日か表に出さずに抱えてきた気持ちの一部が噴き出すのを感じた。

「テスラさん」わたしは言った。「わたしはここに突っ立って、あなたが金属片を使っているのを見てきました、実験目的のためにそうしなければならないのだろうと思って。しかしいまさらながらに、ほかのものを用いることもできるのではないか、と思っているのですが、まちがっていますか?」

「いや、そんなことはない」

「では、わたしが求めていることをするためのものをどうして作ってくれないんですか?」

「なぜならば、きみが求めているものをまだ明らかにしていないからだ!」

「短い金属棒を送りだすことなんてどうでもいいです」熱くなってわたしは言った。「わたしがはっきり説明したはずのやりかたで装置が動いたとしても、金属棒ではなんの役にも立ちません。わたしは生きた人体を電送したいんです! 人間を!」

「では、哀れな鉄の棒で失敗を重ねさせるのではなく、人間でそうさせたいのかね? そんな危険な実験にだれを指名するつもりだ？」

「どうして危険なんです？」

「実験というのはどんなものでも危険なものだ」

「わたしがこの装置を利用します」

「きみは自分自身をゆだねたいのか？」テスラは剣呑な調子で笑い声をあげた。「おいおい、きみで実験するまえに、代金の残りをもらっておかねばなるまいな！」

「おいとまするとしよう」そう言ってわたしは背を向け、むかつき、罰を受けたような気になった。テスラとアリーを押しのけ、外へ向かった。ランディ・ギルピンがいる気配はなく、必要なら、町まで歩いていく心づもりで、とにかくさっさか歩きだした。

「エンジャ君！」テスラが研究所の入り口に立っていた。「性急な言葉をぶつけあうのはよそうじゃないか！　きみにちゃんと説明しておけばよかった。きみが生きている有機物を電送したいと願っていることを知っていさえすれば、こんな難事をわたしにさせずにすんだものを。生きている組織では、問題の種類が異なるのだ」

「いったいなにをおっしゃってるんです、教授？」わたしは訊いた。

「もしきみが生体組織を電送させたいのなら、あすここにもどってきてくれたまえ。それはできるはずだ」

　わたしは承知したとうなずくと、歩きつづけた。山の斜面を下っていく道のまばらな砂利を踏みしめながら。下りの途中でギルピンに会うだろうと予想していたが、あの男が姿を現さなくとも、歩くのもいい運動だ。山道はつづら折りにくねくねと曲がっており、ときどき、道の片側が切り立った崖になっていた。一キロ足らず歩いたところで、道の脇に生えた背の高い草のなかにちらっと色のついたものが見えたのに気づいて、調べてみようと立ち止まった。それはオレンジ色に塗られた短い金属棒で、テスラが用いていたのとおなじものに見えた。テスラとのこの特別な打合せの記念にしようと、わたしは棒を拾いあげてそれを持って山を下り、いま手元にそれがある。

一九〇〇年八月十九日

けさ、ギルピンに研究所のまえで降ろされると、テスラががっかりした気分に陥っているのがわかった。

「きみをがっかりさせるのではないかと思っている」入り口に姿を現したテスラが言った。「作業がたくさん残っており、きみの英国への帰国が迫っているのもわかっている」

「なにがあったんですか？」昨日われわれのあいだで燃えあがった怒りが過去の出来事になっていることを嬉しく思いながら、わたしは訊ねた。

「生きた組織の場合は単純な問題だろうと信じていたのだよ。その構造は元素の構造よりもはるかに単純だから。生命はあらかじめある程度の電気を宿している。わたしがやらねばならないのはそのエネルギーを増幅させることだという仮定のもと、作業をおこなっていた。なぜこれがうまくいかないのか、さっぱりわからんのだ！　計算は正確にはじきだされているというのに。きみも自分で証拠を見にきたまえ」

研究所内で、アリーが以前にはけっして見せなかった態度を示しているのに気づいた――好戦的な物腰で立っており、身を守るように腕組みをし、あごを喧嘩にそなえているかのように前へ突きだしている。腹を立て、身構えている男という風情だ。アリーのそばにあるベンチには小さな木製の檻があり、とても小さな黒い仔猫がはいっていた。ひげと足先は白く、いまは眠っていた。

わたしがなかへはいっていくと、アリーの目がこちらに向けられたので、わたしは挨拶した。「おはよう、アリー君！」

「あなたがこの企てに一枚嚙んでいないことを願いますよ、エンジャさん！」アリーは声を張り上げた。「ぜったいに危険な目に遭わせないと堅く誓って、子どもたちの猫を連れてきたんです。テスラさんは昨晩、はっきり確約したんだ！　それなのに、いま、確実に殺してしまうはずの実験に、この哀れな生き物の身をゆだねようとしている！」

「そいつは聞き捨てならないですな」わたしはテスラに言った。

「わたしも同感だよ。われらが神のもっとも美しい創造物のひとつを、わたしが拷問にかけられるような人でなしだと思うかね？　さて、どう思う？」

テスラに装置に案内されたところ、それが一晩でまったく作り直されていることにすぐ気づいた。装置のそばに近づいたところ、わたしは恐怖にかられて飛びのいた！　半ダースほどの巨大なゴキブリが、輝く黒い甲殻と長い触角をそなえたきゃつらが、いたるところに飛び散っていたのだ。見たことがないほどおぞましい生き物だった。

「死んでるよ、エンジャ君」テスラはわたしの反応に気づいて言った。「きみに害はおよぼさない」

「そう、死んでいる！」アリーが言った。「そこが問題なんです！　この人は猫をおなじ危険にさらそうとしている」

わたしは巨大で気持ちの悪い昆虫を見下ろし、連中が生き返る兆しを少しでも見せないかと用心した。テスラがつま先でゴキブリの一匹をつつき、ひっくり返してわたしに見せようとしたので、またしてもあとじさった。

「わたしはゴキブリを殺す機械をこしらえてしまったようだ」テスラは静かにつぶやいた。「こいつらも神の創造物であることにちがいはなく、そのせいでがっくりきている。生命を奪うようにこの装置をこしらえたつもりはなかったのだが」

「どこがおかしいんです？」わたしはテスラに訊いた。「きのうは、あんなに自信がおありだったじゃないですか」

「何十回となく計算し、検算したのだ。アリーも検算した。あらゆる実験科学者の悪夢だよ――理論と結果とのあいだに説明のつかぬ対立が起こるのは。正直言って困惑しておる。こんな目に遭ったのははじめてだ」

「計算を見せてもらえます？」わたしは訊いた。

「もちろんかまわないが、きみが数学者じゃないなら、ろくに意味はわからないと思うが」

テスラとアリーは、計算を書きつけた大きなルーズリーフ式の帳面を持ちだし、われわれはいっしょに長いこと再検討した。テスラは、最大限わたしに理解できる範囲において、計算の根拠になる原理を説明し、計算結果を見せてくれた。わたしはできるかぎり賢そうにうなずいたが、最後になり、その計算を妥当な結果だと見なし、結果だけに集中してはじめて、思いがけぬひらめきが頭に浮かんだ。

「この数値が距離を定めるものとおっしゃいましたね？」わたしは訊いた。

「それは変数だ。実験目的で、わたしは百メートルの値を定めているが、この距離は机上のものなのだ。ほら、わたしが電送しようとするものはいっさい動いていないのだから」

「では、ここの値は？」わたしは別の行を指さした。

「角度だよ。方位のいずれか一点を用いている。エネルギーの渦の中心から三百六十度どの方角に向けることも可能だ。これもまた、いまのところは、たんに机上の数値にすぎない」

「仰角の設定はしていないのですか？」わたしは訊いた。

「していないな。装置が完全に動くようになるまで、たんに研究所の東のなにもない空間に向けているだけだ。すでにほかの質量に占められている場所に再実体化しないよう、気をつけなければならない！　なにが起こるか、知れたものではないからな」

わたしは丁寧に書き記された計算結果をじっくり見た。じっさいに起こった過程はわからないものの、ふいに霊感に打たれた！　研究所から走りでると、入り口から真東に目を凝らした。テスラが言ったように、その先にあるのはほとんどなにもない空間で、そちらの方角では台地がいちばん狭くなっており、道路から数十メートル離れたところで急な下りになっていた。足早に移動し、見下ろした。眼下に、山の斜面をつづら折りにくだっていく小道が木々のあいだからかいま見えた。

研究所にもどると、わたしは自分の旅行鞄にまっすぐ向かい、昨晩、道ばたで見つけた鉄棒を取りだした。それをテスラに見えるように掲げる。

「あなたの実験道具だと思いますが？」わたしは言った。

「ああ、そのとおりだ」

わたしはそれをどこで、いつ見つけたか話した。テスラは、不運なゴキブリを使うために取り除かれていた、鉄棒の双子の片割れが置かれている装置のところへ足早に近づいた。テスラが二本の棒を掲げ、アリーとわたしがそのそばに立って目を凝らしたところ、それらがまったくおなじ外見をしていることに目を見張った。

「この印だ、エンジャ君！」テスラは息を呑んで戦慄《おのの》き、金属にきちんと刻まれた×印に軽く指で触れた。「この物体がエーテルのなかを電送されたことを識別できるよう、わたしが印をつけたのだ。しかし——」

「元の物体の複製を産みだしたんだ！」アリーが言った。

「どこでこれを見つけたと言ったかね？」テスラが勢いこんで訊いた。

わたしはふたりの男を外へ連れだし、説明し、山の下のほうを指さした。テスラは黙って考えを巡らせながら目を凝らした。

やがて、テスラは言った。「正確な場所を見なくてはならん！　案内してくれ！」アリーに向かって、「経緯儀《セオドライト》と、計測用テープを持ってきてくれ。できるだけすぐ！」

そう言ってから、テスラは切り立った道を下りはじめた。わたしの上腕をつかみ、棒を見つけた正確な場所を教えろとしきりに言いながら。わたしはまっすぐそこへテスラを案内できるだろうと思っていたのだが、道を下っていくにつれ、それほど確信が持てなくなった。巨大な木々や割れた岩、こんもり茂った林の下生え、それらはみな似通って見えた。テスラが身振り手振りをさかんにして、耳元でがなりたてるもので、精神を集中させるのは不可能に近かった。

やがて草が高く伸びている曲がり角にやってきて、わたしはそこで足を停めた。小走りにやってきたアリーがすぐに追いついてきて、テスラの指示の下、セオドライトを設置した。何度か慎重に計測した結果、テスラはこの場所ではない、と断じた。

およそ半時間後、可能性の高いもうひとつの場所にやってきた。そこは研究所の真東だったが、もちろん、研究所とはかなりの距離があった。山の斜面の急傾斜を計算にいれ、鉄棒が地面に当たって跳ね返り、転がったという事実を考慮すると、ここが鉄棒の落ち着き先として可能性の高い場所だった。テスラは充分得心した様子で、研究所まで山をのぼってもどっていくあいだ、深く考えこんでいた。

わたしも考えを巡らせており、所内にはいるとすぐ、わたしは口を開いた。「ひとつ提案をしてもよろしいですか？」

「きみにはすでにおおいに助けられた」テスラが答えた。「なんなりと言ってみたまえ！」

「たんに東のなにもない空間へ実験物を送りこもうとするのでなく、この装置を調整できるのであれば、もっと短い距離に送ることはできませんか？　研究所のなかで横断させるとか、あるいは建物の周囲とかに？」

「われわれはまさにおなじことを考えていたよ、エンジャ君！」

これまでいっしょにいたなかで、これほど機嫌の良いテスラを見たことがなかった。テスラとアリーは早速作業にとりかかった。ふたたびわたしはおじゃま虫になり、研究所の奥におとなしく腰をおろしていることにした。ずいぶんまえから、研究所には食糧を持ってくるようにしており（テスラとアリーは仕事に夢中になっているとき、ひどく不規則な食事しか取らない）、ホテルで作ってもらったサンドイッチをぱくついた。

ここに記しても仕方がない、長く退屈な時間が過ぎたのち、テスラがようやく話しかけてきた。「エンジャ君、用意が整ったようだ」

その言葉に応じて、わたしは装置を吟味しに向かった。観客が舞台に招かれて、奇術師のキャビネットを調べるときのように。そして、テスラといっしょに外へ出て、目標箇所にいっさい金属棒がないことをはっきりと確認した。

テスラが実験用の棒を差しこみ、レバーを操作すると、なかなかすてきな破裂音がして、実験が成功裏に終わったことを告げた。われわれ三人は急いで外に出てみたが、当然のごとく、見慣れたオレンジ色に彩色された鉄の棒が芝生の上にあった。

研究所にもどり、われわれは「オリジナル」の棒を吟味した。冷え切っていたが、まちがいなく、なにもない空間を飛ばされた棒と瓜二つだった。

「あしただ」テスラはわたしに言った。「あした、そしてここにいるたぐいまれなる助手の同意が得られれば、われわれは安全にこの猫を一箇所からべつの箇所へ電送してみるとしよう。それを達成することができたなら、きみは満足してくれるものと思うが？」

「もちろん、テスラさん」わたしは心から言った。「もちろん」

一九〇〇年八月二十日

そして、もちろん成功した。猫は無傷でエーテルを横断した！

しかしながら、ささいな障害があり、テスラは仕事に没頭し、ふたたびわたしはホテルへ追いやられ、またしても少なくなっている時間のことでやきもきしている。

テスラはあす、あらたな実験を約束してくれた。そのときにはあらたな問題は発生しないだろう、とも。代金の残りをものにしようとやっきになっている人間をそこに感じた。

一九〇〇年十月十一日

ダービーシャー州コールドロウ・ハウス

生きてこんな言葉を書くとは思いもよらなかった。兄ヘンリーの突然の事故死のあと、そしてヘンリーに子どもがいなかったことから、わたしは父の爵位と土地を引き継ぐことになった。

いまは一族の家に常住して、舞台イリュージョニストとしてのキャリアを捨ててしまった。日々の仕事は、地所の管理と、ヘンリーのきまぐれ、ささいなしくじり、そして財務上のひどい判断ミスによってこしらえられた無数の実務問題の対処で手一杯だ。

さて、いまではわたしは次のように記名する――

第十四代コルダーデイル卿ルパート

一九〇〇年十一月十二日

数日間、ロンドンの元の家を訪れていたのだが、いまはそこからもどったばかりだ。元の意図は、そこと元の工房を引き払い、両方の土地建物を売りに出すことだった。コールドロウの地所は、いまや破産の危機にあり、屋敷と地所内の建物の一部の早急な修理に若干の現金を手にいれるのが急務だった。当然ながら、舞台で稼いだこれまでの財産をテスラに蕩尽してしまったおのれをなじった。ヘンリーの死の知らせに急いでイングランドにもどろうとして、コロラドを発つ際に最後におこなったのが、代金の残りを支払うことだった。わたしの人生がその知らせでどれほど激変することになるのか、当時はまったく考えもつかなかった。

しかしながら、アイドミストン・ヴィラにもどると、予想もしなかった影響を受けた。むろん、その家が数々の思い出に充ちており、それらは記憶というものがそうあるようにまじりあっているものだったが、とりわけ、ロンドンで過ごした最初の頃のことが思いだされた。自分がほんの子どもにすぎなかったころ相続権を取りあげられ、世間知らずで、教育も途中で切り上げられ、なんの技能も職業訓練も受けていなかった。それでも、不利な状況にもかかわらず、どうにか自分なりの人生を切りひらき、最終的には、なかなか裕福な財産を築き、普通以上に著名な人間になった。わたしは奇術という職業の頂点にいたし、いまでもいると思っている。そして、栄冠に安住することなく、財産の大半を、新しい、革新的な奇術道具に注ぎこみ、それを利用すればまちがいなくわたしのキャリアにあらたなはずみがつくはずだった。

二日間、そんな過去に思いを馳せて過ごしたあげく、やがてジュリアの住所へ使いを出し手紙を送りつけた。彼女のことがわたしの心にずっとあり、別れてから長い歳月が経っていたが、いまでもロンドンで暮らした初期の日々はジュリアと不可分なものだった。最初のころの計画や夢を、ジュリアと恋に落ちた時期と区別をつけることがもはやできなくなっている。

驚いたことに、そしてじつに嬉しいことに、ジュリアはわたしと会うことを承知してくれ、二日まえ、わたしはジュリアと子どもたちとともに、ジュリアの女友だちの家で午後を過ごした。

そのような環境で家族と再会して、気持ちが圧倒されてしまい、実務的な問題を処理しようと事前に考えていた計画は吹き飛んでしまった。ジュリアは、最初冷ややかでよそよそしかったが、ショックと感動を覚えているわたしの表情にとても感動したようで（エドワードは、十六歳になり、とても背が高く、ハンサムだった！　リディアとフローレンスはとても美しくて、優しかった！　午後のあいだずっと彼らから目を離せずにいた）、まもなく、わたしに優しく暖かい言葉をかけてくれるようになった。

そこでわたしは事実を切りだした。結婚して、いっしょに暮らしていたときも、わたしは自分の過去を彼女に明かさなかった。そのため、ジュリアにこれから言わねばならなかったことは、彼女にとって三重の驚きとなった。まず、ジュリアが聞いたこともない家族と地所をわたしがいったん捨てたこと、次にそれを取りもどしたこと、三番目に、結果としてわたしが舞台人としてのキャリアを捨てる決心をしたことを話した。

事前に予想していたように、ジュリアはこれらすべてを冷静に受けとめたようだった。

（これからは、きみのことは正しくはレディ・ジュリアと呼ばれるのだと伝えたときだけ、ジュリアは一瞬平静を失った）ややあって、舞台を捨てなければならないのは本気なの、と訊かれた。ほかに選択の余地はないのだ、とわたしは言った。それに対して、別れていても、あなたの奇術師としてのキャリアを敬意を抱いて見つめつづけており、自分がその一端を担っていないことを残念に思うばかりだった、とジュリアは言った。

話しているうちに、わたしのなかに込みあげてくるものを、いや、より正確には、わたしの心の内から出ていくものを感じた。妻と、さらに許されないことに、すばらしい子どもたちを、あのアメリカ女のために捨ててしまった絶望感だった。

昨日、ロンドンを発つまえに、わたしはもう一度ジュリアと会おうとした。今回は子どもたちはいっしょではなかった。

わたしはジュリアの慈悲にすがり、これまで自分が彼女に冒した数々の罪の許しを乞うた。自分のもとにもどってきてほしいと懇願し、ふたたび妻としていっしょに暮らしてほしいと頼んだ。もし受けいれてくれれば、自分にできることはなんでもすると約束した。ジュリアは否と答えたが、よく考えてみるわ、と約束してくれた。それ以上のものはわたしには望めない。

この日遅くに夜汽車でシェフィールドへ向かった。ひたすら考えていたのは、ジュリアとの和解のことのみだった。

一九〇〇年十一月十四日

しかしながら、金以外のことに考えを巡らしている余裕はなかった。この傾きかけている屋敷の現実にふたたび立ち向かうしかない。

膨大な金額を支払ったあと、こんなに早く金欠に悩もうとはばかげていたが、テスラに手紙を書き、いままで支払った金の返還を要請した。わたしがコロラドスプリングズを発ってから三カ月近くが経過していたのに、テスラから一言の連絡もなかった。たとえどんな状況にいようとも、テスラは返金しなければならないはずだった。同時にわたしは、以前の巡業のあいだに起こったささいな法律案件で手を貸してくれた、ニューヨークの法律事務所に手紙を送っていたからだ。彼らに来月一日からテスラと交渉をはじめるよう指示した。もしわたしの手紙を受け取って即刻返金してくるなら、猟犬に追跡を止めさせるつもりだが、そうしなければ、テスラはその結果を甘んじて受けざるをえなくなるだろう。

一九〇〇年十一月十五日

いまからロンドンへもどるつもりだ。

一九〇〇年十一月十七日

ダービーシャー州にもどってきた。列車での旅行はうんざりだ。しかしながら、人生には倦んでいない。

ジュリアは和解の条件を提示した。つまるところ、わたしは単純な決断をしなくてはならない。

ジュリアが言うには、わたしが奇術師としてのキャリアを再開したときのみ、わたしのもとにもどり、ふたたびわたしの妻としてともに暮らすつもりだという。わたしにコールドロウ・ハウスを出て、アイドミストン・ヴィラへもどってほしがっている。自分も子どもたちも遠くの、自分たちにとっては未知のダービーシャー州にある家には引っ越したくないそうだ。そこに交渉の余地はまったくないほど、ことは単純であると、わたしにはっきり条件をつきつけた。

この提案はわたし自身のためであるとこちらを説得しようとして、ジュリアは四つの大まかな主張をつけくわえた。

まず第一に、わたし同様、自分にも舞台の血が流れており、いまは子どもたちの世話を一番の義務としているが、わたしの将来の舞台活動のすべてに参加したいと思っている、とジュリアは言った。（それはどういうことかと言うと、わたしはジュリア抜きで海外公演に行けないということだと推測する。第二のオリヴィア・スヴェンスンが割りこんでくる危険がないようにだ）

次に、ジュリアは主張した――ことしはじめのころ、あなたは業界の頂点に達していたけれども、あなたの不在によって、ボーデンがあなたの桂冠を奪う瀬戸際まできているのだ、と。どうやら、ボーデンは瞬間移動イリュージョンを相変わらず演じているようだ。

そして、わたしが金を稼ぐ方法として心得ている唯一確実な方法は、奇術を演じることであり、それによってジュリアを養うのであり、彼女が一度も見たことも、先週まで一度も聞いたこともない一族の地所を運営しつづける義務があることを指摘した。

最後に、ロンドンで仕事をつづけていても相続したものを失うことはなく、地所に関係するすべてのことは、引退のときがやってきたときもまだわたしを待ち受けているであろうことを、ジュリアははっきり述べた。修理のような火急の件だって、屋敷にいるのとおなじくらい容易にロンドンから指示して処理できるだろう、と。

それで、ダービーシャー州にもどってきたのだが、表向きはここでの問題に対処するためだったが、じっさいにはひとりで考える時間が少し必要だったからである。

わたしはコールドロウ・ハウスでの責任を放棄するわけにはいかない。小作農家があり、屋敷の使用人がおり、当家の人間が伝統的に義務を負っている地方議会があり、教会、教区民がいる等々。それらの案件を真剣に検討している自分に気づいた。どうやら、わたしの血のなかに思いもよらず、それらがずっと流れていたのだろう。

だが、もしわたしが破産したとしたら（そうなりそうなのだが）、こうした職務においてわたしははたしてじっさいの役に立ちうるだろうか？

一九〇〇年十一月十九日

わたしの心からの望みは、ふたたびジュリアと家族たちといっしょに暮らすことなのだが、そうするためにはジュリアの条件を受けいれなければならない。ロンドンへもどるのはむずかしいことではないが、舞台へもどると思うと、かなりの抵抗感を覚える。

舞台を離れていたのはほんの数週間にすぎないが、舞台に立つことがどれほどの重荷になっていたのかわかっていなかった。あの日、ヘンリーの死の知らせが遅ればせながら届いた、コロラドスプリングズにいたときのことを思いだす。ヘンリーと、そのパリでの恥ずべき、しかし因果応報の死について確たる思いはなかった。そのときわたしが感じたのは、大いなる安堵感、真正の心高ぶる安堵感だった。

ついに、イリュージョンを演じる際の精神的ストレスや緊張感から解放されるのだ。練習を繰り返す日々に終わりが、ありがたい終わりが訪れる。もう味気ない地方のホテルや海沿いの木賃宿で夜を明かさずにすむ。くたびれる列車の旅ももうない。細々とした実務にたえず気を遣っていることからも解放される――自分とおなじ場所とおなじ時間に、奇術道具と衣装が必ず届くように手配すること、奇術道具をもっとも効率的に利用できるよう劇場の舞台裏を確認すること、人を雇い、給金を払うこと、その他ごまんとある細かな用事からの解放だ。それらすべてがわたしの人生から突然消え去ったのだ。

そしてわたしはボーデンのことも考えた。わたしへの悪戯を再開する用意をかためて奇術の世界に潜んでいる、不倶戴天の敵。

もしわたしがもどらなければ、ボーデンの悪戯に悩むこともなくなる。そういうことに対する腹立ちがどれほど自分のなかで大きくなっているのか、わたしにはわかっていなかった。

だが、ジュリアは奇術の世界へもどれとわたしを促している。

そこには、驚くような舞台効果を発揮したときに観客があげる幸せそうな笑い声、身に降り注ぐ照明の光輝、日々出会う同業の演者たちとの友情、ショーの終わりに寄せられる喝采がある。また、その結果として、往来で浴びる賛嘆のまなざし、同業者からの敬意、上流社会での認知もある。こういうことがたいしたことではないなどと正直な人間ならとても言えないであろう。

それに金だ。喉から手が出るほど金が必要だ！

もちろん、なにを決断するかの問題ではもはやなく、やらねばならない、とどれだけ早く自分を納得させられるかの問題なのだ。

一九〇〇年十一月二十日

ロンドンへ、ふたたび列車にて。

一九〇〇年十一月二十一日

現在、アイドミストン・ヴィラにいるのだが、ニコラ・テスラの助手、アリーからの手紙が届いていた。中身を以下に書き記す――

一九〇〇年九月二十七日

エンジャ殿

ニコラ・テスラがすでにコロラド州を出奔し、東部のおそらくはニューヨークないしはニュージャージーに拠点を移したと噂されているのをお聞きおよびではないと存じます。当地の研究所は債権者に差し押さえられ、目下、買い手を探しているところです。ぼくは一カ月以上の給料を未払いのまま、見捨てられてしまいました。

しかしながら、ある意味では、テスラ氏は信義を重んじる人であり、当地での研究活動が完了するまえに、貴殿の装置は貴殿の工房宛にご指示通り発送されました。

装置が正しく組み立てられさえしたら（組立指示書は、ぼくが自分で書きました）、装置は正常に運転できる状態で、要求されている技術仕様に基づいて正確に動作するでしょう。この装置は自己制御型であり、何年ものあいだ、調整や修理をせずに稼働するはずです。あなたがしなければならないのは、汚さないようにし、電気接点が曇ってきたら磨き、修復不可能な物理的損傷を受けないように注意することです。（テスラ氏は、通常の使用において交換が必要になるであろう部品を余分に同封しております。その他の部品、たとえば、木枠のようなものは、一般的な素材で置き換えることができるはずです）

この尋常ならざる発明品を用いて、あなたがどのようなイリュージョンを実現されるのか、知りたくてたまりません。ご存じのように、ぼくはあなたを心から崇拝する者のひとりでありますので。ご自身で目にされてはおられませんが、スノーシューズ（うちの子どもたちが飼っている猫の名前です）は、この装置で何度も安全に転送され、家族の元にペットとしてもどってきています。

末筆ながら、たとえどれほど些少であっても、今回の装置建造にあたって、多少の役割を果たせましたことを誉れに思っております。

敬具

開発技術者　フェアラム・K・アリー

追伸

怖いもの知らずであなたにお見せしたささやかなトリックを賞賛し、驚いたふりをしてくださってありがとうございました。説明を強く求められておりましたので、五枚のトランプと消える銀貨というわたしのささやかなイリュージョンが、古典的なてのひら隠し《パーミング》とカード強制《フォーシング》によっておこなわれたものであることをお知りになりたいかもしれません。この手品に対するあなたの反応をたいへん嬉しく存じますし、もし必要でございましたら、個々の動きを順番に記した詳しい説明書きを送らせていただきます。

F・K・A拝

この手紙を読むとすぐ、わたしは工房のまわりを駆けまわった。アメリカ合衆国から最近大きな荷物が届いていなかったかどうか、近所の人たちに訊ねたのだ。だが、彼らはそんな荷物のことなど知らなかった。

一九〇〇年十一月二十二日

けさ、アリーの手紙をジュリアに見せた。アメリカ合衆国への直近の旅行のこと、および、そこでしたことをまだジュリアに話していなかったのだ。もちろん、ジュリアは好奇心をかきたてられ、わたしは説明をしなければならなかった。

「では、あなたはお金をそれにみんな注ぎこんだのね？」

「そうだ」

「で、テスラは逐電してしまったらしく、お金のことを証明するのは、この手紙しかないというわけ？」

アリーは信頼に足る人物であることをわたしは請け合い、わたしから頼まれもしないのにこの手紙を書いてきた事実を指摘した。しばらくのあいだ、自分のところへ送られている途中で荷物になにが起こったのか、ふたりで推測を巡らせた。どこにあるのか、どうしたら取りもどせるのか。

するとジュリアが言った。「そのイリュージョンの特徴はなに？」

「それ自体はイリュージョンじゃないんだ」わたしは答えた。「イリュージョンを実現するための手段なんだ」

「それにもボーデンが関係しているの？」

「きみはボーデンのことを忘れないんだね」

「あたりまえでしょう、アルフレッド・ボーデンこそ、わたしたちのあいだに最初のくさびを打ちこんだ男なのよ。何年も考えてきたわ。すべてがおかしくなったそもそもの始まりは、あいつに襲われたあの日なのよ」ジュリアの目に涙が浮かびはじめ、悲しみで光っていたが、その口調には、静かな怒りがこもっているものの、自己憐憫は毛ほどもなかった。「あいつに傷つけられなかったら、最初の子どもを失うこともなかったでしょうし、わたしたちのあいだの大きな断絶をもたらしたその後のことも起こらなかったでしょう。あのときからあなたの落ち着きのなさがはじまったのよ。あとから生まれた愛しい子どもたちでさえ、ボーデンがあの夜もたらした残酷さと愚かさを償えなかったし、あなたたちの諍いがつづいていることは、あなたもおなじように憤りを感じている証拠だわ」

「諍いのことは一度もきみに話したことがない」わたしは言った。「どうして知ってるんだね？」

「わたしが愚か者ではないからよ、ルパート。それに奇術専門誌でときおり話題にされているのも目にしてましたから」ジュリアがそうした雑誌の購読をつづけていたとは知らなかった。「あなたのことはいまでもわたしが一番関心を寄せていることなんです」ジュリアは言った。「あいつに攻撃されているのをどうして一度も言ってくれないのかしら、と不思議でしかたなかったわ」

「なぜなら、なんと言うか、諍いのことを少々恥ずかしく思っていたからだよ」

「襲撃してきたのは確かにボーデンなの？」

「わたしは自分の身を守らねばならなかったんだ」

わたしはボーデンの過去についてみずから調べたことや、例のイリュージョンのやり方を探ろうとしたことを打ち明けた。そのうえで、テスラの装置で実現させたい内容を説明した。

「ボーデンは通常の舞台トリックに拠っているんだ」わたしは説明した。「キャビネットや照明やメーキャップを利用し、舞台上を瞬間移動する際には、潜伏法を使っている。ひとつの装置にはいり、べつの装置から出てくる。みごとにおこなわれているが、イリュージョンの秘密は小道具にあるし、しかも凡庸なやり方にすぎない。テスラ装置が見事なのは、このトリックが開けた場所で実演可能だからであり、実体化に小道具はいっさい不用なのだよ！　もし計画通りに動いたら、わたしは望む場所に即座に自分を移動させることができるんだ——舞台上の空いているどの場所にも、貴賓席にも、バルコニー席にも現れることができる。観客席のど真ん中の空いた席にすら！　まさにどこにだって出現できる。これは観客にこのうえない衝撃を与えるだろう」

「仮定の話に聞こえるけれど」ジュリアが言った。「まだ、計画中なの？」

「アリー君が手紙のなかで書いているように、装置はわたし宛に送りだされたんだ……だけど、まだ受けとっていない！」

テスラ装置に関するわたしの情熱にジュリアは熱心に耳を傾けてくれ、つづく一、二時間、われわれは装置がもたらしてくれるあらゆる可能性を話し合った。ジュリアはテスラ装置開発計画の中心にあった、わたしの衝動を即座に把握した――もしわたしが公の舞台でこのイリュージョンをやってのけたなら、ボーデンを完膚無きまでに打ちのめすはずだったのだ！

自分のなすべきことについて多少なりとも疑問が残っていたとしても、ジュリアがそれらを追い払ってくれた。じっさい、ジュリアはとても昂奮し、すぐさま船荷捜索にふたりでとりかかったのだ。

未着の荷物の行方を求めて、ロンドンにある数多くの運送業者の事務所を探してまわるには何週間もかかるだろう、と暗い気持ちでわたしは意見した。だが、ジュリアはいつもの快刀乱麻を断つ調子で、言った。「まず郵便局から問い合わせを始めてみたら？」そのとおりに実行し、かくて二時間後、マウントプレザント局の仕分室の配達還付不能郵便物扱い所に、わたし宛の巨大な枠箱が二個、無事待機していることを突き止めた。

一九〇〇年十二月十五日

この三週間の大半は、欲求不満に苛まれていた。なぜなら、工房に電気が通じるのを待っていたからだ。わたしは遊ぶことのできないおもちゃを与えられた幼い少年のようだった。マウントプレザント局からテスラ装置を受けとってきて、工房で組み立てたのだが、電気が通じていないと役には立たない。アリー君のわかりやすい指示書をもう千回は読み返した！　たびたび問い合わせ、せっついたあげく、ロンドン電気会社はやっと必要な工事をしてくれた。

それからというもの、この並はずれた装置がわたしに求めるものに精神的にも感情的にも夢中になって、リハーサルをつづけてきた。以下に、順不同で、わたしが学んだことをまとめてみる。

テスラ装置は、完全に正常運転できる状態であり、既存のあらゆる電気供給の形にあわせて稼働するよう巧みに設計されている。つまり、わたしのショーを欧州や合衆国や（アリー君の指示書によれば）極東にすら持っていけるのである。

しかしながら、劇場に電気が供給されていないかぎり、わたしのショーは実演できない。将来、あらたな出演依頼を受けるまえに、そのことを、ほかのあらたな事柄（一部は後述する）同様、調べておかねばなるまい。

可動性。テスラが最善を尽くしたのはわかっているが、それでも装置はとてつもなく重たい。今後は装置の配送、荷ほどき、組立の計画が最優先事項になる。どういうことかと言うと、たとえば、たんに列車に乗って自分のショーの出番に向かうという単純な気楽さは、少なくともテスラ・イリュージョンをおこなおうとするなら過去のものになる、ということだ。

技術上のリハーサル。装置は二度組み立てる必要がある。まず、ショー当日の朝、人目を避けて試運転し、つぎに主幕が下りた状態で、ほかの出し物をおこなっているあいだに組み立て直さなければならない。あっぱれなアリー君は、迅速かつ静かに組み立てをおこなうための助言を指示書に記してくれていたが、それでもこれはかなりの重労働になるだろう。何度もリハーサルが必要で、さらなるアシスタントが要り用になろう。

劇場の物理的なレイアウト。わたしもしくはアダム・ウィルスンがつねにあらかじめ下検分をする必要があろう。

舞台の囲いこみ。これは実務的には造作もないことだが、多くの劇場では、裏方を敵にまわすおそれがある。というのも、連中は、企業秘密であると目されているものを、どういうわけか、自分たちに明かしてもらえる自動的権利を有していると考えているからだ。今回の場合、舞台上でわたしがじっさいにおこなっていることを第三者に見せるのを認めるのは、論外である。通常よりさらなる事前準備が必要となろう。

装置の実演後の封印と、人目につかない形での分解もまた、危険をはらんでいる。こうした手順がうまくいき、その結果、問題が解決できるまで、どんな出演依頼も受けることができない。

かくも特別の用意をしなければならないとは！　しかし、慎重な計画とリハーサルは、舞台奇術を成功させる要諦であり、わたしはそのいずれにも慣れている。

ささいな前進がひとつ。あらゆる舞台イリュージョンは、考案者によって名付けられ、その名前で同業者のあいだに知られるようになるものだ。〈三美神〉、〈断頭〉、〈カッサンドラ・プロパガンダ〉は、劇場で現在人気を博している三つのイリュージョンの名前だ。ボーデンは、自分の二級品のトリックに〈新・瞬間移動人間〉というやぼったい名前をつけている（わたしがあの男のやりかたでやっていたときも、けっして使わなかった名前だ）。しばらく考えてから、テスラの発明品を〈閃光のなかで〉と名づけた。このイリュージョンは、その名前で知られていくであろう。

また、先週の月曜日の十二月十日に、ジュリアと子どもたちがもどってきて、アイドミストン・ヴィラでいっしょに暮らしはじめたことをここに記しておこう。クリスマス休暇には、彼らは初めてコールドロウ・ハウスを目にすることになっている。

一九〇〇年十二月二十九日

コールドロウ・ハウスにて

かかる第二の機会を与えられ、わたしは幸せな男だ。家族と引き離されていた過去のクリスマスのことはとても考えられないし、また、家族の幸せをふたたび失うこともとうてい考えられない。

それゆえ、今後に起こるはずのものの準備に余念がない。すべては、どちらかと言えば起こるやもしれないことを避けるためである。いま曖昧な書き方をした。というのも、〈閃光のなかで〉のリハーサルを数度やってみて、その本当の働きを学んだいま、たとえこの日記のなかでさえ、その秘密については用心深くあらねばならないからである。子どもたちが眠りにつき、ジュリアのおかげで仕事に専念させてもらっているいま、わたしは地所のさまざまな問題に集中してとりくんでいる。兄が許してきた無為無策を正すつもりだ。

一九〇〇年十二月三十一日

十九世紀が終わりに近づいているいま、これを書いている。いまから一時間後、わたしはジュリアと子どもたちの待っている応接間に降りていき、ともに新年と新世紀を迎えるつもりだ。未来への予感と、過去の免れがたい残滓双方に思いをいたす夜だ。

またしても、秘密がわたしを束縛していることから、今夜、早くにハットンとともにおこなったことは、やらざるをえなかったことであるとしか言えない。

ここからは、太古の恐怖にまだ震えるこの手によって書かれることになる。今晩の体験のなにを記録できるのか、必死で考えてきたが、現実に起こったことを率直に、赤裸々に記すのが唯一の方法であろうと判断した。

　今晩、陽が落ちてすぐに、子どもたちが新世紀を起きて迎えるため、あとで起きられるよう早めの睡眠をとっているあいだに、わたしはこれからやろうとすることをジュリアに告げ、ジュリアを居間に待たせて、出かけた。

　ハットンと落ち合い、屋敷を出て東の芝生を横切ると、一族の地下納体所へ向かった。庭師がときおり使っている手押し車に奇術素材《プレスティージ・マテリアル》を載せて運んだ。ハットンとわたしは手にしたカンテラだけを頼りに進み、ほとんど暗闇のなかで、南京錠のかかった門を開けるのに、数分を要した。古い錠は、長いあいだ使われていなかったことで、がちがちに固まっていた。

木製の入り口が勢いよく開くと、ハットンが思わず不安を口にした。わたしもおなじ恐怖感を覚えた。

　わたしは言った。「ハットン、きみはなかへはいらなくてもいい。そうしたいなら、ここで待っていてくれ。あるいは、屋敷へもどってもいい。わたしひとりでつづけるから」

「いいえ、だんなさま」ハットンはいかにも律儀者の答えをした。「お手伝いするとお約束したんです。正直申し上げて、ひとりじゃはいる気がしませんし、たぶんだんなさまもそうでしょう。ですが、あれこれ勝手に思いこむこちらが悪いのであって、怖がるようなものはなにもありません」

入り口に手押し車を残し、われわれは思い切ってなかへはいった。腕をいっぱいに伸ばしてカンテラを掲げる。光線はさしてまわりを照らしてくれなかったが、われわれ自身の大きな影がそばの壁に落ちた。この地下納体所に関するわたしの記憶はあいまいだった。というのも、なかにはいったことがあるのは、あとにも先にもわたしがまだ幼い少年のときだけだったからだ。粗く削りだした石段が丘の斜面に沿ってみじかくつづき、降りきったところで第二の扉があって、洞窟は少し広くなっていた。

その第二の扉には鍵がかかっていなかったが、固くて、重く、なかなか動かしにくかった。きしる音を立てながら扉を開けると、われわれはその先の底知れぬ暗闇へはいっていった。先に洞窟が広がっているのを見る、というよりも感じた。カンテラは暗闇にかろうじて光を射しいれた。

空気にはえぐい臭いが漂っており、まるで口のなかにその味がしそうなほどきつい臭いだった。わたしはカンテラを下げ、もう少し明かりを引きだせないかと、灯心を調整した。ふたりがそこへはいったことで、百万もの埃が舞いあがり、周囲で渦巻いた。ハットンがわたしのかたわらで言った。地下室特有の音響効果のせいで、声がくぐもっていた。

「だんなさま、奇術素材を運んできましょうか？」

カンテラの明かりでかろうじて相手の顔に浮かんでいる表情がわかった。

「ああ、そうだな。手を貸したほうがいいかね？」

「階段の下で待っていてくだされればよろしいかと」

ハットンは足早に階段をのぼっていった。できるだけ早くそうしたがっていたようだ。ハットンが手にしていた明かりが遠のくにつれ、わたしはひとりでいることをいっそう意識し、暗闇と死者に対する子どもっぽい恐怖感にとらわれた。

この場所にはわたしの先祖の大半が、棚や石板の上にきまりに従って並べられ、埃とぼろぼろになった飾りに包まれた棺桶のなかや、屍衣にくるまれて横たわり、骨あるいは骨の破片になるに任されていた。カンテラを適当にかざすと、最寄りの石板の上にうすぼんやりと遺骸の姿形を見分けることができた。納体所の奥のどこか、カンテラの明かりの届かないところで、大きな齧歯類のかさこそ動きまわる音がした。右方向へ動き、手を伸ばしたところ、腰ほどの高さのところに石板があるのがわかり、その上をまさぐってみた。小さな尖った物体があり、触るとばらばらになった。たちまち悪臭が鼻をつき、えずきそうになった。あとじさり、カンテラの光線が振り回されたところに、かつての生命の、ぞっとする欠片が転がっているのがかいま見えた。それ以外になにも見えなかったが、カンテラの頼りない光の届く範囲を越えたところにどんな光景が横たわっているか想像するのは苦もなかった。それにもかかわらず、わたしはカンテラを高く掲げ、振り回し、そこにあるものを一目見ようとした。現実は自分の想像ほど不快なものではありえないのがわかっていた！　想像のなかでは、ずいぶんまえに死んだ祖先たちがわたしの到来に合わせて目覚め、それぞれの場所から身じろぎ、身の毛もよだつ頭部や白骨化した手を掲げ、わたしがいることで彼らのなかに生じた曖昧な恐怖感をきーきーと声をあげていた。

岩棚のひとつに、わたしの父の棺が載っていた。

自分自身の恐怖に苛まれた。ハットンのあとを追って外の空気のなかへ出たかったが、納体所の深みへさらに進んでいかねばならないのはわかっていた。どちらもできなかった。恐怖のあまりその場に立ちつくすことしかできなかったからだ。わたしはつねに説明を求め、科学的手段を歓迎する、理性的な人間だが、それでもハットンがそばにいないこの数秒間、不合理な考えに不意に襲われて、苦しんでいた。

すると、ふたたび階段を降りてくるハットンの跫音が聞こえた。奇術素材をいれた一つめの大きな袋をひきずってくる。わたしはただもう嬉しくて、振り返り、ハットンに手を貸した。そうしなくとも荷物を運んでこられそうではあったのだが。袋を扉に通す際に、カンテラを下に降ろさざるをえず、ハットンは自分の明かりを手押し車のところに置いていたので、われわれはほとんど真っ暗闇のなかで作業しなければならなかった。

わたしはハットンに言った。「きみが手を貸してくれて、心からありがたく思っているよ、ハットン」

「でしょうね、だんなさま。わたしひとりじゃあ、とてもやりたかありませんから」

「では、さっさと済ませてしまおう」

つぎにわれわれはいっしょに手押し車のところにもどり、第二の袋を下に降ろした。

当初の計画では、霊廟のなかをくまなく探って、奇術素材を貯めておくのに格好の場所を探す予定だったのだが、じっさいに現場にきてみると、そんなことをしたい気持ちはすっかりうせていた。われわれの手にしている明かりは、闇を貫くにはあまりにも力不足であるので、場所探しは手近な区画で済ますしかないとわかっていた。脳裏にやきついている、あの棚や石板をこれ以上調べる気になど、こわくてとてもなれなかった。それらはわたしの両側を取り囲んでおり、洞窟はさらに奥までずっと延びていた。死で充たされ、死者で充たされ、最後にもたらされるものの臭い、鼠に打ち捨てられた生命の臭いがはびこっていた。

「ここに袋を置いていこう」わたしは言った。「できるだけ奥へ。あした、昼間のうちにわたしはもう一度ここへ降りてくる。もっとましな明かりを持ってね」

「よくわかりました」

いっしょにわれわれは左側の壁のところへ行き、あらたな石板をそこに見いだした。覚悟をかためて、わたしは手でその上をまさぐった。たいしたものはなにもそこに載っていないようだったので、ハットンの手を借りて、ふたつの袋に満載された奇術素材をそこへ持ちあげた。それが済むと、たがいになにも言葉を交わさずに、われわれは急いで地上にもどり、外側の扉をうしろ手に閉ざした。ぶるっと身震いする。

夜の庭の冷たい空気のなかで、ハットンとわたしは手を握った。

「手伝ってくれてありがとう、ハットン」わたしは言った。「あそこがあんなふうになっているとは思いもよらなかったよ」

「わたしもです、だんなさま。今晩は、ほかになにかご用はありますか?」

わたしはじっと考えた。

「深夜、奥さんをつれて、わたしたち夫婦と過ごさないかい?　いっしょに新年を迎えようと計画しているんだ」

「ありがとうございます。よろこんでそうさせていただきます」

かくしてわれらの探検は終わった。ハットンは庭小屋のほうへ手押し車を引きずっていき、わたしは東の芝生を横切り、屋敷のまわりをぐるっとまわって、主玄関へ向かった。まっすぐこの部屋にやってきて、記憶がまだ新鮮なうちに、きょうの出来事を記録しようとした。

だが、始めるまえに、どうしようもない邪魔がはいった。部屋にはいると、化粧鏡に映る自分の姿が見えたので、足を停めて、しげしげと見た。

分厚い白い埃がブーツと足首にこびりついていた。肩や胸には蜘蛛の巣がへばりついている。髪がべっとりと頭皮にはりつき、どうやら灰色の埃の層が上から厚く髪を押しているせいらしく、おなじものが顔にもついていた。縁が赤く上気した目が、のっぺりとした仮面様の顔から覗いており、一瞬、わたしは自分の姿を見て、その場に凍りついた。一族の墓を訪れたことで、自分がおぞましく変容し、そこの住人のひとりになったかのように思えた。

その思いを汚れた服とともに脱ぎ捨て、化粧室で待っているお湯を張った風呂に潜ると、汚れを洗い流した。

さて、ここまで書いてみると、もう真夜中に近い。家族と使用人たちのところへ行き、一年の終わりを祝う、そして、今回は、ひとつの世紀の終わりも祝い、次の年と世紀を歓迎する単純かつなじみ深い儀式を営むころあいだ。

二十世紀は、わが子どもたちが成長し、生きていく世紀であり、旧世紀の人間であるわたしがいずれ彼らに託す世紀である。しかし、そのまえに、わたしは自分の痕跡を残すつもりだ。

一九〇一年一月一日

地下納体所にもどり、奇術素材をもっとましな場所に移した。そののち、ハットンとふたりで殺鼠剤を置いたのだが、素材を保存しておくためにズック袋よりももっとしっかりしたものを見つける必要があろう。

一九〇一年一月十五日

アイドミストン・ヴィラ

〈ヘスキス・アンウィンの報告によると、三件の出演依頼が届いたという。そのうち二件はすでに契約済みで、残る一件は、〈閃光のなかで〉をショーに含めることが条件になっていた（いまのところ、〈閃光のなかで〉のことは、アンウィンの提示案に、相手の気を惹くように書かれている）。わたしはそれに同意し、それによって三件すべての出演依頼が確保されたと考えてよかろう。合計三百五十ギニーだ！

きのう、テスラ装置がダービーシャー州から届き、アダム・ウィルスンの協力のもと、わたしは早速荷ほどきして、組み立てた。わたしの時計によれば、かかった時間は十五分以下だ。劇場で作業するときには、確実に十分以内でできるようにしなければならない。アリー君の指示書には、テスラとふたりで可動性の試験をしたときに、十二分以内で、すべてを組み立てることができたと明言している。

アダム・ウィルスンは、このイリュージョンの秘密を承知している。知らなければならないからだ。彼はわたしのもとで五年間働いており、信頼できる人物だとわたしは信じている。それを確実にすべく、機密保持用のボーナス十ポンドをアダムに持ちかけた。実演が成功するたびに、アダムの名前で積み立てていく貯金の形で支払う。アダムとガートルードには、第二子が生まれる予定なのだ。

ほかのイリュージョンのリハーサル同様、〈閃光のなかで〉の舞台披露に向けてさらなる力を注いでいるところだ。最後に公の場で舞台に立って以来数カ月が経っているので、わたしの腕は多少さび付いている。正直に言うと、そうした従来通りの作業に着手したときにはなんの熱意もなかったのだが、いったん取り組みはじめてしまうとすっかり楽しんでいた。

一九〇一年二月二日

今夜、わたしはフィンズベリー・パーク・エンパイア劇場の舞台に立ったが、〈閃光のなかで〉は含めなかった。この仕事を受けたのは、生の観客のまえでふたたび演じる感覚をつかむ腕ならしのためだった。

わたし流の〈消えるピアノ〉は、たぐいまれなほど上出来であり、長く、大きな歓声を浴びたが、ショーの終わりになると、自分が不満を覚え、満足していないのがわかった。

テスラ・イリュージョンを上演したくてたまらない！

一九〇一年二月十四日

きのう、〈閃光のなかで〉のリハーサルを二度おこない、あすも二度おこなうつもりだ。それ以上おこなうつもりはない。土曜の夜、ホロウェイ・ロードにあるトロカデロ劇場で〈閃光のなかで〉を上演し、その後、少なくとも一回は次の週に演じるつもりだ。定期的に上演することができれば、舞台の動きやミスディレクションや口上を除いたリハーサルは必要ではなくなるだろう、と信じている。

テスラは副作用があるだろう、とわたしに警告していたが、副作用はまさに多大なものだ。テスラ装置を用いるのは、生半可なことではない。くぐり抜けるたびにわたしは影響をこうむる。

まず第一に物理的な痛みがある。わたしの肉体はひねりちぎられ、ばらばらにされるのだ。わたしを構成するすべての小さな粒子がばらばらにされ、エーテルと一体化する。一秒の何十分の一か、何百分の一か、とにかく測定不能なほど短期間のあいだに、わたしの身体は電気の波に変容される。波は空間に放出され、目標地点で再結集される。

ばん！　わたしはばらばらになる！　ばん！　ふたたびひとつになる！

わたしのなかのあらゆる部分が四方八方に飛び散るのは、恐るべき衝撃なのだ。てのひらに鉄の棒を叩きつけられるところを想像してほしい。さまざまな角度から一箇所に十や二十の鉄棒が振り下ろされるところを想像してほしい。さらに指や手首に振り下ろされる。百もの打撃が手の甲に振り下ろされる。指の先端に。関節という関節に。

さらなる爆発が自分の肉のなかで発生する。

そして苦痛は身体じゅうを広がっていく。内側からも、外側にも。

ばん！

まったき苦痛が百万分の一秒つづく。

ばん！

まさにそんな感じなのだ。

そしてわたしは選んだ場所に到着し、百万分の一秒前とまったくおなじ人間でいる。どこをとってもわたしはわたしのままで、いっさい変わったところはないのだが、究極の苦痛に打ちひしがれている。

最初、コールドロウ・ハウスの地下で、なにを経験するのかまったく警戒しておらず、テスラ装置を用いたとき、わたしは死んだと思って床に崩れ落ちた。あれほどの爆発的苦痛に心臓が、脳が耐えられるとは思えなかった。一切の思考も、感情反応もなかった。まるで死んだような気がして、死んだようにふるまった。

わたしが床に崩れ落ちると、試験運転のあいだ、当然そばにつきしたがっていたジュリアがかたわらに駆け寄ってきた。死後の世界における最初の明白な記憶は、ジュリアの優しい両手がわたしのシャツの下へはいりこみ、生命の徴候を探ろうとしていたそれだった。わたしは衝撃と驚愕の思いに打たれて目を開け、妻がかたわらにいるのに気づき、彼女の優しさを感じ取って、言葉にならないほど幸せな気持ちになった。すぐに立てるようになり、無事であることをジュリアに見せ、彼女を抱きしめ、キスをし、気を取り直した。

事実、この暴力的体験から肉体が恢復するのは早かったが、精神的な影響は恐ろしいものだった。

ダービーシャー州での最初の試運転の日、午後にも試験を繰り返すようわが身に強いたが、その結果、わたしはクリスマス時期の大半をこのうえもない憂鬱な気分で過ごすことになった。わたしは二度死んだ。わたしは生ける屍、生き霊となった。

そして、その日したことの心覚えとして、あとで片づけねばならない素材のことがある。既述のごとく、そのぞっとする仕事に直面できたのは、大晦日だった。

昨日、ここロンドンの、電気が明るく光り、隅から隅まで熟知している工房のなかで、テスラ装置を組み立て直しながら、あと二回リハーサルをおこなわねばならない、と感じた。わたしは演者であり、プロである。自分のやることにそれなりの見栄えを与えねばならない。輝きと魅力を与えねば。閃光のなかで劇場のどこかに自分自身を放出しなければならず、到着の瞬間には、不可能事をみごとにやってのけた奇術師に見えなければならない。

斧で殴られたかのように、膝をついて現れるのは論外だ。百万分の一秒でも、苦しみをかいま見せれば、とんでもないことになろう。

要するに、わたしはふたつのレベルのごまかしをおこなわねばならない。奇術師は、通常「不可能である」効果を見せる――消えたように見えるピアノ、不思議にも増殖するビリヤード球、鏡になったガラスを通り抜けさせられる淑女。むろん、観客は、その不可能事が実際には可能になったのではないことを承知している。

〈閃光のなかで〉は、科学的手段により、現実に、従来は不可能であったことを可能にしている。観客が目にするものは、現実に起こったことなのだ！　だが、このことをけっして知られてはならない。というのも、この場合、科学が奇術にとってかわっているからだ。

慎重に技巧を駆使して、わたしの奇跡から奇跡らしさを減らさねばならない。素朴な送出機から姿を現さなくてはならず、ふたたびひとつになったように見せてはならない。そのため、予想される苦痛に耐える方法を、膝をつかずにそれに対処する方法を、両腕を掲げて晴れやかな笑みを浮かべ、まえに進みでて会釈をし、喝采に応える方法をものにしようと努めている。充分ごまかしながらも、必要以上にごまかさずにすむように。

きのう起こったことをここに書いている。なぜなら、昨晩は家にもどると、あまりに落ちこみが激しく、起こったことを記録することなど思いもよらなかったからだ。いまは、きょうの午後であり、多少なりとも自分をとりもどしているが、あしたさらに二回リハーサルをおこなうかと思うと、すでに気力が萎え、憂鬱な気分になっている。

一九〇一年二月十六日

今晩のトロカデロ劇場での公演のことで、やたら不安にかられている。午前中、劇場にこもり、装置の設定、試験、取り外しをおこない、ふたたび梱包箱のなかに鍵をかけてしまいこんだ。

そののち、予想したように、道具方との交渉は長引いた。舞台を囲って覆い隠そうとするわたしの意図にはっきり敵意が示された。結局、単刀直入に現金を渡して片が付き、わたしの希望は通ったのだが、今回のショーの収入に大きな損失が生じたことになる。このイリュージョンは、以前にわたしが稼いだどんなイリュージョンよりも多額の料金を要求して、初めて舞台にかけられうるものだ。多くのことが今晩の舞台にかかっている。
ハロウェイ・ロードへもどらねばならなくなるまでに一、二時間の自由時間がある。ジュリアと子どもたちとともにその時間の大半を過ごし、時間があまれば、つかのまの昼寝をとることにしよう。けれども、ひどく昂奮しているので、眠るのはなかなか難しいように思えるのだが。

一九〇一年二月十七日
昨晩、わたしは無事、トロカデロ劇場の舞台からエーテルを経て、貴賓席まで横断した。装置は完璧に作動した。
だが、観客から喝采はなかった。というのも、なにが起こったのかわからなかったのだ！　ようやく喝采があがったときも、情熱的なものというよりも、困惑している風情が強かった。
このトリックはもっと事前の盛り上げが必要だ。危険をもっと感じさせないと。それに、到着地点はスポットライトを当て、わたしが実体化する場所に関心を集めなければならない。その点についてアダムに話をしたところ、装置に電気スイッチをとりつけ、裏方に任せるのではなくわたしが舞台上から照明を入れることができるようにするという巧みな提案が返ってきた。奇術はつねに改良をつづけていくものだ。

火曜日に、おなじ劇場でもう一度公演することになっている。

わたしはベストを尽くした――わが身がこうむった衝撃を完璧にごまかすことができた。ショーを客席から見ていたジュリアも、囲い幕の小さな垂れぶたを通して舞台裏から見ていたアダムも、わたしの恢復がほとんど完璧だったと言ってくれた。今回の場合、観客がここぞとばかり目を皿にしていなかったのが、わたしの有利に働いた。発生したたったひとつのミス（わたしは心ならずも一歩、後退してしまったのだ）に気づいたのは、彼らふたりだけだったからだ。

わたし自身としては、装置で練習を重ねてきたことで、以前ほど、瞬間移動の衝撃はひどいものではなくなり、毎回少しずつましになってきている、と言える。一カ月かそこらすれば、表向きはまったく気にせずに、効果を耐えることができるだろう、と予測している。

また、結果として起こる憂鬱な気持ちも、最初の頃とくらべてずいぶん小さくなってきたのは確かである。

一九〇一年二月二十三日
ダービーシャー州にて

週末の教訓をふまえてずいぶん改良した火曜日の公演は、ザ・ステージ紙にて絶賛を博した。思いつくかぎり最高に嬉しい成果だ！　きのう、列車のなかで、ジュリアとわたしは記事を繰り返し読み上げあい、この記事がわたしのキャリアにもたらすにちがいない効果を喜んだ。ここダービーシャー州に一時的に引っこんでいることで、当地での用事が終わって来週早々にロンドンにもどるまで、はっきりとした反響を知ることはない。だが、わたしは満足して待つことができる。子どもたちはわれわれ夫婦といっしょにおり、空気は冷たいが、天気はすばらしく、湿原の景色は、その控えめな彩りでわれわれをうっとりさせてくれている。

ついにわたしは自分のキャリアの頂点に達しようとしているのだ。

一九〇一年三月二日

ロンドンにて

予定表には空前の、三十五件の契約済みの公演が記入されている。向こう四カ月間に受諾した依頼である。そのうち三件では、わたしの舞台名を冠したショーになり、一件では、「偉大なるデントン登場」と冠せられる。十七件で、わたしがプログラムのトップを飾ることになる。残りの依頼でも、先方がいままで奇術に払ったことのない金額で報いられることになっている。

かくも選択の余地がたくさんあることで、わたしは依頼を受けるまえに舞台裏の技術的仕様を細かく要求するだけでなく、舞台を箱幕で隠す必要性について応諾するよう、求めることができた。観客席の正確な図面を提供すること、および電気供給確保を確約することを契約締結の標準条項にさせた。出演依頼してきたうち二箇所では、劇場経営陣が、わたしを呼ぼうと懸命になったあげく、わたしのショーがおこなわれるまえに劇場を電化する保証をしたほどだった。

わたしは全国を巡業してまわることになる。ブライトン、エクセター、キッダーミンスター、ポーツマス、エアー、フォークストン、マンチェスター、シェフィールド、アベリストウィス、ヨーク、これらすべての都市、およびさらに多くの都市が初めてわたしのツアーの訪問地となり、もちろん首都でも数多くの予約がはいっている。

巡業してまわるにもかかわらず（一等車で、料金は相手持ち）、日程は無理なくあいだが空いており、わたしのささやかな随行員たちが国内を行き来しているあいだ、われわれにはコールドロウ・ハウスに必要な訪問をしている機会が豊富にある。

代理人は海外巡業のことをもう口にしている。近い将来また合衆国への旅があろう。（当地ではさらなる問題が生じるだろうが、どんな問題であれ、全盛期を迎えている奇術師の能力を超えるものではない！）

万事きわめて満足いくものであり、願わくは、無条件の自信を抱いてかく記すことを許されたい。

一九〇一年七月十日
サザンプトンにて

サザンプトンのダッチェス劇場での一週間公演の中日《なかび》を迎えている。昨日、ジュリアがわたしの頼みに応じて、書類とファイルのつまった旅行鞄を持って訪ねてきてくれた。それゆえこの日記に書くことができるようになったので、定期的な記入を試みる良い機会に思える。

数カ月かけて〈閃光のなかで〉をひきつづき改良し、リハーサルを繰り返してきた結果、現在では、だいたいにおいて完璧な技になっている。最初のころ願っていた希望がすべて結実したのだ。こうむる物理的な衝撃になんら反応を示さずにエーテルをくぐりぬけることができる。遷移はなめらかで、継ぎ目がなく、観客の目から見た場合、説明することは不可能なものになっている。

最初のころはわたしをたいそう苦しめた精神的後遺症も、もはや問題ではない。憂鬱や自信喪失に悩んだりしていない。それどころか（だれにも告げていないし、この秘密の、鍵つき日記以外のいかなる文書にも記さないことだが）、肉体をばらばらにされることに、ほとんど中毒になりかけている喜びを覚えるようになっていた。最初、さまざまな死を、死後の生を想像することで気分が落ちこんでいたのだが、いまでは、夜ごと、自分の電送を再生として経験している。自己の生まれ変わりだと。当初のころは、このトリックの練習を積まねばならない回数が気がかりだったのだが、いまは、一回の実演が終わるとすぐに次をやりたくてたまらなくなる。

三週間まえ、一時的に舞台出演のあいだが開いたときに、わたしは工房でテスラ装置を組み立て、瞬間移動に身をゆだねた。新しい舞台テクニックを試してみようというのではなく、既存のテクニックを完璧なものにしようというのでもなく、たんにその経験の肉体的な快楽のためにしたのだった。

ショーのたびに発生する奇術素材の処理は、いまだに問題なのだが、この数週間の公演で、その仕事を最小限の手間でおこなういくつかの手順を練りあげていた。

これまでのところ、改善の大半は、舞台テクニックの分野のものだ。最初におかした失敗は、このトリックの効果のすばらしさで観客が驚嘆するものだと見なしていたことだった。見落としていたのは、奇術の最古の原則のひとつで、トリックの奇跡性は、見せ方によって明確にしなければならないというものだ。観客を眩惑させるのは簡単なことではなく、奇術師は観客の興味を喚起し、維持させたうえで、明らかな不可能事を演じてみせて、観客の予想を裏切ってみせなければならない。

テスラ装置に幅広い奇術効果とテクニックを補うことで（その大半は、プロのイリュージョニストにはなじみのものだ）、〈閃光のなかで〉の見せ方を謎めいたものに、目にしてちょっとびっくりしたという以上のものに、きわめて不思議なものにした。すべての実演ですべての効果を利用するわけではなく、自分自身の気持ちを新鮮なものにし、競合する同業者たちを困惑させるために、ショーごとに慎重に中身を変えているが、わたしが用いている観客眩惑方法の一部は以下のようなものだ――

装置を使うまえに観客が点検するのを認め、ときには一部の劇場で、使用後の点検も認めている。

舞台へ観客のなかから証人として、数人を招くこともある。

観客のひとりから品物を借り、電送後に取りだして見せ、その人物が自分のものであることを確認することもできる。

小麦粉やチョークや同様のもので自分に印をつけさせ、選んだ場所に姿を現したときに、疑いもなく、わたしがほんの少しまえに舞台ではっきりと姿を見せていた人物とおなじ人間であることを示すこともある。

劇場のさまざまな場所へ自分自身を放出させる。ひとつには、劇場建築の物理的形状に左右されることであり、ひとつにはどのような効果をわたしが見せたいかによる。観客席の中央あるいは後方に、二階正面席に、正面桟敷に瞬時に移動できるのだ。

どこにでも電送できることをたんに見せたいがために、ほかの舞台上の道具や人工物の上に自分を電送することができる。たとえば、ときどき、わたしはショーのあいだ観客席の天井からなにも載せずにぶら下がっている大きな網のなかに到着することがある。べつの人気のある効果では、封印した箱や木枠のなかに自分を投じる。その箱や木枠は、観客がよく見ることのできる台の上に載せられ、わたしが隠し戸や落とし戸から侵入したりしないように、数人の客によって囲まれているのである。

しかしながら、かかる自由度の高さは、わたしを向こうみずにさせた。ある夜、ほんの気まぐれから、舞台に置いたガラスの水槽のなかに自分を投じた。これはとんでもない失敗だった。なぜなら、わたしは奇術師としての大罪、つまりその効果のリハーサルをおこなわないという罪を犯し、多くを偶然に任せてしまったからだ。水中へのわたしのセンセーショナルで爆発的な出現は、観客を昂奮のあまり立ち上がらせたものの、あやうくわたしは死にそうになった。肺が即座に水で一杯になり、二秒と経たぬうちに、わたしは死ぬまいとあがきはじめた。アダム・ウィルスンのすばやい行動がなければ、わたしは死んでいた。昔のボーデンの攻撃のひとつをいやでも思いださせるものだった。

再実体化に関するこの歓迎せざる教訓ののち、新しい効果を試そうという気になったら、まず徹底的にリハーサルを繰り返すことにした。

もちろん、わたしの舞台の大半は、伝統的なイリュージョンによって構成されている。わたしには膨大なレパートリーがあり、新しい劇場に立つときは、ショーの構成を変えるようにしている。わたしはいつも変化のあるショーをおこなっている。〈コップとボール〉や〈不思議なワイン・ボトル〉といったよく知られたイリュージョンを口開けにおこなうようにしている。さまざまな種類のカード・マジックを次に見せ、ついで見た目を派手にするために、絹や旗や造花やハンカチを用いたトリックを使う。クライマックスに向けて、テーブルやキャビネットや鏡を利用した二、三のイリュージョンを実演し、観客から協力者を募ることもよくある。そしてかならず〈閃光のなかで〉で、ショーを締めくくるのだ。

一九〇二年六月十四日

ダービーシャー州にて

わたしはこれまでにないほど忙しい。一九〇一年八月から十月まで、全国巡業をおこなった。去年の十一月からことしの二月にかけて、アメリカ合衆国への再度の公演に出ていた。五月まで、わたしは欧州におり、現在は、英国の劇場への追加巡業に出ているところで、今回は主に沿岸のリゾート地を集中してまわっている。

将来の計画――

長い休暇を取り、家族と多くの時間を過ごすつもりだ！　そのため、九月の大半は空けており、十月初旬も同様にしている。

（合衆国にいるあいだ、ニコラ・テスラの所在を確かめようとした。テスラ装置についていくつか質問したいことがあり、その性能を向上させるための助言も得たかった。また、装置がこれまでのところどれほど役に立ってくれているか、テスラが知りたいだろうと思っていた。しかしながら、テスラは身を隠し、杳《よう》として行方が知れなかった。噂では、破産し、債権者から逃げているという）

一九〇二年九月三日

ロンドンにて

ゆゆしき新事実が明らかに！

昨晩早々、イズリントンのデーリーズ劇場で出番待ちのあいだ休んでいたところ、ひとりの男が劇場にわたしを訪ねてきた。男の名刺を見てすぐに楽屋へくるよう頼んだ。男はアーサー・ケニーグ君だった。かつてイヴニング・スター紙の若きジャーナリストで、ボーデンに関する情報を多々与えてくれた人物だった。現在、同君がイヴニング・スター紙の副編集長の座についていると知っても驚きではなかった。歳月はケニーグのほおひげに白いものをまじらせ、腹回りをかなり膨れあがらせていた。ケニーグは恭《うやうや》しくはいってきて、わたしの手を握って上下させ、しきりとわたしの肩を叩いた。

「昼の部の公演を見ましたよ、デントンさん！」ケニーグは言った。「心からお祝いもうしあげます。一度くらい、評論も劇場公演に関して正当な評価を下すものですな。率直に言って、わたしは面くらったのと同時に、楽しませていただきました」

「それを聞いて嬉しいよ」そう言ってわたしは衣装係に合図して、ケニーグのためにウィスキーを小さなグラスに注いだ。それが済むと、衣装係にふたりきりにさせてくれ、十五分後にもどってくるように、と頼んだ。

「あなたのご健康に！」そう言ってケニーグはグラスを掲げた。「あるいは、閣下、とお呼びしましょうか？」

わたしは驚いて目を丸くして、相手を見た。

「どうしてそれを知っているのかね？」

「知らずにおれましょうや？　あなたの兄上の逝去の報は、通常の形で、報道機関に届き、正式に報道されたんですよ」

「その報道はいくつも見たが」わたしは応じた。「どこにもわたしの名前は挙げられていなかった」

「それはロンドンの新聞界にいる人間で、あなたのことを舞台名以外で知っている人間がほとんどいないからでしょう。あなたとヘンリー・エンジャを結びつけることができるのは、真の崇拝者だけです」

「なにもきみの目を逃れられないというわけだね」渋々感嘆しながら、わたしは言った。

「その手の情報はね。心配しないでください、あなたの秘密は守ります。秘密ですよね？」

「わたしはつねづね、自分の生活のふたつの部分をわけてきたのだ。その意味では、これは秘密であり、そのように扱ってくれるとありがたい」

「約束いたします、閣下。わたしにかくも正直でいてくださってありがたいです。秘密はあなたの商売道具でしょうから、それを探ったり、暴いたりするつもりはありません」

「必ずしもそうではなかったがね」わたしは指摘した。「前回会ったときには」

「ボーデン氏のことですね、まさにその通り。白状すれば、あれは若干異なる場合でした。あの男は自分の秘密でこちらを駆りたてているようにわたしは感じたものです」

「きみの言わんとすることはわかる」

「はい、おわかりだと思います」

「ケニーグ、聞かせてくれないかね。きみはきょう、わたしのショーを見た。最後のイリュージョンをどう思う？」

「あなたはボーデン氏が形だけこしらえたものを完璧になさいました」

それは耳に心地よい調べだったが、わたしはなおも訊ねた。「さきほどショーを見て面食らったと言ったが、その秘密を探ろうと駆りたてられはしないのかね？」

「しません。あなたがひきおこす秘密の感覚は、わたしにはなじみのものです。卓越したイリュージョニストがショーを演じているのを見るとき、どのようにその奇跡が達成されているのか興味をかき立てられるものの、もしその秘密を説明されたら、ひどくがっかりするだろうと、わかるものです」

ケニーグはそう言いながら、ほほ笑みを浮かべ、そののち黙って嬉しそうにウィスキーを口に含んだ。

「ひとつ訊ねていいだろうか」やがてわたしは訊いた。「この来訪の目的を？」

「ボーデン氏の件でお詫びにきたのです。あなたの好敵手の。氏に関するわたしなりの複雑な見解はすべて誤りで、あなたの単純かつ直截な説が正しかったのです」

「言っている意味がわからないが」

「前にお目にかかったとき、ボーデン氏が既存の奇術のどれよりもすばらしい奇術を実演していると、もったいぶって力説したことを覚えておられると思います」

「覚えているよ」わたしは言った。「きみの巧みな意見に得心させられたものだ。きみの意見をありがたく思った」

「ですが、あなたはもっと単純な説明を考えておられた。ボーデンはひとりの人間ではなく、ふたりだ、とあなたはおっしゃった。双子だ、と。一卵性双生児の兄弟が、必要に応じて入れ替わっているのだ、と」

「だが、きみは証明したではは――」

「あなたの言うとおりだったんです！　ボーデン氏のトリックは双子に基づいているんです。アルフレッド・ボーデンというのは、ふたりの名前を融合させたものなのです――アルバートとフレデリック。ひとりの人間として演じている双子の兄弟です」

「そんなはずはない！」

「ですが、あなたご自身の説です」

「ほかのどんな説も、きみは言下にわたしの蒙を啓いてくれたではないか。きみには証拠が――」

「証拠の多くは情況証拠であったことが判明し、残りは偽造されたものであることがわかりました。わたしは駆けだしの記者で、当時は経験不足でした。いまは、事実を確認し、再確認し、さらに確認することを学んだのです」

「だが、わたしは自分でその件を調べたのだ」わたしは言った。「ボーデンの出生記録を調べ、通っていた学校の記録も調べた――」

「ずいぶん以前に偽造されたのですよ、エンジャさん」あたかもわたしへの呼びかけがそれで正しいかどうか確認するかのように、物問いたげにこちらを見る。わたしがうなずくと、記者は先をつづけた。「ボーデン兄弟は、あのイリュージョンを維持することを中心に据えて、自分たちの生活を送っているんです。彼らに関することはなにも信用できないのです」

「わたしは最大限の注意を払って調べたのだ」なおもわたしは言い張った。「その名前の兄弟がいるのは知っているが、ひとりはもうひとりより二歳若かった！」

「確か、ふたりとも偶然五月に生まれていましたね。56年5月8日の出生記録を58年5月18日に変えるのは、たいした偽造じゃありません」

「兄弟がいっしょに撮られた写真が一枚あった！」

「ええ、じつに簡単に見つかる写真がね！　あなたやわたしのような人間がつまずく偽の《レッド》てがかり《ヘリング》として残されていたものにちがいありません。われわれがまんまとひっかかったように」

「しかし、兄弟はまったく似ていなかった。この目で写真を見たのだ！」

「わたしも見ました。じっさい、わたしのオフィスにその写しがありますよ。ふたりの顔の特徴の違いは明白です。ですが、あらゆる人のなかで、あなたほど、舞台メーキャップで人の目をくらます方法をご存じの人はいないはず」

　わたしはその知らせに雷に打たれたようになり、まともにものを考えることができなくなって、じっと床を見つめた。

「じつに腹立たしいことではありませんか？」ケニーグは言った。「あなたもおなじように感じておられるはずです。われわれはふたりとも、いたずら者どもにまんまとしてやられたんです」

「それは確かなのかね？」わたしは問い迫った。「ほんとうに確かなのか？」ケニーグはゆっくりとうなずいた。「たとえば、兄弟がいっしょにいるところを見たことがあるのかね？」

「まさにそれが、わたしの確信の根拠です。たった一度、ほんの一瞬でありましたが、ふたりはわたしの目のまえで会ったのです」

「きみはふたりを尾行していたのか？」

「ふたりのうち、ひとりを尾行していたんです」ケニーグは訂正した。「八月のある夜、自宅から出てくるボーデン氏をつけました。リージェンツパークへひとりではいっていき、どうやらそぞろ歩きをしているようでした。わたしは百メートルほど距離を空けて、あとを追っていました。公園内の円形路をぐるっとまわっているときに、反対側からひとりの男がボーデンに近づいてきました。ふたりは、ほんの三秒間ほど立ち止まって、話を交わしたんです。そののち、ふたりはまえとおなじように歩きつづけました。ですが、ボーデンは小さな革鞄を手にしていました。ボーデンが話しかけた男がすぐにわたしの隣を通りすぎていったんですが、そのとき男がボーデンと瓜二つであったのをわたしはこの目で見ました」

わたしはケニーグをまじまじと見つめた。

「どうしてわかる――？」わたしは誤謬の可能性を慎重に考えながら言った。「歩きつづけた男が、つまり、その鞄を持っている男が、ボーデンに話しかけてきた男ではないとどうしてわかるのかね？　ボーデンはたんに来た道を引き返してきた可能性がある。もしそうだとしたら、きみのそばを通りすぎていった男が、きみの尾行していたボーデンだったのではないのかね？」

「自分の目にした人物が何者であるかわかっています、閣下。ふたりは異なる服を着ていたんですよ。おそらくは惑わしの理由から。ですが、その事実によって、わたしにはふたりの区別をつけるのが可能になったんです。ふたりは出会い、すれ違い、瓜二つでした」

心が研ぎ澄まされ、集中しはじめた。ボーデンたちの舞台奇術の上演方法をすばやく考えていた。もしふたりが双子であるのが本当なら、ふたりの兄弟はショーのたびに劇場に居合わせなければならないだろう。ということは、裏方たちも必然的にその秘密に荷担していることになる。ボーデンが舞台を箱幕で隠していないのはすでに知っており、ショーのあいだには舞台袖に人がいつもうろついて、興味しんしんで思う存分見ていた。わたし自身が替え玉を用いての瞬間移動イリュージョンをおこなっているときはいつも、そのことを強く意識していた。だが、ケニーグの言うことが信用できるならば、ボーデンの秘密は永年秘密のままであった。もしボーデンの舞台が一卵性双生児を使ったアイデアに基づいているというなら、その秘密は何年もまえに漏れていたはずではないだろうか？

そうでないとしたら、どう説明できるというのだ？　ショーの前後で秘密が維持されたままであるときにのみ、可能だろう。すなわち、いわば、ボーデン一号が奇術装置や道具とともに劇場に到着し、ボーデン二号はそれらの品物のひとつにすでに身を隠している。ボーデン二号がショーのなかで姿を現すと、ボーデン一号は舞台上の道具のなかに身を隠す。

その場合は実現可能であり、もしすべてそういうことであるなら、わたしにも受けいれられるかもしれない。だが、永年、ひとつの会場からつぎの会場へと移動をつづけ、長い列車の旅や、アシスタントたちの雇用、宿泊先を見つけることなど、日々発生する負担を考えると不思議でならない。ボーデンには協力してくれるチームがあるにちがいない——もちろん、工作家と、舞台に登場するアシスタントがひとり、ふたり、運搬人と舞台方、代理人などからなるチームが。もしそうした面々がボーデンの秘密を厳守しているなら、彼らの機密維持能力は驚くべきものだ。

一方、人間の性質としてこっちのほうがずっと自然なことなのだが、もし、彼らがそれほど信用ならないものなら、ボーデン一号とボーデン二号は、広範囲な秘匿手段を講じる必要があるだろう。

それだけでなく、舞台生活の日々の現実問題がある。たとえば、昼公演がある日には、ボーデン二号（装置のなかに身を隠しているほう）は、ショーとショーのあいだの時間になにをしているのだろう？　兄弟の片割れがほかの芸人たちとともに休憩室で休んでいるときに、ずっと隠れたままでいるのか？　こっそり抜けだして、次のショーが始まるまで楽屋に潜んでいるのか？

ふたりはどうやって人目につかずに劇場に出入りしているのか？　楽屋番の人間は、人の出入りを油断なく見張っており、劇場によっては、出入りする人間の確認に余念なく、有名な役者でも、遅刻したり、愛人を引き入れようと思うだけでも身震いさせられることもあると言われている。楽屋口を通らずに劇場にはいる方法はつねにあり、大道具口や劇場正面からというのがその代表的なものだが、この場合も不断の秘密保持と準備が求められ、なみはずれた不快な目に遭う可能性をあえて甘受する覚悟が必要である。

「考えこませてしまうネタをお渡ししてしまったようですな」ケニーグがそう言って、一連のわたしの考えを中断させた。おかわりをよこせとでも言わんばかりに空になったウィスキー・グラスを手にしていたが、このことを徹底的に考える時間がほしかったので、わたしはそっけなく相手の手からグラスを取った。

「今回は、きみのつかんだのは事実だろうね?」わたしは言った。

「絶対確実です。誓って」

「前回、きみは自分の主張をわたしが確認できるような手がかりを寄越してくれた。今回も、同様のものを提示してくれるのだろうか?」

「いいえ――ご提供できるのは、わたしの言葉だけです。わたしはこの目でふたりの男がいっしょにいるのを見ました。少なくともわたしには、その証拠だけで充分です」

「きみの場合は、そうだろう」わたしは立ち上がり、この面談が終わったことを示した。

ケニーグは帽子と外套を手にして、わたしが開け支えている扉へ近づいた。

できるだけさりげなさを装って、わたしは言った。「わたしのイリュージョンをどのように実演しているのか、関心はないようだが」

「あれは奇術だと受けとっております」

「では、わたしが一卵性双生児を使っているとは思っていない?」

「あなたには一卵性双生児がいないのを知っております」

「わたしのことも調べたのだね」わたしは言った。「では、ボーデンはどうだろう? あの男はわたしがどうやっているのか不思議に思っているだろうか?」

ケニーグ君は、派手にウインクをしてみせた。

「ボーデンとその兄弟は、あなたのことが気になって仕方がないことをあなたに教えたくはないでしょう」ケニーグは手を差しだし、われわれは握手をした。「繰り返しますが、お祝いもうしあげます。こう言ってよろしければ、あなたがとてもご健勝であられるのを目にして安心しました」

返事を待たずしてケニーグは立ち去ったが、いったいなんのつもりでそう言ったのか、わたしにはわかっている。

ロンドンにて

一九〇二年九月七日

デーリーズ劇場での短い公演が終わり、しばらくロンドンでの用事を片づけてから、長く楽しみにしていた一月を、ダービーシャー州でジュリアと子どもたちとともに過ごせるようになる。あす、わたしは北へ向かう――ウィルスンはわたしよりまえに出発しており、奇術素材のいつもの手配をすることになっていた。

けさ、工房にテスラ装置をしっかり保管すると、この先数週間分の給与をアシスタントたちに払い、目を剝くような請求書に片をつけ、秋冬の出演依頼についてアンウィンとしばらく打合わせをした。十月なかばから来年の三月か四月まで、忙しく働かねばならないようだ。こうした公演による収入見込みは、諸経費を全部引いたあとでも、若いころ夢見たものよりはるかにわたしを金持ちにしてくれるだろう。来年末になるころには、どう考えても、二度と働かずともすむようになるはずだ。

そのことで、わたしはケニーグの別れ際のセリフの説明をしたくなったので、ここに書き記す。

数カ月前〈閃光のなかで〉を完璧なものにしようと、仕事に追われはじめたとき、このイリュージョンの最後にふさわしい目新しい方法を思いついた。そのことが頭に浮かんだのは、かろうじて死を免れていたころの暗い気持ちのせいだった。入念に配置した照明とメーキャップを組み合わせることで、エーテルを通過したのち、そのままよりもずっとげっそりした感じになるようにした。かかる苦行の厳しさで消耗したように見せるのだ。あやうく死を免れ、その紛れもない痕跡を覗かせている男として。

そうした効果はわたしの舞台の定番となった。ショーを通じて、わたしは注意しながら動きまわる。あたかも痛みを避けるかのように手足をかばい、腰や背中が若干こわばっているかのように曲げ、背中をすぼめて歩く。それを気にしていないかのように、無理をして動きまわる。〈閃光のなかで〉を演じたのち、奇跡的に無傷で到着した姿を見せてから、照明の力で、陰惨な姿になっているように見せる。最後の幕が下りてくるとき、わたしはもう長くないのではないかと観客の大半に思わせるような様子を見せるのだ。

その効果自体をべつにして、わたしは長期戦略を念頭に置いている。簡単に言ってしまうと、わたしは自分自身の死を計画し、用意しているのだ。その考えはなにも目新しいものではなかった。永年、ジュリアが未亡人を演じているあいだ、わたしは死人を演じていた。テスラのおぞましい装置を通して何度も遷移をつづけていると、自身の死を演出できるという考えが自然に浮かんだ。

来年、わたしは永遠に舞台から引退したいと思っている。終わりのない巡業、長旅、劇場の宿泊施設で一夜を過ごすこと、舞台の経営陣との際限のないやりとりから自由になりたいのだ。自分がおこなっていることの秘密を守らねばならないのにもうんざりで、ボーデンの攻撃がまたあるかと思うといつもひやひやしている。

とりわけ、子どもたちが大きくなっており、その成長の過程で、いっしょにいてやりたいのだ。エドワードはまもなく大学入学のため家を離れ、娘たちはまちがいなくもうすぐ結婚してしまうだろう。

来年のいまの時期までに、わたしは言ってみれば働かずとも食べていける状態になり、分別ある投資をすれば、コールドロウの地所は、わたしの生涯、そして家族の生涯、われわれを養っていってくれるはずだ。世間的には、偉大なるデントン、ルパート・エンジャの人生は、その職業の苛烈さによって、一九〇三年の秋のいずれかの時点で終わりを迎えることになる。

一方、世間に公表することもなく、第十四代コルダーデイル卿がほぼ同時期に、すべての財産を支配するのだ。

以上が、わたしの「驚くべき」健勝さに関するケニーグのセリフへの説明である。ケニーグは鋭い男であり、こちらが望む以上に、わたしのことを把握していた。

この件に関し、ボーデンがひとりではなくふたりであるというケニーグの説を、あれからずいぶん検討してきた。いまだにわたしには確信が持てない。

その仮定自体が信じがたいものであるからではない——つまるところ、わたしが使っていた工作家のカッターがおなじことを解き明かしていた——だが、その惑わしとともに生きていくことで派生する、さまざまな問題が終わることなくつづくことを考えて信じがたかった。ケニーグが楽屋にいるときから、そのうちの一部の問題を考えていたほどだった。

日常生活はどうなる？　どれほどの成功をおさめようとも、芸人はつねに働いているわけにはいかない。休息の時期がある。みずからすすんでのものであれ、不承不承のものであれ。出演依頼のあいだには必要な間隔がある。ショーや巡業は、始まる直前にキャンセルされることがありうる。休日があり、病気があり、急に発生する家族の問題がある。

もしボーデンがひとりではなくふたりであるなら、たったひとりしかアルフレッド・ボーデンがいないように見せかけるためにひとりがつねに隠れているとしたら、いったいどこに、どのように隠れつづけているのだろう？　隠れているあいだ、その生活にはどんなことがあるのだろう？　どうやって兄弟と連絡を取っているのか？　恒常的に会っているのだろうか。そうだとすれば、だれかに気づかれずにどうしてその手配を整えているのだろう？

その惑わしをほかに何人の人間が知っているのだろうか？　ボーデンたちは他人にどう

やってその秘密を確実に守らせているのだろう？　ほかの人間と言えば、ボーデンの妻はどうなっているのか？　子どもたちはどうなっているのか？

もしボーデンがふたりの男なら、ふたりともがひとりの妻の夫であるわけがないし、子どもたちの父親であるわけがない。どちらが夫であり、どちらが父なのか？　ボーデンの妻は良家の出で、どう考えても愚か者ではない。彼女はボーデンについていったいなにを知っているのだろう？

自分の本当の正体を妻には教えずにいるのだろうか？　秘匿と惑わしが夫婦の家にまで、夫婦の寝室まで、気づかれずにおよんでいるなどということがありうるだろうか？　ボーデンの妻はなにも疑わず、ふたりの男の見分けがつかないということがあるのか？

身内話や、内輪の冗談や意見、共有している思い出、肉体的な親密さの問題はどうなるのだろう？　ふたりの男が、たんなる舞台のイリュージョンに関する予防措置や秘密のため、個人的な事柄まで巻きこむほど協力しあうというのは考えられることだろうか？

逆の場合は、およそ信じがたいものだ——すなわち、ボーデンの妻が真相を知ったうえで、なんらかの理由があって、それを我慢しているというのは。

もしそちらが真実だとすれば、その取り決めは何年もまえに確実に破綻していたはずだ。どちらにせよ、兄弟のうちひとりが、必然的に、取り決めによって重要性の低い相棒になるだろう。どちらかが（そちらをボーデン二号と呼ぼう）、じっさいには妻との結婚生活を送るほうではない必要がある。それゆえ、ボーデン一号よりも妻の目にさらされることが少ないほうになり、その場合、夫婦関係に関する事柄のなにを担当することになるだろう？

さらにその話を進めるなら、ボーデン二号は子どもたちの真の父親ではないだろう。（まっとうな礼儀作法から言って、結婚していないボーデン二号は、子どもたちの男親でないボーデン二号と同一人物であると推測する）ゆえにボーデン二号は、子どもたちと精神的にも物理的にも、縁遠いおじの立場になるだろう。妻であり、母親である女性は、なんらかの形で、ボーデン二号を冷遇せざるをえないだろう。

それは不安定な状況だ。

これらの説明のいずれもあまりに非現実的であるため、わたしは第三の可能性を信じざるをえない。ボーデン兄弟はわざと真実を妻に話しておらず、彼女をだまそうとしてきたのだが、妻のほうは自分でその惑わしをたいしたことではないと見なしたのだ。言い換えるなら、妻はなにが起こっているのか気づいたのだが（気づかないわけがなかろう）、彼女なりの理由があって、それを黙認することに決めたのだ。

この説にもそれなりの未解決部分があるにせよ、これがもっとも信憑性の高い解釈に思える。だが、だとしても、この件全体がとても信じがたいものだ。

わたしはなんとしても自分の秘密を守るつもりだし、現実に守ろうとしているが、しかし、秘密が妄執になるまでそうするつもりはない。ボーデンと、ボーデンの兄弟と思われる人物は、ケニーグが指摘したほどにまで、妄執にとりつかれているなんてことがありうるだろうか？

この件に関して、わたしの心はまだ二つに裂かれたままだ！

結局のところ、それはたいしたことではない。トリックはトリックに過ぎず、トリックを見る観客はみな、なんらかの惑わしがおこなわれているのだと心得ている。だが、ジュリアはわれわれの確執のせいでひどい不幸に遭い、そのせいでわたし自身の命もあやうくなりかけた。ボーデンは自身の秘密に盲目的にしがみつく類の人間であり、あんな男とかかわりあったのがわたしの不幸だった。

もっとも、確執の直接の結果として、財産を築かせてくれているイリュージョンを生みだすことができたのは運が良かった！

一九〇二年十一月二十七日

ウェークフィールドとリーズのあいだのどこか

ジュリアと子どもたちと過ごしたダービーシャー州での長い、得るところの多かった休暇が終わり、わたしは巡業にもどった。あす、リーズのキング・ウィリアム劇場で、巡業を開始する。その劇場で、来週末まで、夜間の二回公演をおこなうことになっている。

そののち、ドーヴァーへ赴き、オーヴァークリフ劇場のプログラムの巻頭を飾る。それからクリスマスに先立つ一週間、ポーツマスで舞台に立つ。

わたしは疲れているが、幸せな男だ。

ときどき、人々はわたしの様子に気づき、体調がよくないのではないか、と良かれと思って声をかけてくる。わたしはそんな言葉に平静を装っている。

一九〇三年一月一日
さて、ルパート・エンジャが今生の別れを告げる年にたどりついた。いつ死ぬのか日にちをまだ決めかねており、アメリカ巡業のフィナーレからしばらく時間が経ってからになるだろう。
あしたから三週間のち、ニューヨークへ向けてリヴァプールを発ち、四月まで帰ってこない。奇術素材処理の問題は、まだ部分的にしか解決しておらず、それに対処するため、以前〈閃光のなかで〉を平均週に一度しかおこなわないようにしている。もし必要なら、いずれにしたことをやるつもりだが、ウィルスンは解決方法を見つけたと言っている。いずれにせよ、ショーはつづけるのだ。
ジュリアと子どもたちは、のちにわたしの最終巡業として知られることになるのはまちがいない巡業のあいだ、ずっと同行することになっている。

一九〇三年四月三十日

ことし末まで、そして一九〇四年年初の数カ月まで、出演依頼を受諾しつづけるよう、アンウィンには話した。しかしながら、わたしはことし九月末までに死ぬのだ。たぶんそれは九月十九日土曜日になるだろう。

ローストフトにて

一九〇三年五月十五日

ニューヨーク、ワシントンDC、ボルティモア、リッチモンド、セントルイス、シカゴ、デンヴァー、サンフランシスコ、ロサンジェルスでの目もくらむような経験を経て……わたしはいま、サフォーク州のローストフトにいる。アメリカ合衆国では財産を築き、ローストフトのパヴィリオン劇場のような場所では、生活費を稼ぐのだ。

あす、一週間公演の幕開けだ。

一九〇三年五月二十日

今晩の公演は二回ともキャンセルし、明日の公演も危機に瀕している。いまこうして書きながらも、ジュリアの到着を焦がれるように待っている。

わたしは愚か者だ。どうしようもなくとんでもない愚か者だ!

昨晩の二度目の舞台は、途中で中断した。(こう書き記すのに気力を奮い起こさねばならなかった)最近、わたしは新しいカード・トリックをレパートリーに加えていた。そのなかで、観客のひとりが舞台へ招き上げられる。客はカードを一枚抜いて、その表面に自分の名前を書かされる。わたしはカードの角のひとつを破り取り、その部分を客に持つように渡す。カードの残りは紙封筒にいれられ、火を点けられる。炎が消えると、わたしは大きなオレンジを一個取りだす。それを半分に断ち割ると、なかには署名されたカードがはいっており、もちろん、破られた角はちゃんと一致する。

昨晩の、わが協力者は地元の人間に違いなかった——背が高く、たくましい身体つきで、血色の良い顔だった。それに男が口を開いたとき、サフォークなまりが聞こえた。わたしはショーの冒頭から、正面の列の中央に座っているこの男に目星をつけていたのだ。愛想の良い、あまり頭の良くなさそうな顔に気がつくとすぐ、協力者の候補としていたのだ。だがじっさいは、どなたか舞台へ上がってくださいませんかとの呼びかけに、すぐさま男は自ら志願したのだった。本来ならば、厄介なことになる可能性が高いと警戒してしかるべき素早さだった。しかしながら、わたしがそのカード・トリックをおこなっているあいだ、男は完璧な引き立て役であり、素朴なユーモア感覚と常識的な意見を発揮することで、観客から笑いを一、二度引きだしたほどだった(「カードを一枚お取りください」とわたしが言うと、「あんれま、土産にくれんのかい?」と目を大きく見開き、相手を楽しませようとしているかのように男は言った）。

どうしてわたしは、その男がボーデンであると推測しなかったのか⁉　あいつは手がかりすら寄越してきたというのに。あの男がカードに書いた名前は〝アルフ・レッドボーン〟、アルフレッド・ボーデンのほぼ明白なアナグラムであり、用心さえしていれば、それに気づいたはずだ。

カード・トリックが完了すると、わたしは相手と握手を交わし、名指しで礼をのべた。レッドボーンが現アシスタントであるヘスターに導かれて観客席の傾斜路へ向かうと、観客に合わせてわたしも拍手をした。

数分後、〈閃光のなかで〉の準備を始めたとき、レッドボーンの席がまだ空席のままであることにわたしは気づかなかった。

このイリュージョンに先立つ緊張感のなかで、レッドボーンの不在はわたしの意識の片隅に留めおかれただけだった――嫌な予感がしたが、それがどんなものなのか、手遅れになるまで思いつかなかった。電流がテスラ装置に流れはじめ、高圧電流の放電の長い触手がわたしを取り巻き、観客の期待が最高潮に達したとき、やっとわたしはレッドボーンの不在に気づいた。ことの重大さが、雷電のようにわたしを打った。

そのときにはもう遅かった――装置は稼働中であり、わたしはトリックを完了しようとしていた。

ことここにいたっては、なにも変更しようがない。選択した座標も固定されていた――

座標設定は、とても複雑で時間がかかるため、実演まえにおこなっておかねばならない。昨晩、舞台左手の一番高いところにあるボックス席に到着するよう、夜の二回公演のために装置を設定した。その席は劇場運営側との折衝で、二回のショーのあいだ、空席にしておくことになっていた。メイン・バルコニーとほぼおなじ高さにあり、観客席のほとんどの場所からも見ることができる席だった。

わたしはボックス席のまさに手すりの上に再実体化し、スポットライトでとらえられる。はるか下の一階客席を見下ろし、なんとかバランスを保とうと両腕を振りまわし、身体を激しく揺らす、等々をしてみせる用意をしていた。第一回公演のときは万事計画通りに進み、この奇術による瞬間移動は、観客から悲鳴や、警告の怒声や恐怖の叫びを巻きおこし、ヘスターから投げ渡されたロープをつたってわたしが舞台へ降りると、割れんばかりの喝采が起こった。

観客を見下ろす状態で手すりに到着するためには、テスラ装置のなかで、ボックス席に背中を向けて立たなければならない。もちろん、観客は知るよしもないのだが、その姿勢がそのまま到着の瞬間に再現されるのだ。それゆえ、装置のなかからだと、到着する予定の場所を見ることができなかった。

ボーデンが劇場のどこかにいることから、あいつがまたしてもわたしの舞台の邪魔をしようとしているという、恐るべき確信が湧いた！　万が一、やつがボックス席に潜んでいて、到着した瞬間にわたしを一押しすれば？　身体のまわりで、電圧が避けようもなく高まっていくのを感じた。心配で振り返って、ボックス席を見ないではいられなかった。激しくはぜる青白い電気スパーク越しにしか見えなかったが、万事順調に思えた――わたしの到着を邪魔するものは見あたらない。ボックス席の内側までは見通せなかったものの、だれかがそこにいるようには見えなかった。

だが、ボーデンの意図ははるかに悪意のこもったものだった。一瞬ののち、わたしはそれがどんなものか気づいた。振り向いてボックス席を見上げたまさにその瞬間、ふたつのことが同時に起こった。

第一に、わたしの身体の電送がはじまった。

第二に、装置の電源が断ちきられ、電流が即座に途絶えた。青い炎は消え、電磁場がなくなった。

わたしは舞台の上に残っていた。観客の視線を浴びて、装置の木製の檻のなかに立っていた。肩越しにボックス席を見上げる。

中断されたのだ！　だが、電送は止まるまえに始まっており、いまや手すりにわたし自身の姿が見えた――檻のなかで上半身をひねって、半分腰を落とした姿勢で見上げると、当初予定していた姿勢で立ちつくす、わたしの幽霊、わたしのドッペルゲンガーの姿が、手すりの上にあったのだ。それはわたし自身の影の薄い、はっきりとしない写しであった。部分的な幻影《プレステイージ》だった。わたしが見ていると、そのわたし自身の写像は驚いて背を伸ばし、両腕を伸ばして、後ろ向きにボックス席のなかへ倒れ、こちらからは見えなくなった！

たったいま目にしたものに震えあがり、わたしはテスラ装置の檻のコイルのなかから外へ進みでた。ちょうどいいタイミングでスポットライトが灯り、予定されていたわたしの実体化をとらえようと、ボックス席全体を照らしだした。観客たちはすでにトリックの結果をなかば予期して、そこを見上げた。彼らは喝采をはじめたが、たちまちその音は消え失せてしまった。ボックス席にはなにもないのだ。

わたしは舞台で突っ立っていた。わがイリュージョンは失敗に終わった。

「カーテン！」わたしは袖に向かって叫んだ。「カーテンを降ろせ！」

ようやく舞台技師がわたしの声に気づき、カーテンが降りてきて自分と観客を隔ててくれるまで、永遠とも思える時が流れた。ヘスターが姿を現し、駆けてきた——本来ならヘスターが舞台へもどってくるきっかけは、わたしがボックス席の手すりから喝采を浴びているときであり、それよりまえではない。ところが、義務と混乱によって、ヘスターは袖の待機場所から出てきてしまった。

「なにがあったんです？」ヘスターは声を張り上げた。

「観客席からここにあがってきたあの男だ！　やつはどこにいる？」

「わかりません！　自分の席にもどったんだと思ってました」

「どうにかして舞台裏にもぐりこんだんだ！　連中を確実に舞台から降ろすようにと言っただろ！」

わたしは腹立たしくヘスターを押しのけ、カーテンの重たい生地を持ちあげた。しゃがんだままカーテンの下をくぐり、スポットライトのなかに進みでた。館内照明が灯っており、観客は通路へ移動し、ゆっくりと出口へ向かっていた。彼らは明らかに当惑し、不満をこぼしていたが、舞台には注意を払っていなかった。

わたしはボックス席を見上げた。スポットライトは消えており、のっぺりとした館内照明のなか、わたしにはなにも見えなかった。

すると、女性の悲鳴があがった。さらにもう一度。ボックス席のうしろの建物のどこかからだ。

急いで舞台袖へ歩いていくと、わたしを探そうと舞台へ駆けてきたウィルスンと出くわした。どういうわけか肺が苦しくて息を切らせながら、わたしはできるだけ早く装置を分解して、箱詰めするようウィルスンに指示した。ウィルスンのかたわらを駆け抜け、バルコニーとボックス席に通じる階段にたどりつく。観客たちが階段を降りてくるところで、わたしが彼らのあいだを縫って階段をのぼろうとすると、礼儀を欠いたわたしの態度に客たちは文句を言ったが、ついいましがた目のまえで、はでにしくじった演者だと認識したうえでの文句ではなかったようだ。失敗者のこの匿名性は予想外のものだった。

一歩進むたび、階段をのぼるのがしんどくなった。喉がぜいぜいし、のぼり坂を一、二キロ駆け上がったばかりのように心臓が鼓動しているのがわかった。わたしはふだん体を鍛えており、肉体を動かすことでつらくなったことなど一度もなかったのだが、突然、脚が悪く、体重過多になったような気がした。短い階段をたった一段のぼっただけで、もうそれ以上先へは進めなくなり、息を整えようとして錬鉄製の手すりによりかかっているわたしを、階段を降りてくる人々は避けて進まねばならなかった。わたしは数秒間休んでから、次の階段をのぼりはじめた。

二段とのぼらないうちに、ひどい咳に見舞われた。あまりにひどくて、自分でも驚いたくらいだ。体力が尽きかけていた。心臓が早鐘のように鳴り、耳のなかで血液が律動的に脈搏ち、汗が噴きだし、乾いた苦しい咳は、胸を空っぽにして潰さんばかりに思えた。咳のせいであまりに弱って、息がもうできないほどだった。どうにか少しばかり息を吸いこむと、またしても咳きこみ、ぜーぜーとあえぎ、喉がすさまじくしめつけられた。身体をまっすぐにしていられず、まえのめりに石段の上に倒れ、観客の最後の数人が通りすぎたとき、その靴がわたしの哀れな頭の数センチ先をかすめた。その場に倒れているわたしのことを彼らがなんと思ったのかわかりもせず、気にもしなかった。

結局、ウィルスンがわたしを見つけた。わたしが正常に呼吸しようとあがいているあいだ、わたしを子どものように両腕で抱き支えてくれた。

やっとのことで心拍と呼吸が落ち着くと、ひどい寒気に襲われた。腫れた膿疱でもあるかのように胸が痛み、ふたたび咳きこまずにいられているものの、おそるおそる息をせざるをえなかった。

やがてどうにか声が出た。「なにが起こったか見たか？」

「アルフレッド・ボーデンが舞台裏に忍びこんだにちがいありません」

「そうじゃない！　電源が落ちたあと起こったことを言っているんだ」

「照明制御盤のところにはりついていたんです、エンジャさん。いつものように」

〈閃光のなかで〉実演中のウィルスンの持ち場は舞台の奥で、舞台を囲む背景幕に隠されているため、客席からは見えない。わたしがおこなっているイリュージョンから片時も離れずにいるものの、じっさいにはウィルスンはイリュージョンの大半を見ることはできないのだった。

　わたしはあえぎながら、つかのま見かけたわたし自身の幽霊じみた幻影《プレステイージ》の様子を説明した。ウィルスンはとまどった表情を浮かべたが、ボックス席を見てきます、とすぐに言った。ウィルスンは駆けのぼっていき、その間、わたしは冷たい剝きだしの階段になすべもなく、心地悪く寝そべっていた。一、二分してウィルスンはもどってくると、あそこにはなにも見あたりませんでした、と報告した。最上段のボックス席の椅子が絨毯敷きの床に散乱していたが、それ以外は、変わったところはなかった、と言う。ウィルスンの言葉を受けいれざるをえなかった——ウィルスンが頭の切れる、信用のおけるアシスタントであることはわかっているからだ。

　ウィルスンはわたしに手を貸して、階段を降ろし、ふたたび舞台へ連れていってくれた。それまでには支えられずに立っていられるくらい恢復していた。わたしは一番上のボックス席と、いまではだれもいなくなったほかの客席へざっと目を走らせたが、幻影《プレステイージ》の気配はどこにもなかった。

その件をひとまず念頭から払う必要があった。それよりもずっと気にかかることがあった。わたしが突然、身体の力を失ったという事実だ。身体を動かすこと自体が重荷であり、咳が胸のなかで爆発力を秘めてとぐろを巻いているように感じられ、いつなんどき暴発するかもしれなかった。さきほどの発作がまた起こるのを恐れ、わたしは慎重に自分の動きを抑え、呼吸を落ち着けようとした。

ウィルスンが馬車を呼び、無事わたしをホテルへ届けてくれ、すぐにジュリアへの伝言の手配をしてくれた。呼んだ医者は約束の時間より遅れて到着すると、おざなりに診察した。どこにも悪いところは見つからない、とその医者が断言したので、金を払って追い返し、あしたの朝になったらべつの医者を見つけようと心に思い定めた。なかなか寝つけなかったが、結局は、眠った。

きょうの朝、目が覚めると、前夜よりも力が湧いてきたように思え、わたしは助けを借りずに下の階へ降りていった。ホテルのロビーでウィルスンが控えてくれており、ジュリアが昼には到着すると知らせてくれた。と同時に、ウィルスンはわたしの加減が悪そうだと言ったが、わたしは良くなりはじめていると主張した。しかし、朝食後、自分に少しも体力が残っていないのを悟った。

不承不承、わたしは今夜の二回の公演をキャンセルした。ウィルスンが劇場へ出かけているあいだ、起こったことをこのように記したのである。

一九〇三年五月二十二日

ロンドンにて

ジュリアの強い勧めとウィルスンの助言に従い、わたしはローストフトの残りの公演をキャンセルした。来週の予定も同様になくなった――ハイゲートのコート劇場で短期間の公演になるはずだったのだ。六月第一週に予定されているダービーのアストリア劇場のショーをどうするか、まだ決めかねている。

この事件に関し、できるかぎり何食わぬ顔をしているが、心の奥底には、秘めたる恐怖がただよっている。要するに、この不健康な状態は、二度と舞台に立てないことを意味しているのではないか、という恐怖だ。ボーデンの攻撃があってから、わたしは半病人になってしまった。

ローストフトのホテルに診にきた医師と、ロンドンの主治医を含め、わたしは都合三人の医師の診察を受けた。いずれの医者もわたしが健康で、どこにも病気の徴候はない、と言った。呼吸が苦しいことを訴えると、彼らはわたしの胸の音を聞き、新鮮な空気が必要だと指示した。階段をのぼるだけで動悸がすると言うと、彼らは心音を聞き、食べるものに気をつけて、物事を気に病まないこと、と言った。すぐ疲れてしまうと言うと、休んで、夜早めに寝るようにと助言された。

ロンドンのかかりつけの医師は、わたしの血液を採血した。かりにこの恐怖感を鎮めるためだけでもいいから、客観的な検査をしてほしいと、わたしが要請したからだ。医師は、血液が異様に「薄い」、このような状態はわたしの年齢の男性には珍しいことである、ときちんと報告し、鉄分補給飲料を処方してくれた。

かかりつけの医師が帰ったあと、わたしは体重を測るという単純な手だてで、驚くべき事実を知った。どうやらわたしは十四キロ近く体重が減ってしまったようだ。成人してから、わたしの体重はだいたい十二ストーン前後、つまり七十六キロほどを維持してきた。これは、これまでまったく変わることのなかった事柄のひとつだ。それが、けさ測ってみると、六十三キロ、すなわち、十ストーンを若干下回るくらいしかないのがわかった！

鏡に写るわたしの姿は、以前とおなじに見える——顔は細くなっておらず、目も血走っておらず、頬骨が尖っていることも、あごが鋭角になっていることもない。確かに疲れているようには見える。肌の色は通常とは異なり血色が悪いが、短い階段を半分のぼっただけで息を切らすような人間には見えない。また、正常な体重の六分の一近くを失ったばかりの人間にも見えない。

これについてのまともな筋の通った理由もないが、不完全に終わったテスラ電送のせいにちがいない。第一の衝撃は発生した。それにつづいて、電気的情報の一部だけが送られた。ボーデンの妨害は第二の衝撃が発生するまえであり、両方の端末で再実体化が完了するのを妨げた。

またしてもあの男の介在がわたしを死の淵へ追いこんだのだ！

後刻

ジュリアはわたしを太らせて、力を取りもどさせることを自分の使命にすると宣言した。きょうの昼食はかなりの量だった。しかしながら、途中でうんざりし、気持ちが悪くなり、たいらげられなかった。さきほどまでつかのま昼寝をしていた。目が覚めると、ひとつの思いつきにとりつかれ、その重大性についていまも考えつづけている。

このページの秘匿性に気を許し、テスラ装置を使うときにいつも、舞台であろうと、リハーサルであろうと、かならずポケットに二、三枚の金貨を忍ばせていたことを白状しよう。なぜそういうことをしているのかは自明だ——最近、一財産を築いたのは、出演料のみによるものではない！

正直言うと、そのような行為をするものではない、とテスラはわたしに警告していた。あの人物はきわめて倫理観の強い人であり、通貨捏造《ねつぞう》の問題に関して、長々とわたしに講義をした。また、科学的理由もあるのだ、と言った。装置はわたしの体重に合わせて調整されており（安全性を見越して、ある程度のゆとりを取っている）、金貨のように、小さいが重い物体を身につけると、電送距離を比較的長く設定した場合、放出が不正確になりかねない、と言った。

わたしはテスラの科学知識を信用していたため、最初は紙幣しか身につけないと決めたのだが、そうしてみると、通し番号が重複するという避けがたい難点に直面した。いまでも実演のたびに数枚高額紙幣を身につけるようにしているものの、たいていの場合、金貨を運ぶことのほうを選んだ。テスラが警告したような不正確性の問題には一度も直面していない。おそらくは、移動する距離がとても短いからだろう。

きょうの午後、昼寝のあとで、わたしは火曜日の夜にポケットにいれて移動させた三枚の金貨を探した。それを手にしてみるとすぐに、まえよりも重さが減っているのをはっきり感じた。それらの金貨を書斎の秤に載せ、電送機を通していないおなじ硬貨と比較してみたところ、ずいぶん軽くなっているのが判明した。

計算してみたところ、金貨も質量をおよそ十七パーセント失っていた。まったくおなじ外見であり、通常の硬貨とまったくおなじ大きさだった。石の床に落としてみたところ、おなじような音を立てすらしたが、どういうわけか、金貨もまた、質量の一部を失っていたのだ。

一九〇三年五月二十九日

今週はなんら改善を見なかった。わたしは衰弱したままだ。身体にはどこも悪いところはない。熱はなく、明らかな傷もなく、痛みも、吐き気もないのだが、身体を使おうとするとたちまち疲労を覚えてしまう。ジュリアはあいかわらず食事でわたしを健康にもどそうとしているが、体重増加は微々たるものだ。お互いにわたしの健康状態が改善しているふりをしているが、そのふりをすることで、明白なことを否定している――失った部分をわたしはけっして取りもどしはしないであろうことを。

肉体のこの極端なけだるさのなか、精神は正常に機能しつづけており、それがいっそう欲求不満に拍車をかけている。

渋々、しかし、まわりにいる全員の助言を受け、わたしは将来の出演契約をすべてキャンセルした。気晴らしに、わたしはテスラ装置をずっと稼働させ、かなりの量の金貨を電送させている。貪欲なわけではなく、過剰に裕福になったりして、要らぬ関心を招きたくもない。わたし自身と家族の、今後の長い安寧を確保するに足る金を必要としているだけだ。個々の遷移が終わるたびに慎重に硬貨の重さを測っているのだが、いずれも良好だった。

あす、われわれはコールドロウ・ハウスへもどる。

一九〇三年七月十八日

ダービーシャー州にて

偉大なるデントンは死んだ。イリュージョニスト、ルパート・エンジャの死去は、ローストフトのパヴィリオン劇場での舞台出演中に、不首尾に終わったトリックでこうむった負傷に起因するものだった。エンジャはロンドンのハイゲートにある自宅で亡くなり、あとには未亡人と三人の子どもが遺《のこ》された。

第十四代コルダーデイル卿は生きている。健康とはお世辞にも言えないまでも。タイムズ紙で自分の死亡記事を読むのに複雑な喜びを覚えた。そう大勢の人間に許される特権ではない。もちろん、追悼文には署名はなかったが、ボーデンが書いたのではないことは演繹して導くことができた。わたしの経歴への評価も当然のこと、公正で肯定的な視点で書かれており、同僚の逝去を悼むこの手の一文を書くよう頼まれたときにありがちな嫉妬も、底に流れる微妙な怒りもなかった。少なくとも、追悼記事にボーデンが関与していないことにほっとした。

エンジャに関する用向きは現在弁護士事務所に任されている。エンジャはもちろん本当に死んで、遺体は棺に入れられた。それをわたしはエンジャの最後のイリュージョンとみなしている――埋葬用に自分の死体を用意していたのだ。ジュリアは正規に未亡人となり、子どもたちは遺児となった。彼らはみなハイゲート墓地での葬儀に出席した。葬礼の参列は直近の親族に限ったものになった。報道陣は未亡人のたっての希望で遠ざけられ、ファンあるいは信奉者の姿は当日見られなかった。

そのおなじ日、わたしはアダム・ウィルスンとその家族とともに、こっそりダービーシャー州へ向け移動していた。ウィルスンとガートルードは、有給の住み込み使用人としてわたしのもとにとどまることに決めていた。わたしには彼らにたんまり払うだけの余裕がある。

三日後、ジュリアと子どもたちが当地へ到着した。しばらくのあいだは、ジュリアはエンジャ未亡人のままだが、人々の記憶からわれわれのことが薄れたときに、彼女は当然の権利として、おおっぴらに喧伝することなく、レディ・コルダーデイルとなる。

自分自身の死を生き延びることに慣れたと思っていたが、今回は、二度とやりなおせないやりかたで死んでしまった。舞台に復帰できず、以前は兄がわたしにさせまいとしていた役割を現在務めているのだが、この先に横たわる日々をどうやって埋めていけばいいのだろう、とついつい考えこんでしまう自分がいる。

ローストフトでわが身に起こったとても承伏しがたい衝撃ののち、この新しい自分という存在を落ち着いて受けいれる気になった。悪化はしておらず、わたしの状態は安定している。体力はほとんどないが、頓死しそうにはなさそうだ。当地の医者は、ロンドンでわたしが言われたのとおなじことを繰り返している――わたしに悪いところはどこにもなく、良い食事と運動と明るい気持ちでいれば、やがて治るだろう、と。

ゆえに、気がついてみると、コロラドからもどってきたあとで一時的に計画していたのと同じ生活を送っている。家うちや地所がらみで気にかけねばならないことがたくさんあり、永年、なにひとつとしてまともに運営されていなかったため、その多くが破綻していた。幸いなことに、今回は、もっとも深刻な問題の一部に取り組むだけの資金的余裕がわたしの家族にはあった。

ウィルスンに頼んで、テスラ装置を地下室に組み立てさせた。舞台へ復帰する準備のため、ときどき〈閃光のなかで〉のリハーサルをやっておくのだ、とウィルスンには伝えている。もちろん、本当の目的は、べつである。

一九〇三年九月十九日

たんにきょうが、元々計画していたルパート・エンジャの死亡日であることを記録するために、日記をひらいた。ほかの日とまったくおなじように過ぎていった——静かに、(健康に対するあいかわらずの不安をべつにすれば)平穏に。

一九〇三年十一月三日

わたしはひどい肺炎から恢復途上にある。あやうく死にかけた! 九月末からシェフィールド・ロイヤル病院に入院していたのだが、助かったのは奇跡としか言いようがない。きょうは、自宅へもどってきてから初めて、文章を書けるくらい体を起こしていられた日である。窓から湿原のすばらしい景色が見える。

一九〇三年十一月三十日
恢復中。ロンドンからこの屋敷にもどってきたときの状態に、ほぼ復帰した。それはすなわち、表向きは健康であり、じっさいには、あまり良いわけではないということである。

一九〇三年十二月十五日
けさ、十時半にアダム・ウィルスンが読書室にやってきて、下の階にわたしに会いにきた客がいる、と伝えた。アーサー・ケニーグだった！　ケニーグの名刺を驚きの思いで見つめながら、いったいなにが望みなのだろう、と訝った。

「いまは都合が悪い、と伝えてくれ」そうアダムに言うと、わたしは考えごとをするため、書斎へ向かった。

ケニーグの来訪はわたしの葬儀に関係しているのだろうか？　自分の死の擬装には、違法と考えうる疑わしい側面があった。結果的に他人にどんな害をもたらすのか、わたしには想像できないにせよ。だが、ケニーグがここにきているという事実は、葬儀がでっちあげであることをあの男が知っていることを意味していた。なんらかの形でわたしを脅迫しようというつもりだろうか？　わたしはケニーグを完全に信用しているわけではないし、また彼の動機を理解してもいなかった。

十五分間、下の階でケニーグに冷や汗をかかせたのち、アダムに命じて、上へこさせた。

ケニーグは真剣な面持ちのようだった。たがいに挨拶を交わすと、机の向かいにある安楽椅子のひとつにケニーグを座らせた。まず最初にケニーグが口にしたのは、今回の来訪が新聞社の自分の仕事とはまったく関係していないということだった。

「わたしは代理人としてここにまいりました、閣下」ケニーグは言った。「奇術の世界に対するわたしの関心のことを知っており、あなたの奥様に近づくよう頼まれた第三者のため、個人として行動しております」

「ジュリアに近づくようにだと？」わたしは心底驚いて問い返した。「なぜ妻に話すようなことがあるのだ？」

ケニーグは明らかに居心地の悪そうな様子だった。

「閣下、あなたの奥様はルパート・エンジャの未亡人です。わたしが奥様に近づく命を受けたのはその見せかけにもとづいてです。ですが、過去に起こったことを念頭において、まずあなたのところへ行くほうが懸命であろう、と判断しました」

「いったいなにが起こっているのだね、ケニーグ？」

ケニーグは小さな革鞄を持ってきており、それを手にとって、膝の上に置いた。

「その……わたしが代理人を務めている第三者は、ある文書を見つけたのです。ある個人の備忘録を。あなたの奥様がそれに興味を抱かれるであろうと第三者は思ったのです。さらに言うと、レディ・コルダーデイル、すなわちエンジャ夫人が、それを購入したいと思われるであろう、と第三者は期待しております。閣下、この第三者は、あなたがまだ存命であることを承知しておりません。そのため、わたしは、いま、あなたと話していることで、この仕事にわたしを送りだした人物を裏切っているだけでなく、話をすべき相手とされていた人物をも裏切っているのです。ですが、状況を勘案した場合、じっさいには——」

「いったいだれの文書なんだね？」

「アルフレッド・ボーデンのです」

「それを持参しているのか？」

「もちろん持参しております」

ケニーグは鞄のなかに手を伸ばし、鍵のかかる留め金のついたクロス装の覚え書き帳を取りだした。吟味できるようそれをわたしに手渡したが、鍵がかかっているため、中身は見られなかった。ケニーグに視線をもどすと、相手は鍵を手にしていた。

「わたしの……依頼人は五百ポンドを要求しています」

「本物なのか？」

「まぎれもなく。二、三行読んでみるだけで確信できます」

「だが、五百ポンドの価値はあるのかね？」

「もっと価値があると思われるのではないでしょうか。ボーデン自身の手で書かれており、あの男の奇術の秘密がそのまま記されています。奇術の自論を詳しく述べ、自分がおこなうトリックの多くを説明しています。双子としての生活の秘匿についても、ほのめかされています。じつに興味深い読み物であるとわたしは思いましたし、あなたもそうだと請け合いましょう」

わたしは手のなかで日記帳をひっくり返し、相手の話にじっと考えを巡らした。

「きみの依頼人はだれだ、ケニーグ？　だれがそれだけの金をほしがっているのだ？」ケニーグは落ち着かない様子で、この手の交渉に慣れていないことを明らかにした。「きみはすでに自分の依頼人を裏切ったと言ったんだぞ。いまになって急に良心がとがめるというのか？」

「これにはいろいろ事情があるんですよ、閣下。そのご様子では、あなたはわたしがお伝えしようとする大ニュースをまだ聞いていないのだと思います。ボーデンが最近死んだことをご存じですか？」鳩が豆鉄砲を食らったようなわたしの表情を見て、ケニーグは必要な答えを手にいれた。「正確に言うと、ふたりの兄弟のうち、ひとりが死んだんです」

「どちらか曖昧なようだが」わたしは言った。「なぜだね？」

「なぜなら決定的な証拠がないからです。あなたもわたしも、ボーデン兄弟がどれほど偏執的に自分たちの生活を秘匿していたか知っています。片方が死んだときに、生き残ったほうが秘匿をつづけたとしても不思議じゃない。跡をたどるのはとても困難だったんです」

「では、どうやってきみはそのことを知ったんだね？　ああ、わかったぞ……きみに依頼したその第三者からだな」

「それと状況証拠があります」

「どんな？」わたしはうながした。

「あの有名なイリュージョンは、もはやル・プロフェッスールの舞台には含まれていません。この六週間のあいだ、わたしは何度かボーデンのショーにいきましたが、一度たりともあのイリュージョンをやらなかったんです」

「それには理由がたくさんあるかもしれない」わたしは意見を述べた。「わたしもあの男のショーにたびたび出かけているが、必ずしもあのトリックをやるわけではない」

「まさにそうです。ですが、それは演じるのにふたりが必要だったというのがその理由である可能性が高いのです」

「依頼人の名前を言ってくれるべきだと思うがね、ケニーグ」

「閣下、あなたはオリーヴ・ウェンスコムという名前のアメリカ女性をかつてご存じだったと思いますが？」

いまその名前をここに書いてみて、ケニーグが言ったのがこれであることに気づいたのだが、その名を聞いて驚いた瞬間には、相手がオリヴィア・スヴェンスンと言ったのだと思いこんでいた。そのせいで、われわれのあいだに誤解が生じた。最初、われわれがおなじ人物のことを話しているのだとわたしは思ったのだが、ケニーグがその名をはっきり言ったときには、わたしは相手がほかのだれかの話をしているのだと思った。ようやくわたしはオリヴィアがボーデンに近づいたとき、母の旧姓を使っていたことを思いだした。

「きみにはわかってもらえるだろうが」万事明らかになってから、わたしは言った。「ミス・スヴェンスンと話をしたことはないことになっているのだ」

「ええ、ええ、わかります。あの女性のことを口にして申し訳ありません。しかしながら、あの人はこの日記の件に深くかかわりあっているのです。ミス・ウェンスコム、あるいはあなたがご承知のスヴェンスンは、ずいぶんまえにあなたの従業員でしたが、ボーデン方に寝返ったと理解しております。しばらくのあいだ、あの人はボーデンの舞台のアシスタントとして働いておりましたが、それほど長いあいだではありませんでした。その頃、連絡を取れなくなったと思いますが」

そのとおりであることをわたしは確認した。

「ひとつ判明したのは」ケニーグはつづけた。「ボーデン双子兄弟は、北ロンドンに秘密の隠れ家を持っていることです。正確に言うと、ホーンジーの高級住宅地にあるスイートルームで、そこに兄弟のひとりが匿名で暮らす一方、もうひとりはセントジョンズ・ウッドの自宅で安逸を享受していました。ふたりは定期的に交替していたのです。ミス・ウェンスコムはその……変節後、このホーンジーのフラットに住まわされ、以来ずっとそこに住んでいました。これからも住みつづけるでしょう――もし彼女に対する裁判所の訴訟が失敗に終われば」

「訴訟だって？」

こうした情報をいちどきに把握するのに困難を覚えていた。

ケニーグはつづけた。「ミス・ウェンスコムは家賃滞納のため、来週立ち退きを迫られることになっているのです。そうなれば、恒久的な住居を持たない外国籍の人間として、国外追放は免れない。ボーデン氏に対するわたしの関心を知っていたので、ミス・ウェンスコムがわたしに近づいてきたのはそんな理由からです。わたしなら助けてくれるかもしれない、と思ったんですね」

「わたしに金の無心に近づくことで」

ケニーグは嬉しくなさそうに顔をしかめた。「必ずしもそうではありませんが——」

「つづけたまえ」

「兄弟がふたりいることにミス・ウェンスコムが気づいておらず、今日まで、自分が騙されていたことを信じようとしていないことをお知りになれば、おもしろいと思われるのではないでしょうか」

「一度、あの女に直接訊いたことがある」リッチモンドの劇場での不愉快な面談のことを思いだした。「そのとき、ボーデンはたったひとりだと言われた。あの女はわたしの疑念を知っていた。だが、いまとなると、そのときのあの女の証言をとても信用できない」

「死んだほうのボーデン兄弟のひとりは、ホーンジーのフラットにいたときに病気になったんです。心臓発作だったようです。ミス・ウェンスコムはボーデンのかかりつけの医師を呼び、死体が運び去られたあとで、警察がやってきました。ミス・ウェンスコムは警察に死んだ男がだれであるか伝えたところ、それ以上訊かずに警察は立ち去り、もどってこなかったそうです。あとで、ミス・ウェンスコムがかかりつけの医師に連絡をとろうとしたら、もう連絡がとれなくなっていました。そこでボーデンのアシスタントに訊ねたところ、ボーデン氏は病気だったが、急速に恢復し、ついさきほど退院したばかりだと言われたんだそうです！ ミス・ウェンスコムはボーデンが亡くなったときにいっしょにいたので、そんなことはとても信じられなかった！ 彼女が警察に出かけたところ、驚いたことに、警察もそれを認めたんだそうです。

この話はみなミス・ウェンスコムから直接聞きました。そこで話してくれたことから判断するに、彼女はボーデンがふたつの家庭を築いているとは、露とも思っていません。完璧なまでにボーデンはミス・ウェンスコムをだましていたんです。ミス・ウェンスコムに関するかぎり、ボーデンは昼も夜もほぼずっと彼女といっしょにおり、それ以外のときも彼女はボーデンの居場所をつねに知っていました」ケニーグは自分の話でわたしの興をそそりながら、勢いこんで椅子の上で身を乗りだした。「それゆえボーデンが急死し、そのような局面ならだれでもなるように、衝撃を受け、動転しましたが、そこになにか異常なことがあろうと信じるような理由は彼女になかったのです！ ミス・ウェンスコムによれば、ボーデンはまちがいなく死んでいたんです。医者が到着するまで、一時間以上、遺体といっしょにおり、遺体は冷たくなっていた、と言っていました。医師は遺体を詳しく調べて、死亡していることを確認し、医院にもどったら死亡証明書に署名する、と言ったそうです。ところが、関係者のだれにあってもボーデンの死を否定されるだけではなく、アルフレッド・ボーデンが公の舞台に立ち、マジックを演じ、どう見ても死んでいるわけではないという、議論の余地のない事実にもミス・ウェンスコムは直面しているんです」

「もしボーデンがたったひとりだと思っているなら、彼女はいったいそのことをどう解釈しているのかね？」わたしは途中で口をはさんだ。

「もちろん、わたしもそのことを訊ねました。ご存じのように、ミス・ウェンスコムはイリュージョンの世界の素人ではありません。しばらく考えてから、彼女はこう言いました――悲しい結論だが、ボーデンは奇術の技を使って、死を擬装したんでしょう、と。たとえばなんらかの薬を飲みこむことで。みんな、あたしと手を切るための、手のこんだ芝居なんだわ、と」

「きみはボーデン兄弟が双子であることを話したのかね？」

「はい。ミス・ウェンスコムはその考えを鼻で嗤《わら》って退け、もし女が五年間ひとりの男といっしょに暮らしていたら、男に関するあらゆることを知るものよ、と言いました。ふたりの人間がいるかもしれないという考えをはっきり否定したんです」

（以前にわたしはボーデン兄弟の彼／彼らの妻と子どもたちとの関係に疑問を抱いたことがあった。それらの疑問がいま、あらたなレベルの疑問を生んでいた。愛人もまただまされていたわけだが、だまされていることを認めたがっていないのか、たんにだまされていることをわかっていないのかもしれない）

「では、彼女の抱えているすべての問題を解決するために、この日記はとつぜん降ってわいたということか」

ケニーグはわたしを推し量るようにじっと見つめてから、言った。「すべてではないにせよ、ミス・ウェンスコムの当座抱えている問題の大半は。閣下、わたしの誠意の証として、支払いの約束をいただくまえに、この日記を吟味していただきましょう」

ケニーグは鍵をよこし、椅子にもたれかかって、わたしが鍵を開けるのを見ていた。

日記は小さな文字で、規則正しい、等間隔の線上にきちんと書かれていたが、一見したところでは、判読しがたかった。最初の数ページに目を通してから、残りはカード・デッキの端に指を走らせるかのように、ぱらぱらとめくりはじめる。奇術師としての本能が、ボーデンの仕掛けにはまらぬようわたしに告げていた。確執を重ねたこれまでの歳月は、わたしを傷つけ、あるいは害をおよぼそうとするあの男の意志の強さをあらわにしていた。分厚い日記を半分ほどめくったところで、わたしは手を止めた。じっと考えこみながら、日記に目を凝らした。これがボーデンの恐るべき巧妙な攻撃であるというのは、たんなる可能性ではない。オリヴィアについてのケニーグの話、彼女のフラットでボーデンが死に、ボーデンの職業上もっとも貴重な秘密が隠されている日記の存在が都合よく明らかになったこと、これらすべてはでっちあげることが可能なものだった。

ケニーグの言葉しか頼るものはない。かりにあらたな仕掛けだとしたら、この日記にはじっさいになにが記されているのだろう？　わたしをあらぬかたへ導くようあやつる欺瞞の複雑な迷路だろうか？　オリヴィア・スヴェンスンという人物を通じて、わたしの唯一残っている安定した領域、すなわち、奇跡的に復活あいなったジュリアとの結婚生活を脅かすものが、ここには記されているのだろうか？

この日記を手にしているだけでも、自分が危機に陥りかけているような気がした。

ケニーグの声がわたしの思いを中断させた。

「閣下、いまなにをお考えか、わたしの推測を述べてもよろしいでしょうか？」

「いや、それにはおよばん」

「あなたはわたしを疑っておられる」ケニーグはかまわずにつづけた。「ボーデンがわたしに金を払うか、あるいはなんらかの方法で強要して、これをあなたのところに運ばせたと考えておられる。そうではないですか？」わたしは返事をせず、日記を半分開けたまま、それをじっと見下ろしていた。

「いまお話ししたことをご自分で調べる方法がいくつもあります」ケニーグが先をつづけた。「ホーンジーのアパートメントの大家によるミス・ウェンスコムへの訴訟は、一カ月まえにハムステッド巡回裁判所で受理されています。ご自分で裁判記録を閲覧なさればいい。ホイッティントン病院には、病院職員の記録があります。ボーデンと年齢および体格の似ている心臓発作に襲われた身元不明の人物が、ミス・ウェンスコムの言う、ボーデンの死んだ日に運びこまれたという記録です。また、同日、その死体が町医によって運び去られたという記録も残っています」

「ケニーグ、きみは一連の偽造された証拠を十年まえにわたしに寄越したんだぞ」わたしは言った。

「まさにそのとおりのことをしました。いまだにそのことを後悔してやみません。あなたのためを思っての行為があのような失態を生んだことは、すでにお話ししました。この日記が本物であり、これがわたしの手中に収まった状況は、いまお話ししたとおりであり、さらに言えば、生き残っているボーデン兄弟の片割れがこの日記をとりもどそうとやっきになっていることを誓って申しあげます」

「どうしてやつの手を離れたんだ？」

「ミス・ウェンスコムはこの日記に潜在的な価値があるとわかっていたんです。たぶん、本として出版するような形で。至急金が必要になって、これがあなたにとって、あるいは、最近の出来事に鑑み、あなたの未亡人にとってずっと価値があるものかもしれないとミス・ウェンスコムは考えたのです。当然ながら、彼女は日記を隠していました。ボーデン本人はもちろん日記を手にいれようとしてミス・ウェンスコムに近づくことはできません。ですが、十日まえ、彼女のフラットに何者かが侵入し、室内を荒らしてまわったのは偶然とは言えないでしょう。なにも盗られなかったのです。この日記はべつのところに隠されていたので、ミス・ウェンスコムの手元を離れずにすんだのです」

わたしは指が止まったところで日記を開け、金縁のページに沿って指を走らせる行為は、トランプを相手に強制《フォーシング》的に引かせる手品の古典的な動きのひとつとおなじだな、とつらつら思った。その考えは、右側のページのまんなかあたりの記入に目が止まり、そこにわたし自身の名前が記されているのを見たとき、強まった。まるでボーデンがわざとそのページを開けさせたかのようだった。

わたしはその手書き文字にじっと見いり、すぐにその文の残りを解読した——『それこそ、エンジャには全体の謎をけっして解けはしない真の理由である。わたし自身がエンジャに答えを伝えないかぎり』

「ミス・ウェンスコムは五百ポンド入り用だと言ったね？」

「はい、閣下」

「彼女にその金額を払おう」

一九〇三年十二月十九日
ケニーグの来訪はわたしを消耗させ、彼が立ち去る（六百ポンドといっしょに——ひとつには、今日までの骨折りに報いるためであり、また今後の沈黙と再訪しないという約束を取りつけるため、上のせした金額だった——）とすぐにベッドにはいり、以来、きょうの夜までそこにいた。来訪のあった夜に当日の出来事を書き記したのだが、翌日および翌々日は衰弱のあまり、少し食事をして、たっぷり寝る以外になにもする気にはなれなかった。
昨日、ようやくボーデンの日記の一部を読むことができた。ケニーグが予想していたように、わたしはそれに没頭した。

日記の一部をジュリアに見せたところ、彼女もわたしとおなじように関心を示した。妻はわたし以上にボーデンの自己満足げな文章に反発し、わたしの貴重なエネルギーをあんな男に腹を立てることで消費してしまわないようにと注意した。

じっさいには、ボーデンの日記に腹など立てていない。わたしも知っている出来事をゆがめて記述しているのは、哀れでもあるし、いらだたしいことでもあるのだけれども。わたしは、ついにアルフレッド・ボーデンが双子の謀略の産物である証拠をつかんだことでひどく昂奮しているのだ。彼らはどこにもそのことを認めていないものの、この日記はふたりの人物によって書かれていることがはっきりしている。

彼らはたがいを一人称単数形で呼びあっている。最初、それはじつにややこしいと思った。おそらく意図してのことなのだろう。だが、そのことをジュリアに指摘したところ、この日記は他人に読まれることを意図していないようだ、との意見を妻は述べた。

ということは、彼らがたがいを「わたし」と呼んでいるのは、習慣からであり、翻って考えるに、彼らは生涯を通じてそう呼びあっていることを意味している。必要に迫られ、注意深く日記の行間を読んでいると、ふたりの人生において起こったあらゆる出来事が、ひとつの共同の経験に包摂されてきたのだと悟った。ひとりがひそかに相手の身代わりをする、あのイリュージョン《フール》の用意をあたかも子どものころからしてきたかのように。それがわたしの目をくらまし、舞台に立つふたりを見る観客のおおかたの目をくらましたのだが、最終的に、愚か者《フール》なのはボーデン本人のはずではないだろうか？

ふたつの人生をひとつにしたのは、それぞれの人生を半分にすることである。ひとりが表の世界で暮らす一方、べつのひとりは、文字通り、存在しない者として、隠れ潜む亡霊として、ドッペルゲンガーとして、眩双者《プレスティージ》として、地下世界に隠れているというのは。

あしたもっと読んでみよう。もしそのエネルギーがあるならば。

一九〇三年十二月二十五日
この二日間ペニン山脈から吹き降ろしてきた激しい降雪に、屋敷と敷地は外界から途絶されていた。しかしながら、部屋のなかは温かく、食糧も豊富にあるので、どこかへ出かける必要はない。みんなでクリスマスのディナーを食べ、いまは子どもたちが新しく自分たちのものになったプレゼントで楽しんでいる。ジュリアとわたしはいっしょにくつろいでいる。
わたしはこの哀れな体にあらたにふりかかった厄介な不調のことをまだジュリアに打ち明けていない。いくつもの紫がかった腫れ物が胸と上腕と太ももにできているのだ。滅菌軟膏をその上に塗っているものの、おさまる気配はまだない。雪が解けたら、すぐに医者をまた呼ばねばなるまい。

一九〇三年十二月三十一日

医者は滅菌薬を使いつづけるよう助言し、ようやく若干だが効果の兆しが現れはじめている。帰るまえに医者はジュリアに、皮膚にできた今回の不快な、苦痛を伴う腫れ物は、内臓あるいは血液関連のもっと深刻な問題が生じている徴候かもしれないと述べた。ジュリアはベッドにはいるまえに毎晩、その腫れ物を優しく洗浄してくれている。ここ数日はペースが落ちているものの、わたしは体重を失いつづけている。

新年おめでとう！

一九〇四年一月一日

新年の始まりを、その最後まで生き延びられるだろうかという陰鬱な思いで迎えた。ボーデンの日記を読むことで、自分の厄介事から気を逸らすようにしている。最後まで読み通した。正直言って、日記に夢中になった。ボーデンの方法、見方、手抜かり、失敗、自己欺瞞をメモせずにいることは不可能だった。

ボーデンを憎み、恐れるのと同時に（そして、やつが外の世界のどこかでまだ生きており、活動的であることを忘れられないのだが）、あの男の奇術に対する見方は示唆に富み、刺激的であることに感じいった。

そのことをジュリアに話したところ、彼女も同意した。ジュリアは、はっきりとは言わないが、ボーデンとわたしは敵同士であるよりも、良き協力者になっていたかもしれないと、わたしとおなじように感じているのがわかる。

一九〇四年三月二十六日

わたしはずっと深刻な病状で、少なくとも二週間、死の瀬戸際までおいこまれていたと思った。その症状は恐ろしいものだ——しつこい吐き気と嘔吐、腫れ物のさらなる広がり、右脚の麻痺、広範に潰瘍ができた口、ほとんどがまんできないほどの腰痛。言うまでもなく、わたしはかなりのあいだ、シェフィールドの私立病院に入院していた。

だが、ささやかな奇跡が起こり、どうやらわたしは恢復したようだ。腫れ物や潰瘍は跡形もなく消えてしまい、若干感覚がもどってきつつあり、右脚を動かせるようになった。全般的な苦痛と倦怠感は弱まってきている。この一週間自宅へもどっており、ベッドに寝ているものの、日に日に意気が少しずつあがりつつある。

きょう、ベッドから抜けだし、温室で安楽椅子に座っていた。そこからだと、木々に囲まれた地所が遠くに一望できる——木々の向こうには、カーバー・エッジの険しい岩山があり、まだ雪が残っていた。わたしは意気軒昂であり、ボーデンの日記を読み直している。このふたつの事実は、無関係なものではない。

一九〇四年四月六日

ボーデンの日記を都合三度読み、註釈をつけ、詳しい引照をつけた。ジュリアは、わたしが訂正し、かなり加筆した文書を清書する用意をしている。

病状の緩解はつづき、この数日、気分は良くなりつづけているものの、わたしの健康状態は全般的に低下しつつある事実を直視せねばなるまい。それゆえ、このわが人生の終末となる数カ月で、わが敵に最後の復讐をするつもりであることを告白しよう。かかる状況の原因を作ったのはあの男であり、償いをせねばならないのもあの男だ。このボーデンの日記が、わたしにその手段を与えてくれた。日記を出版する手はずをととのえている。

奇術の文献は広く手にはいるものではない。多くの本が書かれ、出版されているものの、子ども向けの単純な入門書や、手品や手先の早業《スライハンド》を扱った数巻の書物を例外に、一般出版社からは発行されていない。通常の書店では滅多に見つからないものなのだ。数多くの専門出版社で印刷され、奇術業界のなかでのみ流通している。五、六十部といった少部数しか印刷されないことがよくあり、それに見合うだけの高価な値段がつく。そのような本を集めることは難しく、金がかかるもので、多くの奇術師は同業者が亡くなって、遺族がコレクションを売り払ったときにしか手にいれられずにいた。永年をかけ、わたしはそういった希少本をささやかながら集め、既存のイリュージョンを利用したり、改作する場合にそうした書籍を頻繁に参照してきた。そういうことでは、ほかの奇術師とわたしはなんら変わるところがない。そうした専門書の読者層は限られているが、想像しうるかぎりもっとも高い関心を持ち、事情に通じている読者たちなのだ。

ボーデンの日記を読んでいると、同業の奇術師の便宜のため、出版されるに値するものだという思いが頻繁に浮かんだ。奇術の技や技術に関するきわめて示唆に富んだ論評が書かれているのだ。本来の意図がどのようなものであれ（自分の言葉は直近の家族と、願わくは「子孫」にのみ向けて書かれたものである、とあまり説得力のない宣言をしている）、この日記をボーデンみずからが出版することはできない。こいつを置き忘れてしまうとは、なんとうかつなことだろう！

あの男になりかわって出版の手配をすることをわたしの最後のショーとし、註釈をつけた版を完成させたら、なんとしても出版を見届けるつもりだ。

もしあの男がわたしより長生きすれば——その可能性は高い——わたしの復讐が巧緻で、何層にもなっていることに気づくだろう。

まず、ボーデンはすぐに気づくだろうが、目にしているものが自分の職業上の最大の秘密を自分の許可なく出版したものであることに気づいて、愕然とするだろう。わたしの仕業だと知ったなら、ボーデンの無念はいや増すだろう。どういうわけかわたしが墓場からそれをやってのけたことをつきとめたとき、さらに困惑するだろう。（やつはわたしがすでに死んでいると信じている。日記自体から導きだした事実である）最後に、註釈つきのテキストを読めば、わたしの最後の復讐の本当の巧緻さに気づくだろう。

要するに、わたしはあの男の書いた文章の曖昧さを減らし、改善したのだ。あの男がたんに輪郭だけ書いた興味深い一般的話題の多くを充実させ、詳しく説明されていない非常におもしろい理論を数多くの例を挙げて具体的に解説し、多くの偉大なイリュージョニストが用いている方法を詳述した。あの男が演じえたトリック、および考案したすべてのトリックの、詳しい描写も加えた。それぞれの場合において、核となるタネをじっさいにはあらわにせず説明するようにして。

とりわけ、〈新・瞬間移動人間〉とボーデンが呼ぶイリュージョンにまつわる謎に焦点を当てたが、なにひとつあらわにはしなかった。ボーデン兄弟が一卵性双生児である事実はいっさいほのめかしもしていない。ふたりの男の人生にとりついていた秘密は、秘密のままにしている。

それゆえ、生き残っているボーデンのほうは、わたしが最後通牒をつきつけたことを悟るだろう。すなわち、われわれのあいだの確執は終わり、わたしが勝利をおさめたことを。ボーデンのプライバシーを侵しながらも、わたしはそれを尊重できることを示した。そこから、あの男が持ちこんだ敵意は不毛で、破壊的なものであり、われわれがたがいを攻撃しているあいだ、双方の才能をむだにしていたことをボーデン自身が学んでくれると希望している。われわれは友人であるべきだったのに。

ボーデンが残りの生涯で、このことを省察できるように、この本を遺すつもりだ。

また、ひとつのことを省くことで、あの男に対するおまけの復讐も含まれている——ボーデンはけっしてテスラ装置の秘密を知ることはないだろう。

一九〇四年四月二十五日

ボーデンのテキストに関する作業は順調に進んでいる。

先週、わたしは奇術専門出版社三社に手紙を書いた。二社はロンドンにあり、一社はウスターにある。アマチュア奇術師だと名乗り、永年にわたって地位と富を使って、さまざまな舞台奇術師たちを支えたり、資金援助をしてきたりしてきたことを、それとなくほのめかしたうえで、超一流のイリュージョニストのひとりの回想録を編集していることを説明した（この段階では、そのイリュージョニストの名前には言及していない）。そういう本の出版にまず興味があるかどうか、と訊ねた。

いまのところ二社から返事がきた。どちらの手紙も確約するものではなかったが、原稿を送るよう、うながしてきた。いずれの返事も、出版によるわたしの個人的な儲けはまったく期待できないことを、念押ししていた——さらに、もしわたしが製作費用の一部を負担するなら、その本にとって好意的な結果が生まれる可能性が高くなることを示唆していた。

当然ながら、そういうことは最近のわたしにはなんら問題ではないが、だとしてもなんらかの結論をくだすまえに、三つ目の出版社からの返事をジュリアとわたしは待つつもりである。

一九〇四年五月十八日

作業が完了したので、われわれはもっとも条件の良い出版社へ原稿を送付した。

一九〇四年七月二日

ロンドン中央東部《EC》郵便区のオールドベイリーにある、グッドウィン&アンドルースン社と出版契約を結んだ。

ボーデンの本は年末までに出版される。初版は七十五部、一冊三ギニー。ふんだんに挿画をいれ、固定客へ手紙を出して積極的な宣伝をすることを、出版社は約束してくれた。

わたしは印刷経費をまかなうための百ポンドの費用負担に同意している。グッドウィン氏は原稿を読んで、売りこみのための、いくつかの新奇な思いつきを提案してくれた。

一九〇四年七月四日

この四週間、わたしの緩解は終わり、初期の病状が一挙にぶりかえした。まず、紫がかった腫れ物が現れ、そのまた一日か二日後、口中と喉の潰瘍が現れた。三週間まえ、わたしは片目を失明した――そのまた一日か二日後、残りの目も視力を失った。先週一週間、固形物を飲みこめなくなったが、ジュリアが一日三回、薄いスープを食べさせてくれ、そのおかげで生きながらえている。枕から頭を持ちあげることもできぬほどの苦痛に見舞われている。医者が一日二回呼ばれているが、わたしの衰弱がひどくて病院へ移送できないと毎度言っている。症状があまりにひどいのでその状態を詳しく書き記せないのだが、医者の説明では、なんらかの理由から、わたしの身体に本来そなわっている感染への抵抗力がそこなわれているそうだ。医師はジュリアに打ち明けた（その後、ジュリアがわたしに打ち明けた）のだが、もしもう一度肺炎になったら、わたしはもはや抵抗できないだろうということだった。

一九〇四年七月五日

わたしは苦しい夜を過ごし、夜明けが訪れると、きょうがこの地上における最後の日になると確信した。しかしながら、深夜が近づいているいま、わたしはまだ生にしがみついている。

今晩早くに咳が出はじめ、医者はすぐ診察しにやってきた。冷たいタオルでの清拭を勧め、そのおかげでずいぶん気分が良くなった。わたしはもう体のどの部分も動かせない。

一九〇四年七月六日

本日、午前二時四十五分、わたしの命は、激しい咳と、それがひき起こした内出血につづいて起こった突然の心臓発作によって最期を迎えた。

断末魔は長引き、苦しく、醜いもので、ジュリアと子どもたちと、わたし自身をひどく苦しめた。われわれはみな死の悲惨さに衝撃を受け、その出来事にとても圧倒された。

これほど死に迫られたことはない！

かつて、あたりさわりのない惑わしとして、ジュリアが醜聞にまみれることなく未亡人として暮らせるよう、死んだふりをした。後年、テスラ装置を使用するたび、週に何度も、死を体験した。ルパート・エンジャが永遠の休息についた擬装をほどこすため、棺に横たえられたときも、生きてその様子を目撃した。

これまでに何度も死を擬装してきた。それゆえ、死は、わたしにとって非現実な感覚をもたらすものになってしまった。ずいぶんな矛盾に思えるが、死はわたしがかならず生き延びることができる、ありふれた出来事になってしまったのだ。

いま、死の床に横たわっている自分自身を見てきた。あちこち癌に冒されて死にかけ、ぞっとするような、苦痛に充ちた死を迎えた自分自身を。わたしはいまここにいて、自分の日記にこう書き記す――一九〇四年七月六日水曜日、わたしが死んだ日。

あのようなものを目撃したわたしほど悲惨な人間は滅多にいないであろう。

後刻

ボーデンの流儀を見習うことにした。すなわち、わたしはわたし自身とおなじわたしである。

これを書いているわたしは、死んだわたしとおなじではない。

われわれはローストフトのあの夜、ボーデンがテスラ装置の機能不全をもたらしたときにふたつの存在になった。われわれはそれぞれべつの道をたどった。三月末にわたしがコールドロウ・ハウスにもどって以来、いっしょに暮らしてきた。ちょうどそのとき、癌からの一時的な緩解が始まった。

わたしが生きているあいだは、わたしがひとりであるというイリュージョンを維持しつづけた。わたしのひとりが死にかけている一方、もうひとりのわたしはわたし自身の最後の関心事を記録した。三月二十六日以降、この日記への記入は、わたしが書いたものである。

われわれはたがいの相手の眩双者《プレステイージ》である。

死んだほうの眩双者《プレステイージ》は下の階で蓋のない棺のなかに横たわっており、二日後に一族の納体所に安置される。生きているほうの眩双者《プレステイージ》であるわたしは、前進をつづける。

わたしはルパート・デイヴィッド・エンジャ、第十四代コルダーデイル卿、ジュリアの夫であり、エドワードとリディアとフローレンスの父親であり、イングランド・ダービーシャー州コールドロウ・ハウスの領主である。
あす、わたしの話を語るとしよう。きょうの出来事は、屋敷のほかの人間たちと同様、哀しむ以外になにもできない状態にわたしを陥らせた。

一九〇四年七月七日
わたしの残りの人生は、本日始まる。望むらくは、わたしのようなものにとって、楽しめるものであってもらいたい！　以下は、わたしの物語である。

Ⅰ

一九〇三年五月十九日の夜、ローストフトにあるパヴィリオン劇場の誰もいないボックス席のなかで、わたしの存在は始まった。木製の手すりの上でバランスを取っているときにわたしの人生は始まり、すぐに後ろ向きに倒れてしまった。ボックス席の床に勢いよく転倒し、椅子を飛び散らせた。
ほんの一瞬まえに浮かんだ恐ろしい考えにわたしはとりつかれていた――ボーデンがどうにかしてボックス席に忍びこみ、わたしを待ちかまえているという考えだ。まったくそうではなかった！　ボーデンはなんらかの方法で装置に破壊工作をしたものの、装置は充分機能して遷移が完了したのだと、椅子のあいだでもがき、体勢を立て直そうとしているときにわかった。ボーデンはその場にいなかった。

眩い光がボックス席になだれこんできた。スポットライトがこちらに当たったのだ。二、三秒も経過していなかっただろう。わたしは思った――まだイリュージョンを失敗させずにすむチャンスがある！　手すりへ這いもどり、どうにかするのだ！

わたしが体を反転させ、四つん這いになって手すりによじのぼろうとしたそのとき、驚いたことに、舞台上でカーテンを降ろすよう張り上げた声を耳にした。わたしは頭を低くしたまま、まえへ進みでて、舞台を見下ろした。緞帳がすでに降りかけていたが、それに視界を遮られるまえに、一瞬、わたしは自分自身の姿を見た。わたしの惑わしの元《プレスティージ》を！　舞台の上で動けないでいる姿を。

テスラ装置の基礎部分につくりつけられているのは、遷移が起こると自動的に惑わしの元《プレスティージ》が落下するようになっている小室である。わたしの古い肉体、すなわち惑わしの元《プレスティージ》は、観客から見えなくなり、イリュージョンの効果を最大限にする。今回、ボーデンの介入で、小室にうまく落下しなかったにちがいなく、惑わしの元《プレスティージ》がすっかり見えたままになっていた！

瞬時に考えをめぐらせた。アダム・ウィルスンとヘスターはふたりとも舞台裏におり、背景幕の向こうでこの緊急事態に対処しなければならない。わたしはぴんぴんしていて、力があり、五感もしっかり働いている。ただちに舞台裏へたどりついてボーデンに立ち向かうのはわたしの責任である、と了解した。

ボックス席から出て、急いで廊下を渡り、階段を駆け降りた。ひとりの女性職員とすれちがった。わたしはその女性のまえで急停止し、できるだけ切迫した調子で訊ねた。「劇場から出ていこうとした者を見かけなかったかね？」

喉から発せられたわたしの声は、かすれた囁き声となっていた！

女性職員はまじまじとわたしを見て、恐怖の悲鳴をあげた。一瞬わたしはなすすべもなくその場に立ちつくし、相手が発する恐ろしい叫び声に耳を聾された。女性は大きく息を吸いこみ、飛びださんばかりに目を大きく見開くと、ふたたび悲鳴を発した！　時間の無駄だとわかり、わたしは相手の腕に手を置いて、そっと脇へどけようとした。すると、わたしの手は女性の腕の肉のなかにずぶずぶと沈みこんだ！

女性はぶるぶる震え、うめき声をもらして階段に倒れたが、わたしは階段を降りきり、舞台裏へ通じる扉を見つけた。それを押しあけようとしたところ、またしても両手と両腕が木のなかにはいりこむのを感じて、はねのいた。だが、ボーデンを見つけだそうという切迫感で頭がいっぱいで、ほかのことに関心を払っている余裕がなかった。

セットのうしろの所定の位置から、アダム・ウィルスンがわたしに気づくことなく、走りすぎていった――わたしはアダムに呼びかけたが、相手はその声が聞こえなかっただけでなく、姿も見えなかったようだ。わたしは一瞬立ち止まり、ボーデンがいた可能性が一番高い場所はどこか、明晰に考えようとした。あの男はどうにかして装置への電気供給を遮断した。ということは、奈落へはいりこんだとしか考えられない。ウィルスンとわたしは劇場経営者があらたに地下に設置した端末に、すべてを接続していたのだ。

下へ通じる階段を見つけ、そこにたどりついたとき、こちらへ向かって駆け上がってくる重たい跫音が聞こえたかと思うと、ボーデン本人が姿を現した。やつはばかげた田舎臭い服を着て、ドーランを塗ったままだった。階段を一段飛ばしで上がってきた。わたしはその場に凍りついた。ボーデンがわたしから一メートル五十センチほどの距離に近づいてきたとき、やつは自分が向かう先を確認しようとして顔を起こした。そこに見えたのはわたしの姿だった！　またしても、わたしは女性職員の恐怖にゆがんだ顔をそこに見いだした。ボーデンは、勢いあまってそのままわたしのほうへ駆けのぼってきたが、その顔は衝撃で歪んでおり、両手をまえへかざして、身を守ろうとした。すぐにわれわれは衝突した。

われわれはもつれあい、廊下の石敷きの床にどさりと倒れた。ボーデンが一瞬わたしの上になったが、わたしは体を滑らせて、抜けだせた。わたしはボーデンへ手を伸ばした。

「近寄るな！」ボーデンはかん高い声を張り上げ、四つんばいになり、こけつまろびつしながら、這々《ほうほう》の体《てい》で逃げていこうとした。

わたしはボーデンに飛びかかり、足首をつかまえたが、やつはその手をすりぬけていった。言葉にならぬ恐怖の声でわめいていた。

わたしはやつに向かって怒鳴った。「ボーデン、こんな危険な諍いをわれわれは止めなければならんぞ！」だが、またしても、わたしの声はかすれ、聞き取りにくいものであり、声と言うよりも息づかいのようなものだった。

「あんなことをするつもりじゃなかったんだ！」ボーデンはわめいた。

ボーデンは立ち上がり、逃れようとしていた。それでも恐怖の表情を浮かべて、わたしを振り返った。わたしは闘いを諦め、ボーデンを逃がしてやった。

II

その夜以降、わたしはロンドンへもどり、自らの選択と判断に従って、続く十カ月間、闇の世界で暮らした。

テスラ装置の事故は、わたしの肉体と精神に多大なる影響をおよぼし、両者を相反する位置に置いた。肉体的にはわたしは元の自分の幽霊になってしまった。わたしは生きており、呼吸をし、食事をし、排泄をし、耳は聞こえ、目は見え、寒暖を感じとっているが、肉体的には生き霊だった。明るい光のなかで、もし目を凝らして見なければ、わたしはだいたい正常に見える。多少、青白いとしても。だが、天候が翳《かげ》ったり、あるいは夜になって人工の光が灯る部屋のなかにいると、わたしはさながら亡霊のように見えてしまうのだ。わたしの姿は見えるが、透けて見えるのだ。輪郭は残っており、目を凝らして見ようとすれば、顔や服などの見分けはつくのだが、たいていの人にとって、わたしは黄泉の国からきたおぞましい姿に見える。女性職員とボーデンは、自分たちが幽霊を見たかのような反応を示したのだが、まさしく彼らは幽霊を見たのだ。そういう人々の前に自分の姿をさらそうものなら、出会うたいていの人を震えあがらせるだけでなく、自分自身も相当な危険にさらされてしまうことをわたしはすぐに学んだ。怯えたときに人々は予想のできない行動に出る。一、二度、見知らぬ人間がこちらを追い払おうとして、物を投げつけてきたことがあった。そのように飛んできた物体のひとつが、火のついた石油ランプであったことがあり、あやうくわたしにぶつかるところだった。それ以来、原則として、わたしはできるかぎり、人に見られないようにしている。

しかし、これとは逆に、わたしの精神は突然、肉体の制約からの解放を感じた。わたしはつねに機敏であり、頭の回転が速く、積極的になった。以前のわたしにはめったにないことだったが、冴えていた。このことが作りだす矛盾のひとつは、わたしはつねにたくましく、なんでもできる気になっているのに、現実には、ほとんどの物理的な作業ができないということだった。たとえば、ペンや家庭用品のような物体をつかむ方法を学ばねばならなかった。なにかをぞんざいにつかもうとすると、たいてい手からすり抜けてしまうのだ。

それはいらだたしい、ぞっとする状況であり、そういうときには、わたしのあらたな精神力が純粋なる嫌悪感と恐怖感の形で、わたしを襲撃したボーデン兄弟のどちらかに向けられるのだった。あの男はわたしの精神力を奪いとりつづけた。ちょうど、あの男の行動がわたしの肉体の力を奪いとったように。わたしは事実上この世界から不可視の状態になり、死者同然となった。

III

自分の意志によって、見えるようになったり見えなくなったりすることができることに気づくまで、さほど長くはかからなかった。

夕暮れ以降に、あの夜舞台に立っていたときに身につけていた舞台衣装を着ていると、ほとんどどこにでも姿を見られずに移動することができた。普通に移動したいなら、ほかの服を着て、ドーランを使い、顔に若干の立体感を与えた。しかし完璧な見せかけとはいいがたかった——目は人をどぎまぎさせるようなうつろな感じがあり、一度、明かりの乏しい乗り合い馬車でいっしょになった男が、わたしの袖と手袋のあいだに現れた説明のつかぬ隙間に大きな声で関心を示したせいで、あわてて馬車を降りなければならないことがあった。

金や食糧、交通の便は、わたしにとってなんの問題でもなかった。目に見えない状態のときには好きなものを取り、そうでないときは必要なものの金を払うかしていた。そのような案件はささいなものでしかなかった。

わたしが真剣に考えたのは、わが眩双者《プレステイージ》の健康状態だった。

舞台上で一瞬垣間見た自分の姿を、まったく誤解していたと、新聞を読んでわかった。新聞記事によると、ローストフトの公演中、偉大なるデントンが負傷し、今後の出演予定をキャンセルせざるをえなかったが、現在は自宅で静養しており、いずれ舞台に復帰するであろうということだった。

それを聞いてほっとしたが、同時にたいへん驚いた！　カーテンが降りてきたときにかいま見たのは、自分の惑わしの元《プレステイージ》だとわたしは思っていた。「惑わしの元《プレステイージ》」と呼んでいる、半死半生の状態で凍りついているものである、と。惑わしの元《プレステイージ》は、遷移の元となる肉体であり、まるで死んでいるかのようにテスラ装置のなかに残されるものである。これらの惑わし状態の肉体を隠し、排除することが、あのイリュージョンを公開するまえに解決しなければならない唯一最大の問題だった。

体調を崩し、出演予定をキャンセルしたというこのニュースに、あの晩、なにか異変が起こったことをわたしは悟った。遷移は部分的にしかおこなわれず、わたしは失敗の産物なのだ。わたしの大部分は、あとに残されていた。

わたしとわたしの眩双者《プレステイージ》は、ボーデンの介入によって、ずいぶん変えられてしまった。われわれはそれぞれ対処しなければならない問題を抱えた。わたしは幽霊のような状態になり、わが眩双者《プレステイージ》は肉体が衰弱してしまった。眩双者《プレステイージ》は実体とこの世での移動の自由を得たと同時に、事故の瞬間から、死すべき運命となってしまった。それに対して、わたしは影のなかで生きていくことを強いられたものの、健康面は損なわれなかった。

　ローストフトの事件から二カ月後の七月、わたしがわが身にふりかかった災難とおりあいをつけようとしている最中に、わが眩双者《プレステイージ》はどうやら、自発的にルパート・エンジャの死を公にすることを決断したらしい。彼の立場にいたならば、まさにわたしもおなじことをしていただろう――そう思った瞬間、彼がわたしであることを悟った。それが別々に離れていながらにして、初めておなじ結論にたどりついた瞬間であり、別々に存在しているものの、気持ちの上では、われわれはひとりの人間であることがわかった最初の兆しだった。

　そのすぐあと、わが眩双者《プレステイージ》は相続財産を処理するためにコールドロウ・ハウスにもどった。これもまた、わたしだったらやっていたはずのことだ。

　だが、わたしはしばらくのあいだロンドンにとどまった。わたしには専念しなければならないおぞましい仕事があり、自分が計画していることがコルダーデイルの名前と結びつく危険を冒すことなく、秘密裡におこないたかった。

　端的に言うなら、いまこそボーデンは報いを受けなければならない、と判断したのだ。わたしはボーデンを殺す計画を立てた。あるいは、より正確を期すれば、ふたりのうちひとりを殺す計画を。ボーデンの秘密の二重生活が、復讐のための殺人を実行可能にした――ボーデンは双子の存在を明らかにしている公文書を改竄して、自分の半身を隠した人生を送ってきた。兄弟のひとりを殺せば、ボーデンの惑わしに終止符が打たれるだろうし、わたしの目的にとって、ふたりとも殺すのとおなじくらい満足いく、有効なものになるだろう。また、わたしの幽霊じみた状態と、わたしの唯一公になっている実体は公的に埋葬されていることから、わたし、ルパート・エンジャはその犯罪を犯したとしてもけっしてつかまえられないだろうし、疑われすらしないだろう。

ロンドンでわたしは計画を進めた。実質的に目に見えないことを利用して、ボーデンの日常生活と数々の情事を観察しつづけることができた。家族の家にいるボーデンを見、工房で舞台の用意をし、リハーサルをしているボーデンを見、イリュージョンを実演しているボーデンを劇場の袖で目撃されずに立って見つめ、オリヴィア・スヴェンスンと北ロンドンで同棲している秘密のねぐらまで尾けていった……そして、一度、ボーデンがつかのま、双子の兄弟といっしょにいるところさえ、かいま見た。暗い通りでのひそかな逢瀬《おうせ》で、そそくさと情報が交換された。すぐに、直接会って解決しなければならない火急の用事があったのだ。

オリヴィアといっしょにいるボーデンを見たとき、わたしはついに、この男は死なねばなるまいと決断した。むかしの裏切りに対しまだ充分残っていた感情が、憤りに痛みを加えた。

謀殺の決断を下すことが、この恐ろしい行為のもっとも困難な箇所である、とはっきり言える。しばしば激昂することはあるものの、わたしはおだやかで、おとなしい人間である、と信じている。おとなになってから一度もだれかを傷つけたいと思ったことはないものの、いつかボーデンを「殺してやる」とか「やってやる」とたびたび毒づいてきた。そうしたひそかなる、しばしば言葉に出さずにおこなわれた誓いは、ボーデンがわたしに強いてきたような立場にいる、不当な扱いを受けてきた犠牲者にありがちなたわごとにすぎない。

当時、けっして本気でボーデンを殺すつもりはなかったが、ローストフトの攻撃がすべてを変えてしまった。わたしは幽霊同然の状態に陥れられ、もうひとりのわたしはますます衰えつづけている。ボーデンはあの夜、実質的にわれわれを殺したのであり、わたしは復讐の念に燃えていた。

殺すことを考えただけで満足と昂奮を覚えるようになるほど、わたしの性格は変わってしまった。死を超越した存在であるわたしは、人を殺すために生きているのだ。

いったん決断を下してしまうと、実行はとても待ちきれないものになった。わたしはボーデン兄弟の片割れの死が自分自身の解放の鍵になるとみなしていた。

だが、わたしには暴力の経験がなく、行動に移すまえに、そのための最善の方法を検討しなければならなかった。即効性があり、対面の「手口」を望んだ。ボーデンが、どうすることもできずに死んでいく最中に、だれが、なぜ自分を殺そうとしたのかわからせてやりたかった。単純な取捨選択によって、わたしはボーデンを刺し殺すことに決めた。またしても、そのような恐ろしい行為をおこなうことを想像するだけで、ぞくぞくするような期待感がこみあげてきた。

　刺殺が順当だと思ったのはこういうわけだ――毒を用いるのは効果が遅すぎ、投与するのに危険すぎるし、だれがやったのかわかりにくい。射殺は騒音がするし、また直接接近という希望に反する。物理的な力の行使はほとんど不可能であり、それに該当するようなこと、たとえば撲殺や絞殺は、可能ではなかった。実験の結果、両手で長い刃のついたナイフをしっかり、しかし強すぎない程度に握れば、肉体を貫くに充分な力を込めて押しだせるのがわかった。

IV

　用意をととのえ終えた二日後、わたしはボーデンを追って、バラムのクイーンズ劇場へ赴いた。そこでボーデンは一週間連続興行のバラエティ・ショーの看板を務めていた。その日は水曜日で、夜だけではなく昼興行もおこなわれる曜日だった。ショーのあいまに控え室に引き籠もり、カウチで午睡をとる習慣がボーデンにはあることをわたしは知っていた。

　照明の落ちた舞台袖でボーデンのショーを見つめた後、あとについて暗い廊下と階段を通って、控え室へ向かった。ボーデンが部屋にはいり、扉をとざし、舞台裏の騒々しさが少し聞こえにくくなると、わたしは凶器をまえもって隠していたところへ向かい、用心しいしいボーデンの控え室の外の廊下へもどった。だれも付近にいないことを確認してから、暗い廊下の端から反対側の端へと移動する。

わたしはローストフトで着ていた舞台衣装を身につけていた。服装は気づかれずに移動したいときのものだが、ナイフはまともなものだった。もしだれかに見られたら、まるでナイフが宙に浮いて移動しているように見えただろう——関心を惹く危険を冒すわけにはいかなかった。

ボーデンの部屋の外で、わたしは向かい側の影になったアルコーブのなかにじっと立ちつくし、心臓の高鳴りを抑えようとしていた。ゆっくりと数を二百まで数えた。だれも近づいてこないことを再確認してから、扉へ近づき、そこにもたれ、自分の顔をそっと、だがしっかりと木に押しつけた。数秒後、わたしの頭部の前半分が、扉を通り抜け、部屋のなかを見ることができるようになった。ランプは一灯しか点いておらず、狭い、雑然とした室内にうすぼんやりとした光を投げかけていた。ボーデンはカウチに横になり、目をつむり、両手は胸の上で組み合わされていた。

わたしは顔をひっこめた。

ナイフを握りしめながら扉を開け、なかへはいった。ボーデンは身じろぎし、こちらを見た。わたしは扉を閉め、閂《かんぬき》を錠にはめた。

「だれだ？」ボーデンはそう言って、目を細くした。

　わたしは、ボーデンとつまらないやりとりをするためにそこにいるのではなかった。狭い床の上を二歩進み、カウチに飛び乗ると、ボーデンの上に馬乗りになった。ボーデンの腹の上に腰を落とし、両手でナイフを掲げた。

　ボーデンはナイフを見、ついでわたしに焦点を結んだ。淡い明かりのなかで、わたしの姿はかろうじて見えた。ボーデンの上に座った状態で、腕の輪郭が自分でも見えた。ナイフの刃がボーデンの胸の上でぶるぶる震えていた。わたしの姿はさぞかし荒々しく、恐ろしいものであったにちがいない――二カ月以上ひげを剃らず、髪を切っていなかったし、顔はやつれはてていた。わたしは怯え、必死になっていた。ナイフを抱えて、致命傷を与える用意をかためた。

「きさまは何者だ？」ボーデンはあえぎながら言った。わたしの亡霊じみた手首をつかんで、押しもどそうとしていたが、手をふりほどくのは簡単なことだった。「だれだ？」

「覚悟しろ、ボーデン！」相手に聞こえるのは、しゃがれた、ぞっとする囁き声だろうとわかっていたものの、全身全霊をこめて、わたしは叫んだ。

「エンジャなのか？　後生だ！　自分がなにをやっていたのかわからなかったんだ！　害をおよぼすつもりはなかった！」

「やったのはおまえか？　それとももうひとりか？」

「どういう意味だ？」

「おまえの仕業だったのか、おまえの双子の兄弟の仕業だったのか？」

「わたしに兄弟はいない！」

「おまえは死ぬんだ！　ほんとうのことを認めろ！」

「わたしはひとりだ！」

「もういい！」わたしは叫び、ナイフをできるだけ強く握れるよう学びとったやり方で、慎重に柄《え》を両手でつつんだ。もし激しく突き立てすぎれば、手からナイフが離れてしまうので、心臓の真上に刃を持っていき、一定の圧力をかけはじめた。これでナイフの刃が的に達するはずだ。ボーデンのシャツの繊維が切り裂かれるのを感じ、ナイフの先端が皮膚に刺さっていこうとするのを感じた。

そのとき、わたしはボーデンの顔に浮かんだ表情を見た。わたしを恐れるあまり、表情が固まってしまっていた。彼の両手はわたしの頭上のあらぬかたにあり、わたしをつかもうとしていた。あごが下がり、舌が突きでて、涎《よだれ》が口の端からこぼれて、両頬の肉の上を伝い落ちていた。半狂乱で呼吸するため、ボーデンの胸は激しく揺れていた。

なんの言葉もボーデンの口から出てこなかったが、なにか言おうとしていた。みずからの恐怖に溺れかけている男があげるひーひーという音と、わけのわからないうめきが聞こえた。

ボーデンがもはや屈強な男ではないことをわたしは悟った。髪の毛には白い筋が何本も走っている。目のまわりの皮膚は疲労でたるんでいた。首には皺がある。ボーデンはわたしの下で横たわり、ナイフを手にして、体の上にしゃがんで自分を刺し殺そうとしている実体のない悪鬼に、命を奪われまいとあがいていた。

そう思うと嫌悪感がこみあげてきた。わたしは殺人を完遂させることができなかった。こんなふうに殺せない。

すると、恐怖と怒りと緊張がみんな、自分のなかからこぼれ出ていった。

わたしはナイフを脇へ投げ捨て、ひょいっと体を回転させて退いた。ボーデンから遠のき、いまや身を守ろうともせず、相手がなにをしてこようと抵抗できなくなっていた。

ボーデンはカウチの上にとどまっていた。苦しそうな呼吸のまま、恐怖と安堵感に身震いをしていた。わたしはその場に従容と立ちつくし、自分がこの男に与えた影響の大きさに身を硬くしていた。

ようやくボーデンは落ち着いた。

「あんたは何者だ？」怯えた声はまだ安定しておらず、最後の言葉が裏返った。

「ルパート・エンジャだ」わたしはかすれた声で答えた。

「だが、あんたは死んだはずだ！」

「そうだ」

「じゃあ、どうして？」

わたしは言った。「われわれはこんなことを始めるべきじゃなかったんだ、ボーデン。だが、貴様を殺しても、終わりにはならない」

わたしは自分がやろうとしていたことの恐ろしさに恥じいり、その時点までわたしの人生を支配してきた基本的な良識が、激しく自己主張をはじめていた。自分が人を冷血に殺すことができるなどと、どうして想像できたのだろう？　わたしは悲しくなってボーデンに背を向け、木の扉に自分を押しつけた。ゆっくり通り抜けていると、またしてもボーデンがかん高い悲鳴を洩らすのが聞こえた。

V

わたしはボーデンの命を奪おうとした自分の試みに、激しい絶望と自己嫌悪に襲われた。自分自身を辱め、（わたしの行動をなにひとつとして気づいていない）自分の眩双者《プレスティージ》を辱め、ジュリアを、子どもたちを、父の名を、友人たち全員を辱めたのだとわかっていた。もしかりにボーデンとの諍いが恐るべき間違いであるという証拠が必要なら、まさにいまわたしはその証拠を手にいれた。過去にわれわれがおこなったいかなるものも、かかる暴力行為を正当化できるものではない。

惨めさと嫌悪感でいっぱいになって、借りている部屋にもどり、生きていてわたしにできることはなにもないと考えた。わたしには生きるようすがなにもないのだ。

VI

わたしはなにも食べずに衰弱して死ぬつもりだった。だが、わたしのような者にも生きたいという心はあり、そのような決断のまえに立ちはだかった。飲まず食わずでいれば、いずれ死は訪れるだろうと思っていたのだが、喉の渇きは、生半可な決意ではとても抵抗できないほどわたしを半狂乱にさせた。渇きを癒そうと数滴口にするたびに、死は少しずつ延期された。

食べ物についてもおなじことだった——飢えは化け物である。

しばらくして、わたしはその状態に妥協し、生きていくことにした。ボーデンの片割れ同様——あるいはわたしがそう信じるにいたった——みずから選んだ地下世界の哀れな住民として。

そんな惨めな精神状態で、冬の大半をやりすごした。自殺にすら失敗した、哀れな存在として。

二月になると、なにか深遠なものが自分のなかで大きくなっていくのを感じた。最初、ローストフト以来感じていた喪失感が強まったのだと思った——つまり、二度とジュリアや子どもたちと会うことができないという事実に対する思いだ、と。わたしはその思いを自分で否定していた。あらゆることを考慮すると、彼らといっしょにいたいという自分の要求は、わたしが姿を現すことで彼らに与える恐るべき影響にくらべてたいしたものではないのだから。数カ月が過ぎていくにつれ、この悲しみは、じつにいやな痛みとなるまでにいたったのだが、いまのように突然膨れあがらせた理由は身のまわりに見あたらなかった。

ローストフト以降、わたしを置きざりにした眩双者《プレスティージ》の、わが半身の命について考えたとき、鋭く焦点が結ばれるのを感じた。すぐに、彼が苦難に見舞われているのがわかった。なんらかの事故がその身に起こったのか、あるいは脅かされているか（おそらくはボーデン兄弟のひとりに？）、はたまた健康状態がわたしの予測していたより悪化したのかもしれない。

もう一度彼の健康についてはっきり限定して考えてみると、たちまちなにが起こっているのか突き止めることができた。わが眩双者《プレスティージ》は病気なのだ。死にかけてすらいる。わたしは彼といっしょにいなければならない。わたしにできるかぎり、どんなことをしても彼を助けねば。

そのときには、わたし自身、とても体力があるとは言えない姿だった。事故によって希薄化した肉体に加え、ろくに食事をとらず、運動もしていなかったせいで、わたしは骸骨も同然になっていた。むさくるしい部屋から滅多に外出せず、出かける場合でも、だれかに見られないよう夜に限っていた。自分が見るにたえない凄まじい姿になっているのはわかっていた。あらゆる意味で、紛れもない悪鬼の姿だ。ダービーシャー州への長旅は、さまざまな危険をはらんでいるように思えた。

それゆえ、わたしは見た目の改善に意識的にとりくんだ。それなりの量の食べ物と飲み物を摂取しはじめ、長くもつれあった髪を切り、新しい服を盗んだ。ローストフト直後の外見にもどすには、数週間の努力が必要だろうが、すぐに気分が良くなりはじめ、意気も軒昂となってきた。

それに反し、わが眩双者《プレスティージ》が被っている痛みを知ることは、ほとんどたえがたかった。万事が家族のいる家への帰還に向けて避けがたく進んでおり、三月最終週に、わたしはシェフィールドへの夜汽車の切符を買った。

Ⅶ

自宅への帰還がもたらす衝撃について、ひとつだけ確実にわかっていることがあった。わたしが突然姿を現しても、わたしが眩双者《プレスティージ》と呼んでいるわが半身を驚かせはしないだろう、ということだ。

午前中なかばにコールドロウ・ハウスに到着した。明るい春の日だった。揺るがぬ陽光のなかで、わたしの外見は最大限の実体を保っていた。それでも、自分が人を驚かせる姿をしていることはわかっていた。シェフィールド駅から辻馬車、乗り合い馬車、辻馬車と乗りついで短い昼間の移動をするあいだ、通行人からけげんな表情を何度となく向けられたからである。ロンドンでそういう目に遭うのは慣れていたが、ロンドンっ子は大都市の奇妙な住人を見るのに慣れていた。こういう田舎では、黒い服を着て、大きな帽子をかぶり、不自然な顔つきをして、ざんばら髪で、うつろで不気味な目をした骸骨さながらに痩せた男は、好奇心と警戒心を惹起する存在だった。

屋敷に到着すると、わたしは扉を叩いた。通り抜けることはできたが、いったいそこになにを目にするのかわかっていなかった。不意の帰還を、きちんと手順を踏んで進めるのが一番良いと感じていた。

ハットンが扉を開けた。わたしは帽子を脱ぎ、彼のまえにじっと立っていた。ちゃんとわたしを見るまえにハットンは話しだしたが、焦点が定まると、黙りこくった。言葉もなく目を見開いており、なんの表情も浮かんでいなかった。この男が黙るのは、肝を潰しているからだとわかるくらい、ハットンのことはよく知っていた。

わたしが何者なのか受けいれるだけの時間を与えたのち、わたしは言った。「ハットン、きみとまた会えて嬉しいよ」

ハットンは口を開け、しゃべろうとしたが、なんの言葉も出てこなかった。

「ローストフトでなにが起こったか知っているね、ハットン」わたしは言った。「わたしはその不幸な結果なのだ」

「はい」ハットンはようやく声を発した。

「はいってもかまわないかね？」

「あなたがみえられたことをレディ・コルダーデイルにお伝えすべきでしょうか？」

「彼女に会うまえに、きみと落ち着いて話をすべきだと思う、ハットン。わたしがここにきたことで、動揺をひきおこしかねないから」

ハットンは台所脇の自分の居間へわたしを連れていき、ティーポットからいれたばかりのお茶を注いでくれた。わたしは立ったままでお茶を口にし、どう説明したらよいのか迷っていた。わたしがつねづねその沈着冷静さに感嘆しているハットンは、すぐに状況を把握した。

「一番良いのは」ハットンは言った。「ここでお待ちいただいているあいだ、わたしが奥様にだんなさまの到来を伝えることではないかと存じます。そののち、奥様はだんなさまにお会いにこられるものと思います。おふたりで、この先どう進めたらいいのか決められるのが最善か、と」

「ハットン、教えてくれ。どうなのだ、わたしの――？　つまり、その――健康状態は？」

「だんなさまは、たいへん重い病気になられておりました。しかしながら、予後はすばらしく、今週、退院して、こちらにもどってこられたのです。ガーデンルームで徐々に健康をとりもどしておられるところです。ベッドをその部屋に移しました。いまも、奥様は閣下といっしょにおられると思います」

「これはありえない状況だよ、ハットン」わたしは思いきって言った。

「まさしく」

「とくにきみにとって、という意味だ」

「わたしにとっても、あなたさまにとっても、みなさんにとってもです。ローストフトのあの劇場でなにが起こったのかわかっております。だんなさまは、つまり、あなたさまですが、わたしに秘密を明かしてくださいました。きっと覚えておられるでしょうが、わたしは奇術素材の処分にずいぶんかかわってまいりました。もちろん、この屋敷にはなんの秘密もありません、だんなさま、あなたさまがご指示なされたように」

「アダム・ウィルスンはここにいるのかね？」

「はい、おられます」

「それを知って嬉しいよ」

しばらくして、ハットンは部屋を出ていき、五分ほどしてから、ジュリアといっしょにもどってきた。彼女は疲れた様子で、髪の毛をひっつめにしていた。ジュリアはまっすぐわたしのところにやってきて、われわれは充分温かい抱擁をしたが、ふたりともとても神経が高ぶっていた。抱き合っているあいだも、わたしにはジュリアの緊張が感じられた。

ハットンは部屋から出ていき、われわれふたりだけになると、わたしの説明でジュリアは、わたしが悪質な詐欺師でないことを納得した。長い冬の数カ月のあいだ、わたし自身ですら、ときどき自分の正体を疑ったことがあった。妄想が現実ととってかわるたぐいの狂気が存在しており、何度となくそんな病気であることがすべてを説明するような気がした——わたしはかつてルパート・エンジャだったが、いまのわたしは生命を奪われ、唯一記憶だけが残っているのだとか、あるいはそうではなく、わたしは自分をエンジャだと信じるようになった、狂気にかられた他人であるのだとか。

機会をとらえて、わたしは自分の身体の実体の限界について説明した——明るい光がないと薄れて見えなくなることや、ともすれば固い物質をすり抜けることができてしまうことを。

するとジュリアは、わたしが、つまり、わたしの眩双者《プレスティージ》が患っている癌のことを話し、いかなる奇跡か、癌が自然と縮小したようになり、わたしを、つまり彼を家にもどらせたことを説明した。

「完治したのかい?」わたしは不安げに訊ねた。

「お医者さんの話では、ときどき自然に恢復することがあるけれど、たいていの場合、緩解はほんの短期間にすぎないそうよ。あの人は、今回の場合、あなたが、つまり、あの人が——」ジュリアはいまにも泣きだしそうになり、わたしは彼女の手を取った。気をとりなおすと、ジュリアは厳粛な面持ちで話した。「あの人はこれがたんなる一時的な恢復にすぎないと信じているわ。癌は悪性のもので、全身に転移しているの」

ついでジュリアは、わたしをこのうえもなく驚かせることをいくつか話した——ボーデンが、より正確を期すれば、ボーデン双子のひとりが死んだということ、そして、ボーデンの日記がわたしの、われわれの手にはいったということを。

そうしたさまざまなことを聞いて仰天した。たとえば、ボーデンはわたしが命を狙って失敗に終わった日から、わずか三日後に死んでいたのを知った――そのふたつの出来事は不可避的に関係しているようにわたしには思えた。ボーデンは心臓発作に襲われたと考えられている、と言った――ボーデンはあの男に吹きこんだ恐怖によってもたらされたものだろうか、とわたしは訝った。ボーデンが立てていた苦悶のぞっとする叫びや、苦しげな息づかい、全身にただよう疲労と体調不良の様子を思いだした。心臓発作はストレスによって生じうることをわたしは知っていたが、いまこの瞬間まで、わたしが立ち去ったあとでボーデンは正気を取りもどし、しだいに正常に復したのだろうと思っていた。

わたしはことの顚末をジュリアに打ち明けたが、彼女は二つの出来事が無関係だと考えているようだった。

さらに興味を惹かれたのは、ボーデンの日記に関する情報だった。ジュリアはその一部を読んだと言った。ボーデンの奇術の大半が日記のなかで記されているそうだ。わたしは、つまりわたしの眩双者《プレステイージ》は、その日記を利用する計画を立てているのだろうか、とジュリアに訊ねたところ、病気のせいですべてが中断されてしまった、という返事が返ってきた。ジュリアは、わたしがボーデンに対して抱いている悔恨の思いの一部を自分も共有しているのだと言い、わたしの眩双者《プレステイージ》もほぼおなじ気持ちを抱いている、と言った。

わたしは訊いた。「彼はどこにいる？　われわれはいっしょにいなければならないんだ」

「あの人はもうすぐ目を覚ますわ」と、ジュリアは答えた。

Ⅷ

わたし自身との再会は、歴史上もっとも変わった出来事のひとつにちがいない！　彼とわたしはたがいを完璧に補完するものだった。わたしに欠けているものはすべて彼のなかにあった――わたしが持っているものはすべて彼が失ったものだった。もちろん、われわれは同一人物であり、一卵性双生児よりも近しいものだった。

どちらかが話を始めれば、相手がその言葉を容易に締めくくることができた。われわれはおなじように動き、おなじ仕草とおなじ癖があり、同時におなじ考えを思い浮かべた。わたしは彼に関するすべてを知っており、向こうはわたしについておなじように知っている。われわれのあいだに欠けているのは、過去数カ月のあいだの別々の経験だけだったが、たがいにそれらについて説明することで、差異は解消された。彼はボーデンの命を狙ったわたしの試みの説明に震え、わたしは彼の病の苦しみと悲惨さを幾分なりとも味わった。

いったんいっしょになると、われわれをふたたび分かつものはなにもなかった。わたしはハットンに頼んで、ガーデンルームに二つ目のベッドをしつらえさせ、わたし自身のふたつの半身は、ずっといっしょにいられることになった。

このことは屋敷のほかの人間に隠しつづけることもできず、ほどなくすると、わたしは子どもたちと、アダムとガートルードのウィルスン夫妻と再会し、家政婦を務めるハットン夫人とも再会した。だれもが、われわれが造りだした超自然的な二重の効果に驚嘆の声をあげた。父親に関するかかる事実の発露が、子どもたちに将来どんな影響を与えるのか考えるのも恐ろしいが、われわれふたりとも、そしてジュリアも、さらなる嘘を重ねるよりも真実を告げるほうがずっと良いということに賛同していた。

われわれがいっしょに過ごす時間に、癌が焦眉の急を告げているという恐ろしい事実がまもなく発覚し、かりにまだやり残していることがあるとすれば、いまがそれをやるときであるとふたりとも了解した。

IX

四月はじめから五月なかごろまで、われわれはともにボーデンの日記の改訂に取り組み、出版社へ預ける準備をおこなった。わが双子の兄弟（わが眩双者《プレステイージ》をそう考えるほうが都合がよかった）は、まもなくして病気が再発し、本に関する当初の作業のかなりをすでに終えていたものの、その仕事を完了させ、出版社と交渉したのはわたしだった。

そして、わたしは、彼に成り代わり、その死まで日記を書きつづけた。そして、昨日、わが二重生活は終わりを告げ、それとともに、わたし自身の短い人生の物語も終わりを迎えた。いまは、わたしひとりしかおらず、わたしはまたしても死を越えて生きている。

一九〇四年七月八日

けさ、ウィルスンとともに地下室へ降りていき、テスラ装置を調べた。それは完全に稼働する状態であったが、それを使ってからずいぶん時間が経っているので、アリー君のメモを使って、万事支障がないか調べ直した。わたしはつねづね、遙か遠くにいるアリー君といっしょに作業している感覚を楽しんでいる。あの若者の几帳面なメモはともに作業をするのに楽しい代物だった。

ウィルスンが、装置を解体すべきでしょうか、と訊いた。

わたしは一瞬考えてから、答えた。「葬儀が終わるまで置いておこう」

葬式はあすの正午に予定されていた。

ウィルスンが立ち去り、地下室へ通じている扉に鍵をかけてから、わたしは装置に電源をいれ、それを使って、さらなる金貨を遷移させた。わたしは将来のことを考えていた。第十五代伯爵となる息子のことを、貴族未亡人になる妻のことを。それらはすべてわたしが充分に世話をすることのできない責任だった。またしても、自分だけでなく、わたしの罪なき家族の将来の妨げとなるわたし自身の無力さに胸ふたぐ思いがした。

わたしはわれわれがこの装置でこしらえた富がいくらあるのか数えていなかったが、わが眩双者《プレスティージ》は自分でこしらえた貯蔵金貨を見せてくれた。地下室の一番奥底にある小部屋の扉に鍵をかけ、しまってあるものだ。ざっと見積もって二千ポンド分をジュリアの当座必要な費用として取りだし、残っている金にわたしがこしらえた若干のあらたな金貨を足しながら、たとえどんなにたくさん偽造したところで、とうてい足りることはあるまいと考えていた。

しかしながら、テスラ装置は無傷のまま残しておくようにするつもりだ。アリーの指示書もいっしょに保管しておく。いつか、エドワードがこの日記を見つけ、この装置をどう利用するのが一番良いのか悟るだろう。

後刻

葬儀まであと数時間しかなく、その時間を全部このページに記入するために費やすわけにはいかない。それゆえ、以下のことを簡略に記すことにする。

いま、夜の八時であり、わたしは眩双者《プレスティージ》が死ぬまでいっしょにいたガーデンルームにいる。美しい日没がカーバー・エッジの高峰を黄金色に染めており、この部屋は沈みゆく夕陽に面していないものの、琥珀色の雲の切れ端が空高く浮かんでいるのが見える。数分まえ、わたしは屋敷の敷地をゆっくりと歩きまわり、夏の香りを吸いこみ、子どものころたいそう好きだったこの湿地帯の静かな物音に耳を傾けていた。温かく、すばらしい夜であり、そのなかで、終わりを迎えるつもりである。ほんとうの終わりを。

わたしは自分自身の遺物である。この生は文字通り、生きていくに値しないものだ。わたしが愛するものはすべて、いまの状態では、わたしには禁じられている。家族はわたしを受けいれてくれている。彼らはわたしが何者であり、わたしの実体がどんなものであり、わたしのいまの状況がみずから招いたものでないことを承知している。たとえそうであっても、彼らが愛した男は死んだ。わたしは彼の代わりにはなれない。彼らにとって、わたしは立ち去ったほうがいいのだ。そうすれば彼らは死んだ男のために、やっと心から、手放しで嘆きはじめることができよう。悲しみを発露してこそ、人は悲しみ自体から立ち直る。

また、わたしにはなんら法的実体がない――奇術師のルパート・エンジャは死んで、埋葬され、第十四代コルダーデイル卿はあした納体される。

わたしには実効性のある存在感がない。あさましく半分の状態でしか生きることはできない。効果的とは言えないが、変装をしないかぎり安全に移動することができず、あるいは他人を死ぬほど怯えさせ、自分自身を危険にさらさせてしまうのがおちだ。わたしがせいぜい期待できる生活というのは、自分自身の幽霊として、わが家族の実体のある暮らしの周辺を永遠に漂い、自分自身の過去と彼らの未来に永遠に漂いつづけるというものでしかない。

それゆえ、いま終わらせねばならない。わたしは死ぬつもりだ。

だが、生の呪いがまだわたしにしがみついている！　自分のなかで、どれほど激しく生の意欲が燃えているのか、すでに気づいており、殺人を倫理的に犯せないだけでなく、自殺もわたしには不可能なことだった。以前に死のうと願ったとき、その願いは充分なほど強くなかった。成功しない可能性があると確信しないかぎり、自殺を図れないのだ。

このメモを書き終えたらすぐ、わたしはこの日記と以前の日記を、納体所に横たわる奇術素材のなかのどこかに隠すつもりだ。そして、地下室のあの小部屋の鍵をはずしておき、息子のために、あるいはその息子がいずれ見つけるよう、金貨を残しておく。この日記はその金貨がまだ残っているうちは見つかってはならない。というのも、わたしが犯した偽造の告白が記されているからだ。

これらのことがすべて完了すると、わたしはふたたびテスラ装置を稼働させ、最後の利用をおこなう。

たったひとりで、内密に、わたしは自らをエーテルを越えさせ、わがキャリアのなかでもっともセンセーショナルな顕現を実行する。

この一時間、座標の測定と確認をおこない、自分自身の用意を整え、数千人の観客が見つめることになるかのようにリハーサルをおこなってきた。だが、この奇術実演は、わたしひとりでいるときにおこなわなければならない。なぜなら、わたしは自分自身をわが眩《プレ》双者《ステイージ》の死亡した肉体のなかへ投射するつもりだからだ。そこでわたしの最後がやってくる！

わたしはそこへ到着する——それに関して疑問の余地はない。テスラ装置はその正確性を一度たりとも違えたことがないからだ。だが、この不気味な合体の結果はどうなるだろうか？

もし失敗に終わったら、わたしはわが眩双者《プレステイージ》の哀れな、全身癌に冒され、二日前に亡くなり、死後硬直で固くなっている肉体のなかに実体化するだろう。わたしも即死し、そのことをなにもわからないだろう。あす、死体が安置されるとき、その死体とともにわたしも安置される。

だが、べつの結果になる可能性もある、とわたしは信じている。必死に生きようとするわたしの思いを実現する可能性が。この実体化により、自殺は成功しないかもしれない！

わたしは確信している。ほぼ確信している。わが眩双者《プレステイージ》の死体へわたしが到着することで、その体に生命がもどることを。それは再結合となり、最終的な合一となろう。わたしのなかに残っているものが、彼のなかに残っているものとひとつになり、われわれはふたたび全きものになるのだ。わたしには彼にはなかった意気軒昂な精神がある。自分のこの精神で彼の肉体をふたたび活性化させるのだ。わたしには彼から取り除かれた、生きたいという意志がある。それを彼に取りもどさせるのだ。わたしには目下、彼に欠けている生命力に充ちた炎がある。わたしは自分の純粋な健康さで、彼の病変と腫れ物と腫瘍を癒し、動脈と静脈にふたたび血液を循環させ、こわばった筋肉と関節を和らげ、青白い皮膚に血の気をもたらし、彼とわたしはふたたびひとつになり、わが肉体の完全さをとりもどさせるのだ。

そんなことが可能だと考えるのは狂気の所産だろうか？　かりに狂気だとしても、わたしは狂っていて満足だ。なぜなら、なんとしても生きるつもりだからだ。

かかることを計画する段階で、そこに希望があると信じるくらいには、わたしは狂っている。その希望がわたしをまえへ進ませているのだ。

わが眩双者《プレステイージ》の狂おしくも復活した、ふたたび活力を得た肉体は、蓋のない棺から立ちあがり、すぐさまこの屋敷から姿を消すだろう。わたしには禁じられていたあらゆることが、あとに残されるだろう。わたしはこの人生を愛してきた。わたしにはほかの人々を愛してきた。だが、わたしに唯一残っている生への希望は、正気の人間ならだれでも不届きなことだと見なすであろう行為であるがゆえに、わたしは追放の身となるに相違なく、わたしが愛してきたすべてをあとに残し、世間に出ていき、そこで見いだすものでしのいでいかねばならない。

さあ、やるぞ！

わたしは独りで最後へ向かうのだ。

第5部　プレスティージたち

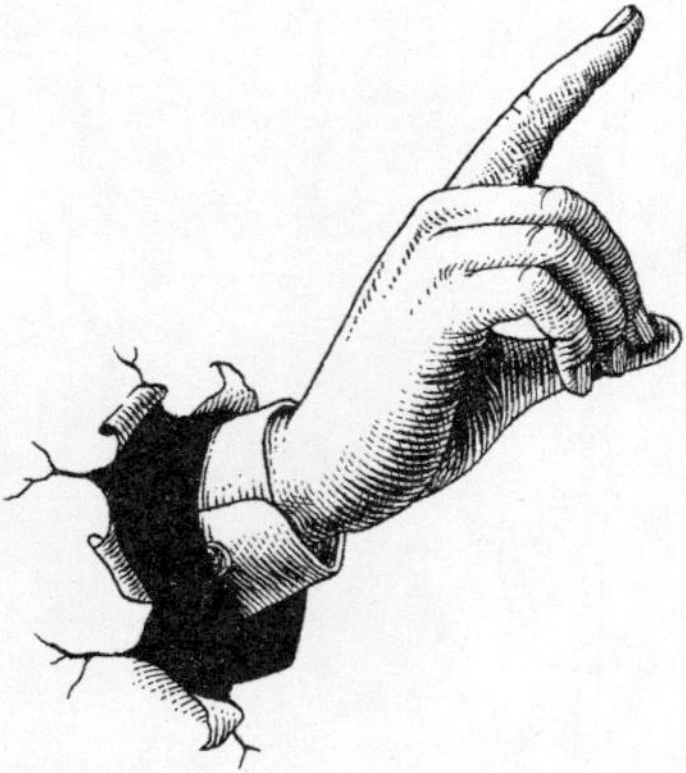

PART FIVE　The Prestiges

1

わが兄弟の声が、やむことなくわたしに話しかけていた――わたしはここにいる、立ち去るな、いっしょにいろ、おまえが生まれてからずっと、おまえから遠く離れることなくいっしょにいたんだ、さあ、こい、と。

わたしは眠ろうとしていた。大きな冷たい、柔らかすぎるベッドのなかで輾転反側し、吹雪が始まるまえに屋敷から立ち去らなかった自分に毒づいていた。いまごろはとっくに、両親の家の自分のベッドにはいっていたはずなのに。だが、そのことを考えるたび、声がしつこく話しかけてきた――ここにいろ、立ち去るな、ついにわたしに会いにきたんだ、と。

わたしはベッドから出ざるをえなかった。肩にジャケットを羽織り、回廊のある踊り場を横切って、バスルームへ小用を足しにいった。屋敷のなかは暗く、静まり返り、寒かった。息が白く煙り、震えながら便器のまえに立った。トイレの水を流すと、ふたたび踊り場を横切らなければならず、ジャケットを羽織った下は裸でいたが、大きな階段を見下ろすと、下の階で明かりが漏れているのに気づいた。一枚の扉の下から光が漏れでていた。みじめな寝室へもどったが、寒々としたベッドにもどる気になれなかった。食堂の薪暖炉の隣にある安楽椅子のことを思いだし、手早く服を身につけると、荷物をつかんで、下へ降りていった。腕時計を見た。午前二時を過ぎていた。

わが兄弟が言った――よし、さあ。

ケイトがまだ食堂にいて、暖炉のそばの椅子に座って目を開けていた。暖炉の上に載せているポータブル・ラジオに耳を傾けている。ケイトはわたしを見ても驚かなかったようだ。

「寒くて」わたしは言った。「眠れなかった。とにかく、あいつを見つけないと」

「外はもっと寒いわ」ケイトは窓の向こうの暗闇を差し示した。「ここにあるものが全部必要でしょうね」

ケイトの向かい側にある椅子には、防寒着がいくつか置かれていた。厚手のウール・セーター、分厚いオーバーコート、スカーフ、手袋、ゴム長靴。それに二個の大きな懐中電灯。

わが兄弟がふたたび話しかけてきた。わたしは彼を無視できなかった。

ケイトに言った。「わたしがこれをするのがわかっていたんだ」

「ええ。ずっと考えていたわ」

「わたしの身になにが起こっているのか知ってるのですか？」

「知っていると信じています。あなたは彼を見つけに出かけないといけない」

「いっしょにきてくれます？」

ケイトは激しく首を横に振った。「ぜったいについていきません」

「では、あいつがどこにいるか知ってます？」

「物心ついてからずっと知っていたと思いますが、そのことを心から追い払っていたほうがずっと気楽だったんです。あなたと会って厄介なのは、子どものころわたくしをさんざん苦しめたものがまだあの下にあることを実感してしまうことです」

雪はやんでいたが、風は凍りつくような空気をしつこく運んできて、あらゆるものを貫いていた。雪は広い庭の周囲に深く積もっていたが、中央部は、歩いて通れるくらいの深さで、わたしはでこぼこの地面につまずきながら進んだ。何度か足を滑らせたが、転びはしなかった。

ケイトが防犯用警戒装置のスイッチをいれており、眩い光であたりが照らされていた。おかげで行く手を見ることができたが、振り返ってみても、そのまぶしい光以外なにも見えなかった。

わが兄弟が言った——待っている、だけど、寒い。

わたしは歩きつづけた。芝生だと思っている場所の奥に、地面が急に高くなって、黒い木々が前方の視界を遮っているところがあり、懐中電灯の明かりが煉瓦積みのアーチ道を照らしだした。ケイトがそこにあるだろうと言ったとおりだ。雪がアーチの基礎部分に積もっていた。

扉には鍵がかかっておらず、取っ手を引っぱると容易に動いた。扉は外向きに開いたが、吹き積もった雪にひっかかった。しかし、堅い樫の木でできており、いったん扉を強く引くと、雪を押しのけて、体をすり抜けられるくらいの隙間を開けることができた。

できるだけたくさんの明かりが要るだろうと、ケイトは二本の大きな懐中電灯を渡してくれていた。（「もし必要ならもっとあるので、屋敷へもどってくればいいです」とケイトは言った。「いっしょにきて、懐中電灯の一本を持っていてくれないんですか？」と頼んだが、ケイトは激しく首を横に振った）開けた扉からなかを覗きこみ、二本の懐中電灯のかなり太い光線で前方を照らした。たいして見えるものはなかった――ごつごつした天井が斜めに下っており、粗く削りだされた階段があり、降りきったところに第二の扉が見えた。

「そうだ」という言葉がわたしの頭のなかに形成された。

第二の扉には錠も閂もなく、触ってみると、すっと開いた。懐中電灯の光線を大きく振りまわす――一本は手にしてあたりを探り、もう一本は脇に挟んで、わたしの行くさきを照らした。

すると、床から突きでているなにか堅い物に足がぶつかり、つまずいた。ごつごつした壁に勢いよくぶつかったせいで、脇にはさんでいた懐中電灯が壊れた。地面に這いつくばり、膝をついて、もう一本の懐中電灯で壊れた懐中電灯を照らしてみた。

明かりがある、と兄弟が言った。

わたしは残った懐中電灯をふたたび振りかざしたが、内側の扉のそばに、絶縁体で覆われた電線があることに気づいた。木製の枠のなかにきちんとはめこまれている。肩の高さのところに、ありふれた照明スイッチがあった。わたしはそれをいれてみた。最初、なにも起こらなかった。

が、丘のなか深くに築かれた洞窟をさらに進んでいくうちに、エンジンの音を耳にした。発電機の回転速度が増すにつれ、洞窟全体に明かりが灯った。低いワット数の電球にすぎず、岩の天井にぞんざいにとりつけられ、鉄線の覆いに囲まれていたが、懐中電灯なしで充分見えるだけ明るくなった。

洞窟は岩のなかにできた自然な亀裂のように見えた。あとから追加の隧道《トンネル》を掘る拡張工事をしたのだろう。突きでた岩層によって作られた自然の棚がいくつもあったが、隧道の壁に空洞が追加されていた。床が平らになるようにした跡があり、無数の細かい岩の破片があたりに転がっていた。内側の扉近くに泉があり、水がしたたり落ちて、大きな黄色い石灰質の沈殿跡を壁に残していた。水が床に達したところに、現代的なパイプでつくられた、粗雑だが効果的な排水渠があり、石ころのつまった排水口に水を送っていた。

空気は驚くほど甘く、表よりもはっきりわかるくらい温かかった。

わたしは両手で両側の岩壁に触って、バランスを保ちながら、洞窟のなかを進んだ。床はでこぼこして、ところどころ割れており、電球の光は弱く、間隔をあけて設置されているため、ところどころ、安全な足の置き所を見つけるのが難しかった。五十メートルほど進むと、床が急に下り、右に曲がっていた。主隧道の左手に、入り口の滑らかさから判断して、人工的に開けたものと思しき大きな空洞があった。空洞の天井はおよそ二メートル強の高さがあり、頭上に充分なスペースがあった。開口部は電気の明かりが届いていなかったため、わたしは残っている懐中電灯でなかを照らした。

照らさなければよかったとすぐに後悔した。そこは古い棺でいっぱいになっていた。たいていの棺は水平に積み重ねられていたが、十あまりの棺は壁に縦に立てかけられていた。さまざまなサイズがあったが、そのなかのかなりの数が、気が滅入ることに、子ども用にこしらえられたのが明白なほど小さかった。すべての棺がさまざまな度合いで腐食していた。水平に置かれた棺は、老朽化が顕著だった——木材は黒くなり、歳月の経過によってそりかえり、割れていた。多くの場合、蓋がなかに落ちこんでいた。積み重ねられた上のほうに置かれている棺の多くは、側面の板も落ちてしまっていた。

積み重ねられた棺の大半の底の部分では茶色になり、ばらばらになった人骨とおぼしき破片が重なっていた。縦に置かれた棺の蓋はみな外れ、棺の本体にもたれかかっていた。

わたしは急いで主隧道にもどり、はいってきた扉のほうを見上げた。隧道は若干カーブしており、はいってきた入り口はここからは見えなかった。洞窟の奥深くのどこかで、発電機が稼働しつづけていた。

わたしはぶるぶる震えていた。どこか遠くにあるあの発電機と、いま手にしているこの懐中電灯が消えれば、わたしは真っ暗闇のなかにとりのこされてしまうと考えずにはいられなかった。

あともどりはできない。わが兄弟がここにいるのだ。

決断をすばやく下すと、わたしは下へいく道をたどり、出口からさらに急カーブでつづく右の方向へ向かった。あらたな階段があり、そこでは電球の設置間隔が狭くなっていた。というのも、この階段は高さがまちまちで、一方に傾いていたからだ。片手を壁について体を支えながら、わたしは階段を降りていった。隧道のすぐさきにもっと開けた洞窟があった。

いくつもの現代的な金属製のラックがそこを占め、それらは茶色に塗られ、クロムめっきされたナットとボルトで組み立てられていた。それぞれのラックには三段の幅広い棚があり、寝床のように上に重ねられていた。狭い通路が個々のラックの隣にあり、中央の通路はそのホールの奥まで延びていた。ラックのあいだのどの通路の上にも照明が設置されており、棚に載っているものを照らしていた。

2

ラックのすべての棚の上には、なにも覆われずに人体が横たえられていた。どの人体も男性であり、着衣のままだった。すべての人体がイブニングを着ていた――体にぴったり合う燕尾服、黒いボウタイつきのワイシャツ、控えめな柄のベスト、縦に沿ってサテンのストリップがついた細いズボン、白いソックスとエナメル靴。両手には白い綿の手袋をはめていた。

どの人体もみな瓜二つだった。男は青白い顔をして、鷲鼻で、口ひげを薄くたくわえていた。唇は真っ青だった。額が狭く、ポマードでうしろへなでつけられている髪は後退していた。一部の顔は、頭上の棚を見上げていた。ほかの顔は首をひねり、たがいに見合っていた。

すべての亡骸が目を開けていた。

大半が笑みを浮かべ、歯を見せている。それぞれの口の左上顎大臼歯の角が欠けていた。亡骸はみなさまざまな姿勢を取っていた。背をぴんと伸ばしているものもあれば、体をひねったり、かがんでいるものもある。どの死体も、寝ているような姿勢を取っていない

——たいていは片方の脚をもう片方の脚のまえにだし、棚の上では、その脚がもう片方の脚の上に突きだしている格好になっていた。

どの亡骸も片方の脚を宙へ投げだしている。腕もまた、さまざまな格好だった。頭上に掲げられている腕もあれば、夢遊病者のようにまえへ伸ばされたり、体の真横にまっすぐ降ろされている腕もあった。どの死体にも腐敗の徴候はなかった。まるで生きたまま凍らされたかのようであり、死ぬまえに動かなくなったかのようだった。

死体には埃がつもっておらず、悪臭も発していなかった。

白いカードが個々の棚の前の端に張りつけられていた。手書きで、棚の底に巧みに留められているプラスチック・ケースにいれられていた。わたしが見た最初のカードは、こう書かれていた——

キダーミンスター、ドミニオン劇場
〇一年四月十四日　午後三時十五分（M）
2359／23
25g

その上の棚では、カードの文言はほとんどおなじだった――

キダーミンスター、ドミニオン劇場
○一年四月十四日　午後八時三十分（E）
２３６０／２３
25ｇ

そのさらに上、三番目の亡骸のラベルは――

キダーミンスター、ドミニオン劇場
○一年四月十五日、午後三時十五分（M）
２３６１／２３
25ｇ

隣のラックにはさらに三体の死体があり、いずれのラベルの日付も同様だった。死体は日付順に置かれていた。その翌週の分は、劇場名が変わっていた――ノーザンプトンのフォーチュン劇場。そこで六回公演があった。そののち、およそ二週間のあいだが空き、およそ三日間隔で一回公演がつづいた。数多くの地方劇場での公演だ。順に十二体の亡骸がそのようにラベル付けされていた。ブライトンのパレス・ピア劇場での一シーズン公演は、五月の半分が費やされた（六本のラックに十八体の死体）。

わたしは先へ進み、中央通路に体を押しこむようにして洞窟の奥の壁まで行った。そこで、最後のラックの一番上の棚にある、幼い少年の死体を見つけた。

少年は必死でもがきながら死んでいた。頭がのけぞり、右へひねっていた。口が開いており、唇の端がまくれあがっていた。目は大きく見開かれ、上を向いている。髪の毛が逆立っていた。手足はこわばり、まるでなにかから逃れようとあがっているかのようだ。パペットアニメ〈魔法の回転木馬《ザ・マジック・ラウンドアバウト》〉のキャラクターがついているえび茶色のスエットシャツと、すそをまくった小さなブルージーンズを着て、青いズック靴をはいている。

少年のラベルも手書きで、こう書かれていた――

コールドロウ・ハウス
七〇年十二月十七日
午後七時四十五分
００００／２３

その上に少年の名前が記されていた——ニコラス・ジュリアス・ボーデン。

わたしはそのラベルを外して、ポケットに滑りこませてからまえに手を伸ばし、少年を引き寄せた。少年をすくいあげ、両腕に抱えた。男の子に触れた瞬間、ずっと感じていたわたしの兄弟の存在感が薄れていき、消え失せた。

兄弟の不在を初めて意識した。

腕のなかの男の子を見おろしながら、わたしはもっと運びやすい姿勢に変えようとした。少年の四肢と首と胴体は、強力なゴムでできているかのように、堅かったが、柔軟に動いた。姿勢を変えることはできたが、手を放すと元の姿勢に勢いよくもどってしまった。

髪の毛をなでつけてやろうとしたが、それもまた元の位置に頑固にもどってしまった。

わたしは男の子をきつく抱きしめた。その体は冷たくも温かくもなかった。伸ばした手の一本は、恐怖に握りしめられており、わたしの顔の横に触れていた。ついにこの子を見つけたという安堵感は、あらゆるものを圧倒した——この場所がたたえる恐怖以外のあらゆるものを。わたしは出口にもどっていけるよう身体の向きを変えたかったが、そうするためには後ろ向きにラックの通路を出なければならなかった。わたしは腕のなかに自分の過去の命を抱えており、自分の背後になにが立っていようが知りようがなかった。

だが、なにかが立っていたのだ。

わたしは後ろ向きにそっと歩いた。後ろを見ないようにして。主通路にたどりつくと、ゆっくり振り返った。ニッキーの頭が最寄りの遺骸の宙に掲げられた脚をかすめた。エナメル革の靴がゆっくりと前後に揺れた。ぞっとして、わたしはその脚をかいくぐってかわした。

3

このホールのわたしに近い方の端に、べつの部屋があるのに気づいた。わたしの立っているところから、一・五メートルから一・八メートルほど離れたところだ。そこから発電機の音が聞こえていた。わたしはそちらへ向かった。空洞の入り口は、斜めになっており、低く、穴を広げたり、はいりやすいようにする人為はいっさい払われていなかった。

発電機の音はいまや大きくなり、そこから発せられる石油の煙霧の臭いが感じられた。入り口の先の小室の内部には、こちらよりもたくさんの照明が設置されていた。その光輝がメイン・ホールのでこぼこの床にこぼれてきていたのだ。ニッキーの体を下に降ろさずに入り口を通り抜けることはできなかったので、かがんで、なかにあるやもしれないものを覗きこもうとした。

岩でできた床の見えるわずかな範囲に目を凝らした瞬間、わたしは背筋を伸ばした。それ以上見たくなかった。寒気が全身に走った。

わたしはなにも見なかった。そこでしていたかもしれないどんな音も発電機の機械的な騒音にかき消されていた。なかでなにも動いていなかった。

わたしは一歩後退した。ついでまた一歩。できるだけ静かに。

その小室のなかには何者かが立っていた。黙って、じっとして、わたしの視線のほんの少し先に立ち、わたしがなかにはいるか、後退するか待っていたのだ。

わたしはラックのあいだの影が落ちた狭い通路を後退しつづけ、ニッキーの頭や脚が棚の死体にぶつからないように、自分の体を前後にそろそろと動かしながら進んだ。恐怖がわたしの体から力を奪いつつあった。ひざががくがく震え、腕の筋肉がニッキーの体重を支えていることでこわばり、痛み、痙攣しはじめていた。

男の声が小室のなかから発せられ、ホール全体に反響した。「おまえはボーデン家の者じゃないのか？」

わたしは恐怖に凍りつき、なにも言わなかった。

「やっとその子を迎えにきたのだな」その声は細く、倦んだ声で、囁き声と言っても良いものだったが、洞窟の反響が声を増幅させていた。「その子はおまえだよ、ボーデン。ここにあるのはみんなわたしだ。その子といっしょに出ていくつもりか？　それともここにとどまる気か？」

かすかな影が、ぞんざいに切りだされた入り口を動いているのが見えた。恐ろしいことに、発電機の音が急速に消えていった。

電球が光を弱めた――黄色に、琥珀色に、にぶい赤色に、暗黒に。

わたしは文目も分かぬ闇のなかにいた。懐中電灯をつかんだ。懐中電灯はポケットのなかにはいっている。幼い少年の体重を移動させ、なんとか懐中電灯をつかんだ。

震える手で、スイッチをいれた。懐中電灯をしっかりつかみながら、ニッキーの体を両腕でしっかり抱いていようとしたため、光線があちこち狂ったように動きまわった。わたしはむりやり振り向いた。

掲げられた何本もの脚の影がわたしのまわりで、洞窟の壁に舞った。

ひじの内側でニッキーのむきだしの頭部を守りながら、わたしはラックのあいだの通路の残りを突き進み、肩や腕を棚にぶつけ、いくつものプラスチックのラベルを払い落とした。

あえて背後を振り返らなかった。男があとからついてきていた！　わたしは脚に力がはいらず、いまにも倒れそうだった。

ホールから出るためのゆがんだ階段に足を載せると、天井の岩と頭がぶつかり、そのあまりの痛さにあやうくニッキーの体を落としそうになった。わたしは前進をつづけた。よろけながら、突き進み、懐中電灯の光線を安定させようとすらせずに。ずっと上り坂であり、ニッキーの死体は一歩進むごとに重くなっていくように思えた。足をひねり、隧道の壁にぶつかり、立て直し、先へ進みつづけた。恐怖がわたしをまえへと駆り立てていた。

内側の扉がついに目のまえに現れた。ほとんど止まることなく、長靴をはいた足で扉を引き開け、強引にくぐり抜けた。

背後の、隧道の石敷きの床に、追ってくる跫音が聞こえた。一定のペースでぐらぐらした石の上を歩いてくる。

わたしは地上へ通じる階段を駆け上がったが、雪が吹きこんできており、上から四、五段は雪に覆われていた。わたしは足を滑らせ、まえへ倒れ、幼い男の子はわたしの腕から転がり落ちてしまった！　わたしはまえへ身を投げ、扉に全体重をかけて押し開けた。

目に映ったのは――雪に覆われた地面、屋敷の黒い影、明かりが灯った二つの窓、奥に明かりがついている開いた戸口、空から激しく舞い降りてくる雪！

わたしの心のなかで兄弟が叫んだ！

わたしは振り向き、階段の上に手足を投げだして倒れている彼を見つけ、抱え上げた。わたしは雪のなかに足を踏みだした。

分厚い雪のなかをもがき、よろけながら、戸口目指して進み、肩越しにひっきりなしに振り返っては、扉が開いた納体所の黒い四角い空間を見て、わたしを追ってきたのがなにであれ、それが現れるのを目にしやしないかと怯えていた。

突然、家の脇に設置されている防犯照明が灯り、わたしの目を半分見えなくさせた。その光輝のなかでブリザードが勢いを増した。ケイトが開いた戸口に姿を現した。キルトのコートを身につけている。

わたしはケイトに警告の言葉を叫ぼうとしたが、息が切れていた。ニッキーの体をまえに抱きかかえたまま、雪のなかで滑り、よろけながら前進をつづけた。ようやく扉のまえの庭にたどりつき、雪に覆われたコンクリートの上でずるずると足を滑らせながら、ケイトを押しのけ、明るく照らされたその先の廊下にはいった。

ケイトは言葉もなくわたしの腕のなかの幼い少年の死体を見ていた。荒い息のまま、わたしは向きを変えて戸口にもどり、柱にもたれて、雪に覆われた庭越しに、形のはっきりしない納体所の入り口を振り返った。ケイトがわたしの隣にきた。

「納体所を見ろ!」わたしは言った。口に出せるのはその一言だけだった。「見ろ!」

雪にへだてられた向こう側では、動くものはなにもない。わたしは一歩後退し、石敷きの床にニッキーの体を降ろした。

ポケットをまさぐり、ニッキーのラックにとりつけられていたラベルを見つけた。それをケイトにつきつけた。わたしはまだ息を切らしており、二度とふたたび正常な呼吸ができないような気がしていた。

あえぎながらわたしは言った。「これを見ろ! この手書きのラベルを! これはおなじものか?」

ケイトはラベルをわたしから受けとり、光にかざし、じっと見つめた。ついで、ケイトはわたしをまっすぐ見つめた。その目は恐怖に見開かれていた。

「そうなんだな？」わたしは叫んだ。

ケイトは両手でわたしの腕の上腕部をつかみ、わたしにしがみついた。ケイトが震えているのが感じられた。

防犯照明が消えた。

「もう一度つけるんだ！」わたしは叫んだ。

ケイトは自分の背後に手を伸ばし、スイッチを見つけた。そののち、またしてもわたしの腕につかまった。

雪がまばゆい光のなかで舞っていた。その雪を通して、かろうじて、納体所の入り口が見えた。われわれはふたりとも納体所の扉から男のぼんやりした姿が現れるのを目にした。男は黒い服を着ており、防寒着を重ねていた。長い黒髪が上着のフードの下からこぼれていた。男はまばゆい光から目を守ろうとして片手をかざした。男はわれわれにはなんの関心も示さず、われわれを恐れもせず、われわれがここにいて、自分を見ているのをわかっているはずだが、意に介していなかった。こちらに目もくれず、男は平らな地面に歩を踏みだし、ブリザードのなかで肩をすぼめ、右手に移動し、木々のあいだを通って、丘を下り、われわれのまえから姿を消した。

解説

小説研究者　若島　正

本書『奇術師』は、クリストファー・プリーストが一九九五年に発表した *The Prestige* の全訳である。

まず、このタイトルにご注目いただきたい。“prestige”という言葉は、ふつう現代英語で使われるときには、「名声、威光」という意味である。しかし、『オックスフォード英語辞典』で調べてみれば、この言葉はもともとフランス語から来たもので、第一義としては「幻惑、奇術、詐術、偽物」の意味だったが、廃語になったと記載されている。現代の「名声、威光」という意味はそこから転化した用法で、「まばゆいばかりの威光、魔法、魅惑」というニュアンスから導かれたらしい。

つまり、二人の奇術師が名声を競い合う、という本書の基本的な筋書きから見れば、まさしくこの“prestige”という言葉がタイトルとしてうってつけなのだ。

ただ、『オックスフォード英語辞典』の記載で興味深い点が、他にもう二つある。第一点は、「幻惑、奇術」という本来の用法が、いったいいつの頃にすたれてしまったのかということ。そして第二点は、「魔法、魅惑」という意味がプリースト愛読者にある連想を誘うこと。

第一点について述べよう。用例が歴史順に並べられている『オックスフォード英語辞典』の記載によれば、「幻惑、奇術」の意味で使われているいちばん最後の用例は一八八一年のもので、「私は prestige という言葉が奇術という第一義を失ったことはいまだかつてないと思っている」という文章だ。これは、字面の裏を読めば、一八八一年においてprestige という言葉が実際に用いられるとき、奇術という第一義ではほとんど使われていなかったことを示している。それにとってかわったのが第二義の「威光」で、この第一義から第二義への移行は、一九世紀前半から世紀末にかけて起こったようだ。

こうした意味の変化は、実は本書の設定に巧みに活かされている。すなわち、この小説はいくつかの歴史的時点を含んでいるが、その中心になるのは世紀末であり、それはいわば“prestige”という言葉が魔法の輝きを持っていた最後の時代なのである。世紀末は、述べるまでもなく、光と闇が、あるいは科学と魔術が、はなばなしい闘争を繰り広げた時期であった。その典型的な現れが、心霊術をめぐる論争であり、本書に登場する二人の奇術師アルフレッド・ボーデンとルパート・エンジャの抗争がまずそこに端を発していることにも注意しておく必要があるだろう。

そして第二点、「魔法、魅惑」について。これは『オックスフォード英語辞典』から原文を引用すれば、“magic, glamour”である。この“glamour”という言葉こそは、すでに本邦で翻訳紹介されている『魔法』（一九八四年、早川書房・夢の文学館）の原題なのだ。この事実だけを取ってみても、本書『奇術師』が『魔法』と密接な関係を持っていることが読み取れる。

一九七〇年に長篇第一作『伝授者』（サンリオSF文庫）を発表してデビューしたプリーストは、その七〇年代のあいだ、『逆転世界』（一九七四年、創元SF文庫）や『スペース・マシン』（一九七六年、創元SF文庫）といった初期の代表作をはじめとする、典型的なSFを書いていた。ところが、大きなターニングポイントになったのは八〇年代に入ってからの *The Affirmation*（1981）で、この作品からプリースト独自の作風が固まってくる。それは、SFで使い古されたテーマを、よりリアリスティックな設定の中で、まったく新しい視点から探求するという方向性だった。大傑作『魔法』をお読みになった方は、それがどういうことかよくおわかりだろう。このあたりから、プリーストの作品は明らかにSFのアイデアから出発しながら、最終的にはSFと幻想小説の境界線上に位置するような仕上がりを見せることになる。それは近年のプリーストにも言えることで、*The Extremes*（1998）ではヴァーチャル・リアリティ、そして最新作の *The Separation*（2002）ではパラレル・ワールドといったSFでおなじみのテーマが、新しい解釈をほどこされて使われているのである。

そして、今述べた事柄は、当然ながら本書にも当てはまる。『奇術師』におけるSF的要素とは、言うまでもなく、「瞬間移動機」という昔懐かしいテーマというよりもガジェットである。このガジェットを使った有名な作品の例としては、映画にもなったジョルジュ・ランジュランの短篇「蝿」がすぐに想起されるが、それはいかにも古色蒼然たるSFという感を免れない。ところが、プリーストはこのガジェットの埃を払って、とんでもない大技をやってのける。まさかこんな話になろうとは、と読者を啞然とさせてくれるのだ。それは最後まで読んでのお楽しみなので、ここで詳しく解説するわけにはいかない。

ただ、これだけは触れておいてもいいだろう。八〇年代以降におけるプリーストの特徴の一つは、歴史的事件なり人物の取り込みである。それを接点にして、瞬間移動機というガジェットは本書に登場する歴史上の人物ニコラ・テスラへとつながる。

さまざまな伝説に彩られた発明の才人テスラこそは、科学者であったにもかかわらずむしろそのパフォーマンスで奇術師のような印象を与えた人物として、いかにもこの小説にふさわしい人物である。彼の実像については、日本では新戸雅章氏の著作、とりわけ『テスラ　発明的想像力の謎』（工学社）および『発明超人ニコラ・テスラ』（ちくま文庫）に詳しいのでぜひそちらをお読みいただきたいが、『奇術師』を読んでわかるのは、プリーストの徹底的なリサーチぶりだ。物語の中で、ルパート・エンジャが一八九二年二月四日付けの日記に、「昨夜、とんでもないものを見た」という書き出しで、ロンドンの電気技師協会でテスラが講演として実演した真空放電のパフォーマンスを目撃したときの興奮ぶりを書きつけている。この一八九二年二月三日の講演の記述は、正確な史実である。さらに、テスラが一八九九年からコロラドスプリングズにある研究所に移り、壮大な実験を行っていたのも事実である。それではどのあたりから史実と離れていくのかは、読者の調査にお任せしたいが、この小説の細部がそうした史実に裏打ちされていることは強調しておきたい。

いささか余談になるが、最新作の *The Separation* では第二次大戦が題材として扱われていて、とりわけルドルフ・ヘスの謎が中心となる。そこでプリーストはリサーチ癖を発揮して、関係書を読み漁った。その膨大な史料のリストは、詳細なコメントを付して、プリーストのホームページで公開されている（http://www.christopher-priest.co.uk/）。それが圧倒的におもしろい。歴史家の目ではなく、彼が小説家の目で史料を読んでいるからこそ、まるでプリーストの小説を読むようにおもしろいのだ。愛読者には必読。

話を元に戻そう。「瞬間移動機」がSFを経由したテーマだとするなら、『奇術師』にはもう一つ、幻想小説経由の大きなテーマがある。それは、「双子」および「分身」のテーマだ。

「双子」のテーマがプリーストお気に入りのものなのは、おそらく彼自身が双子の父親であるという個人的事情が影響しているのだろう。これを大がかりに扱ったのが *The Separation* で、その主人公は双子の兄弟である。ただ、『奇術師』では「双子」よりも「分身」のテーマの比重が大きい。「分身」はこの物語のいたるところに変奏を伴って現れている。もともと、似たものどうしの二人の奇術師の確執という根本的なプロットが、ポオの有名な短篇「ウィリアム・ウィルソン」をその典型的な先例に持っているのだ。異なる二つのものがある意味では同じものであること。それは、科学と魔術が、光と闇が、そして現実と幻想が溶け合うこの物語に、基本的なトーンを与えている。

プリーストの独創性は、こうして別々のジャンルから取り込まれた「瞬間移動機」と「分身」という普通はつながりのない二つのテーマを、あっと驚くような大きな仕掛けで結合させた点にある。その仕掛けに有機的に関わっているのが、「語り」のトリックだ。八〇年代以降のプリーストは、意識的に「語り」の問題を前景化させる方法を選んできた。最初は確かなものに見えていた現実が、次第に幻想との境を曖昧にしていくような方向に進むとき、語りの信憑性が問われることになる。おそらく、それを極限にまで押し進めたのが、この『奇術師』だろう。語り手が奇術師であるとするなら、その観客はわたしたち読者である。騙す者と騙される者という、この図式は見やすい。ただし、ここではそれよりも事情はもっと複雑で、語りはいわゆる入れ子構造になっている。いちばん外にいる語り手は、アンドルー・ウェストリーという新聞記者。彼はアルフレッド・ボーデンの著書とルパート・エンジャの日記という、二人の奇術師が遺したテクスト内テクストを読むことになる。すなわち、アンドルー・ウェストリーは語り手でもあり、読者でもある。ここが決定的に重要なところで、彼は知らず知らずのうちに、わたしたち読者に対して、最大のマジックを演じてしまうのだ。彼がわたしたち読者とともに、そのマジックの真実を知るとき、それがこの小説の恐ろしくまた悲痛なクライマックスである。わたしたちは、

「記述」とは実は「奇術」なのだ、と思わずつぶやかずにはいられない。

最後に付言しておくと、本書は『メメント』『インソムニア』のクリストファー・ノーラン監督によって映画化が進められていると聞く。主演はジュード・ロウとガイ・ピアース。二〇〇四年に公開の見通しで、日本でも二〇〇六年に東宝洋画系でロードショーが予定されているそうだ。この傑作がどう料理されるのか、今から待ち遠しい。

訳者略歴　1958年生，1982年大阪外国語大学デンマーク語科卒，英米文学翻訳家　訳書『魔法』プリースト，『黎明の王　白昼の女王』『火星夜想曲』マクドナルド，『シティ・オブ・ボーンズ』コナリー（以上早川書房刊）他多数

HM=Hayakawa Mystery
SF=Science Fiction
JA=Japanese Author
NV=Novel
NF=Nonfiction
FT=Fantasy

奇《き》術《じゅつ》師《し》

〈FT357〉

二〇〇四年四月三十日　発行
二〇〇七年五月十五日　五刷

（定価はカバーに表示してあります）

著者　クリストファー・プリースト
訳者　古《ふる》沢《さわ》嘉《よし》通《みち》
発行者　早川　浩
発行所　株式会社　早川書房

郵便番号　一〇一－〇〇四六
東京都千代田区神田多町二ノ二
電話　〇三－三二五二－三一一一（大代表）
振替　〇〇一六〇－三－四七七九九
http://www.hayakawa-online.co.jp

印刷・星野精版印刷株式会社　製本・株式会社フォーネット社
Printed and bound in Japan
ISBN978-4-15-020357-3 C0197